Secretos de la cocina para vivir mejor:

1,427 curas de cocina y consejos caseros para casi cualquier problema de salud y del hogar

Nota de la editorial

Los editores de FC&A han puesto el máximo cuidado para garantizar la exactitud y la utilidad de la información contenida en este libro. Tenga en cuenta que algunos sitios Web, direcciones, números telefónicos y otra información pueden haber cambiado después de la impresión de este libro.

La información que se ofrece en este libro debe utilizarse únicamente como referencia y no constituye práctica ni consejo médico. No podemos garantizar la seguridad o eficacia de los tratamientos o consejos mencionados. Exhortamos a nuestros lectores a consultar con profesionales de la salud y obtener su aprobación antes de iniciar las terapias sugeridas en este libro. Aunque se ha hecho todo lo posible para asegurar que la información sea precisa, podría haber errores en el texto y nuevos hallazgos podrían sustituir la información aquí disponible.

> *Sáname, oh Señor, y seré sano; sálvame y seré salvo,*
> *porque Tú eres mi alabanza.*
>
> *Jeremías 17:14*

Índice

Açaí

Nuevo 'superalimento' al rescate de la salud

El *açaí*, que se pronuncia "asaí", está de moda y por una buena razón. Esta pequeña baya morada es muy rica en antioxidantes que pueden protegerle contra una variedad de afecciones. La baya del *açaí* crece en grandes palmeras amazónicas, los mismos árboles de donde se extrae el palmito, tiene un ligero gusto a chocolate y se consigue mayormente en forma de jugo o de polvo, debido a que no se transporta bien. Recientemente promocionada como un "superalimento", la baya de *açaí* bien podría estar a la altura de las expectativas. Éstas son algunas de las maneras en las que el *açaí* puede ayudarle:

Protege contra los males del corazón. Los antioxidantes son un aliado en la lucha contra las enfermedades cardíacas. El colesterol de lipoproteína de baja densidad (LDL, en inglés), mejor conocido como el colesterol "malo", se vuelve peligroso para las arterias solamente después de oxidarse. Prevenir este proceso es una manera de protegerse contra un ataque al corazón o un derrame cerebral.

Cuando se trata de antioxidantes no hay nada como el *açaí*. Un sistema llamado capacidad de absorción de radicales libres de oxígeno (ORAC, en inglés) mide la actividad antioxidante de los alimentos. En un estudio reciente, las bayas de *açaí* liofilizadas obtuvieron el puntaje más alto de ORAC entre todas las frutas y verduras. Entre estos antioxidantes se encuentran las antocianinas, que son los pigmentos que le dan al *açaí* su color morado brillante. Las antocianinas también son el secreto del vino tinto para un corazón saludable. Si bien el *açaí* cuenta con más antocianinas que el vino tinto, sólo alrededor del 10 por ciento de su poder antioxidante proviene de las antocianinas. Eso significa que la baya de *açaí* debe contener otras fuerzas antioxidantes misteriosas. Las bayas de *açaí* también contienen potasio y manganeso, minerales importantes que ayudan a regular la presión arterial.

Cancela el cáncer. Gracias a sus poderes antioxidantes, el *açaí* también tiene un potencial anticancerígeno. La baya de *açaí* podría proteger contra el cáncer debido a su extraordinaria capacidad para detectar los nocivos radicales libres antes de que puedan causar daño a nivel del ADN. De hecho, en pruebas de laboratorio, el extracto de *açaí* detuvo la propagación de células humanas de leucemia en 86 por ciento.

Otro estudio encontró que, en concentraciones extremadamente altas, el *açaí* podría tener efectos mutagénicos. Eso significa que podría causar mutaciones en un organismo, y las mutaciones a menudo conducen al cáncer. Sin embargo, esto presenta un bajo riesgo para los humanos, sobre todo porque es poco probable que alguien consuma *açaí* en cantidades suficientes para que sea peligroso.

Apaga las inflamaciones. Al igual que la cereza, otra fruta rica en antocianinas, el *açaí* podría tener un efecto calmante sobre el dolor de la artritis y la gota. Esto se debe a que las antocianinas combaten la inflamación. Al *açaí* se le conoce por ser un potencial inhibidor de la ciclooxigenasa (COX)-1 y la COX-2. Esto significa que podría actuar como el ibuprofeno u otros medicamentos antiinflamatorios, además de no producir efectos secundarios.

Dado que la inflamación puede desempeñar un papel clave en tantas afecciones, incluidas las enfermedades cardíacas, el cáncer, el asma, la diabetes y los trastornos digestivos, no es posible precisar el verdadero alcance de los beneficios del *açaí* para la salud en general.

Calma la piel. Un facial de *açaí* puede ayudar a borrar las arrugas, el daño solar y el acné gracias a los antioxidantes que impiden que los radicales libres dañen el tejido conectivo. Sus poderes antiinflamatorios hacen del *açaí* un astringente, contrayendo y tensando el tejido de la piel para combatir las arrugas y el acné. El *açaí* también contiene ácidos grasos y otros nutrientes que ayudan a nutrir la piel.

Pruebe el *açaí*. Búsquelo como jugo en su supermercado. Puede que lo encuentre combinado con jugo de frambuesa, uva y otras frutas. También puede agregar el jugo, el polvo o las cápsulas concentradas de *açaí* a un batido o a otro tipo de bebida.

Crocante de frutas bañado de açaí

Ingredientes* (Rinde 8 porciones)

1 lata (20 onzas) de melocotones en almíbar *light*, escurridos y en rodajas

2 manzanas medianas, peladas y cortadas en rodajas

1/2 cucharadita de extracto de vainilla

1/4 de cucharadita de canela molida

3/4 de taza + 3 cucharadas de harina sin blanquear

1/4 de taza colmada de azúcar morena

3 cucharadas de margarina refrigerada

1 taza de jugo de *açaí*

1/2 taza de miel

Preparación

1. Precaliente el horno a 350°F. Engrase ligeramente una fuente para hornear de 9x9x2 pulgadas.

2. Combine los melocotones, las manzanas, la vainilla y la canela en un recipiente. Mezcle bien y extienda de manera uniforme en la fuente engrasada.

3. En un recipiente pequeño mezcle la harina y el azúcar. Incorpore la margarina con la ayuda de dos cuchillos hasta obtener una masa de textura arenosa.

4. Esparza la mezcla de harina de manera uniforme sobre la fruta.

5. Hornee unos 20 minutos, hasta que la masa esté ligeramente dorada y burbujeante.

6. Combine el jugo de *açaí* con la miel. Mezcle bien. Rocíe sobre el crocante horneado y sirva de inmediato.

Información nutricional por porción: 225.7 calorías (40.1 calorías de la grasa, 17.78 por ciento del total); 4.5 g de grasa; 1.7 g de proteínas; 47.6 g de carbohidratos; 0.0 mg de colesterol; 1.7 g de fibra; 64.8 mg de sodio

*Si no reconoce el nombre de un ingrediente, vea el glosario en la página 360.

Manzana

La mejor defensa contra el cáncer

No importa su color, si es verde, roja o amarilla, la manzana es ciertamente tan saludable como afirman. Esa manzana que usted lleva al trabajo cada día contiene nutrientes que son poderosos escudos contra el cáncer. Es mejor comerlas enteras para obtener la mayor protección.

Quédese con la quercetina. La mayor parte de la quercetina de una manzana está en la cáscara de la fruta, no en la pulpa. Así que lave bien la fruta para eliminar la suciedad y los pesticidas, pero no la pele. De ese modo no eliminará este importante fitoquímico.

La quercetina es un antioxidante que frena el crecimiento de las células tumorales. Las investigaciones indican que puede actuar contra el cáncer de pulmón, de mama, de hígado y de colon. Un estudio llevado a cabo en Hawai comprobó que las personas que comieron más manzana y cebolla —ambas ricas en quercetina— presentaron un riesgo menor de cáncer de pulmón. El conocido Estudio de Salud de Enfermeras, que dio seguimiento a más de 77,000 mujeres, obtuvo resultados similares. Las mujeres que consumieron más frutas y verduras, sobre todo manzanas y peras, tuvieron un riesgo menor de desarrollar cáncer de pulmón. Pero recuerde, se debe comer la manzana entera.

Atrape los triterpenoides. La cáscara de manzana también contiene unos compuestos vegetales naturales llamados triterpenoides. Científicos de la Universidad de Cornell encontraron que, en pruebas de laboratorio, ciertos triterpenoides o matan o retardan el crecimiento de las células cancerosas. Si prefiere el jugo a la manzana entera, opte por la sidra, también llamada jugo de manzana turbio o sin filtrar, que está hecha de manzanas enteras ralladas, incluida la cáscara.

Persiga la pectina. La pectina, una fibra soluble de la manzana, los cítricos y muchas otras frutas y verduras, es otro ingrediente anticáncer en esta sabrosa fruta. Usted tal vez la conozca como el gelificante que se utiliza en las mermeladas y el yogur. Un estudio de laboratorio de la Universidad de Georgia (UGA) encontró que agregar pectina a un grupo de células cancerosas de la próstata causó la muerte de hasta el 40 por ciento de dichas células, sin afectar a las células sanas normales.

"No fue sino hasta que empezamos a trabajar en estos estudios que finalmente llegamos a entender lo inmensamente importante que es consumir abundantes frutas y verduras", dice Debra Mohnen, investigadora del Centro de Cáncer de la UGA. "Con sólo aumentar la ingesta de frutas y verduras se obtiene grandes cantidades de pectina y, al mismo tiempo, de otros fitoquímicos beneficiosos para la salud".

La 'superfruta' que mantiene el corazón contento

Las manzanas contienen un dúo dinámico de nutrientes que le ayudarán a ganarle la guerra al colesterol alto y a las enfermedades cardíacas.

Favorezca los flavonoides. Estos supernutrientes ayudan al corazón al reducir la inflamación y al evitar que las plaquetas sanguíneas se adhieran entre sí. De hecho, los flavonoides en la manzana (y en las demás frutas, verduras, frutos secos, hierbas y vino tinto) actúan como antioxidantes. Eso es bueno para el corazón ya que detienen la oxidación del colesterol "malo" (LDL), protegiéndolo contra el endurecimiento de las arterias.

Investigadores pusieron esta teoría a prueba, para lo cual analizaron el conocido Estudio de Salud de Mujeres realizado en Iowa. En dicho estudio se observó durante 16 años a más de 34,000 mujeres mayores, anotando lo que consumían y las enfermedades que desarrollaban o de las cuales morían. La probabilidad de morir de un mal cardíaco durante el estudio fue menor en las mujeres que consumieron más alimentos ricos en flavonoides, como la manzana, la pera y el vino tinto.

Pierda con pectina. Lo dicen los anuncios de avena. La fibra soluble, como la pectina y la cáscara de psilio, ayuda a bajar el colesterol. Esta fibra absorbe el agua en el intestino y forma un gel o masa pegajosa que reduce la velocidad de la digestión. La digestión más lenta de almidones y azúcares significa, con el tiempo, menores niveles de colesterol.

Las manzanas están llenas de pectina, por lo que un grupo de científicos decidieron dar manzana molida a ratas que estaban siguiendo una dieta alta en colesterol. En comparación con las ratas que no recibieron manzana, las ratas que sí la comieron todos los días presentaron niveles más bajos de triglicéridos y niveles más altos del colesterol "bueno" HDL. Se cree que la manzana puede tener un efecto similar en las personas.

¿Desea reducir la cintura? Coma una manzana todos los días. Los adultos que comen manzana y productos de manzana tienen menos grasa abdominal, la presión arterial más baja y un menor riesgo de desarrollar síndrome metabólico. Este grupo de problemas puede resultar en diabetes, en una afección cardíaca o en otro mal crónico.

Los expertos no saben si lo que más beneficia al corazón es la pectina o los flavonoides. Pero usted puede ser el mejor amigo de su corazón si obtiene suficiente de ambos en su manzana diaria.

El factor dietético que favorece a los huesos

Lo que una dieta tiene puede ser tan problemático como lo que le falta. Ése es el caso del boro, un oligoelemento que falta en muchas dietas. El boro ayuda en la utilización del calcio, el magnesio y la vitamina D, indispensables para fortalecer los huesos y las articulaciones. Los expertos en nutrición creen que la falta de boro eleva el riesgo de artritis.

La osteoartritis ocurre cuando el cartílago, que es el tejido resbaladizo que amortigua las articulaciones, empieza a descomponerse. Esto puede provocar dolor y rigidez en las articulaciones, especialmente en las rodillas, las caderas, los dedos de las manos, los pies y la columna vertebral. Estudios muestran que las personas tienen mayor riesgo de sufrir artritis cuando viven en lugares donde hay menos boro en la tierra y donde, por lo tanto, los alimentos de origen vegetal, como las manzanas, también contienen menos boro. Esto tiene sentido porque los huesos artríticos tienen menos boro que los huesos saludables. La buena noticia es que tanto la manzana como el jugo de manzana son extraordinarias fuentes de boro y pueden aliviar los síntomas de la artritis. De hecho, ambos se encuentran entre las 10 mejores fuentes de boro en una típica dieta estadounidense. Otros favoritos ricos en boro son el café, la leche, la crema de cacahuate, los frijoles, la papa y el jugo de naranja. Es mejor obtener el boro de los alimentos. La forma de boro que se obtiene de las plantas, el fructoborato de calcio, es más seguro y más fácil de absorber que el boro de los suplementos.

Consuma más fibra para un buen ritmo intestinal

La fibra es fabulosa y hace que el apio sea crujiente y el pan de trigo sustancioso. No la encontrará en la carne ni en los productos lácteos, por lo que usted necesita consumir alimentos de origen vegetal para obtener este importante componente dietético.

Hay dos tipos de fibra: soluble e insoluble. La fibra soluble, que se encuentra en la avena, la cebada, la banana, las legumbres secas y la manzana, forma un gel en el intestino que ayuda a eliminar las sustancias grasas. Imagínela como una esponja que absorbe los alimentos para facilitar su tránsito a través del intestino. La fibra insoluble, presente en el salvado de trigo, el arroz integral, el brócoli y, sí, también en la manzana, no se descompone del todo durante la digestión. En cambio, retiene el agua y aumenta el volumen de las heces, actuando como una escoba del intestino que "barre" los alimentos hacia afuera rápidamente. Los expertos recomiendan consumir los dos tipos de fibra, entre 25 y 30 gramos al día. Ambos tipos de fibra son importantes para prevenir el estreñimiento, que, según definición de los médicos, significa tener menos de tres evacuaciones en una semana.

La manzana proporciona ambos tipos de fibra, alrededor de dos tercios como fibra insoluble y un tercio como fibra soluble en la forma de pectina. Una manzana mediana entera proporciona unos 4 gramos de fibra, pero si la consume sin la cáscara se quedará con sólo 2 gramos. Si lo que desea es aumentar la cantidad de fibra que consume, haga el cambio gradualmente para evitar cualquier malestar.

¿Y el jugo de manzana? A partir 1980, el consumo de jugo de manzana se duplicó, mientras que el consumo de la fruta bajó. Sin embargo, una taza de jugo de manzana tiene solamente un cuarto de gramo de fibra, aunque tiene más azúcar que la fruta entera. Si usted sufre de diarrea, evite el jugo de manzana, ya que puede empeorarla.

Una manzana al día mejora la memoria

La manzana contiene antioxidantes y boro, la fórmula ganadora para proteger la memoria a medida que pasan los años.

Ármese con antioxidantes. Los poderosos antioxidantes de la manzana ayudan a que el cerebro produzca más acetilcolina. Este neurotransmisor actúa como una paloma mensajera, llevando mensajes a otras células nerviosas del cerebro. En el cerebro de las personas con la enfermedad de Alzheimer se acumula la proteína beta-amiloide, que forma unos parches pegajosos llamados placas neuríticas. Niveles elevados de beta-amiloide están asociados con niveles bajos de acetilcolina, esto es, con menos palomas mensajeras haciendo su trabajo.

La acetilcolina desempeña un papel importante en la memoria y el aprendizaje. Contar con la cantidad suficiente de acetilcolina puede ser clave para defenderse de la enfermedad de Alzheimer. Investigadores en Massachusetts estudiaron recientemente la relación entre los antioxidantes y la memoria utilizando ratones de laboratorio. Sólo un grupo de ratones recibieron jugo concentrado de manzana todos los días. Los ratones que bebieron el jugo tenían más acetilcolina en el cerebro y lograron mejores resultados en las pruebas de memoria en las que tenían que correr por un laberinto.

Para obtener la misma cantidad de concentrado de manzana que recibieron los ratones, usted tiene que comer dos o tres manzanas al día o beber dos vasos de 8 onzas de jugo.

Elija las manzanas *Red Delicious* y consuma la fruta entera para mejor nutrición. Investigadores de Canadá determinaron que entre ocho tipos de manzana, la *Red Delicious* tiene la mayor cantidad de antioxidantes, sobre todo en la cáscara. Pero si prefiere pelar su manzana, opte por la variedad *Northern Spy*, que tiene la mayor cantidad de antioxidantes en la pulpa.

Si prefiere el jugo, opte por la sidra o el jugo de manzana sin filtrar para obtener más antioxidantes.

Busque el boro. El mismo oligoelemento de la manzana que protege sus huesos y articulaciones, también puede mantener su cerebro joven. Investigadores en Dakota del Norte decidieron averiguar la forma como el boro afecta el cerebro. Se realizaron una serie de estudios en donde adultos mayores siguieron o bien una dieta con muy poco boro o una con abundante boro. Las personas que no obtuvieron suficiente boro obtuvieron resultados bajos en pruebas de función cerebral, que incluían pruebas de coordinación ojo-mano, destreza manual, atención y memoria. Para mantener estas habilidades en sus años dorados no olvide comer sus manzanas.

Potencie la protección de los pulmones

Comer manzanas en todas las etapas de la vida puede mantener los pulmones fuertes y saludables. Los expertos creen que las poderosas sustancias químicas naturales de la manzana o fitoquímicos, trabajan para reducir la inflamación en las vías respiratorias, lo que alivia la respiración sibilante y el asma.

Investigadores del mundo entero han estudiado estos fitoquímicos, especialmente la quercetina, que es un antioxidante que se encuentra comúnmente en la manzana y en la cebolla. Estudios realizados en Finlandia, Gales, Inglaterra, Estados Unidos y Singapur tuvieron resultados similares: comer manzana ayuda a respirar mejor. En esta investigación se observó a más de 83,000 adolescentes, hombres y mujeres de mediana edad y adultos mayores. En todos los casos, quienes comieron más manzanas (a veces hasta cinco o más a la semana), presentaron menos dificultades respiratorias, asma y bronquitis. Incluso hay nuevas pruebas de que las mujeres embarazadas que consumen grandes cantidades de manzana estarían protegiendo a sus bebés de desarrollar sibilancias y asma en la infancia.

Nunca es demasiado tarde para adquirir el hábito de una manzana al día. Algunos adultos mayores respiran con dificultad a consecuencia de una enfermedad pulmonar obstructiva crónica (EPOC). Ése es el término técnico, tanto para el enfisema como para la bronquitis crónica, y es la cuarta causa más común de muerte en Estados Unidos. Una tos crónica y congestionada es un síntoma de esta enfermedad y la manzana parece ayudar a prevenirla. Los expertos creen que los antioxidantes de la manzana ayudan a reparar el daño en los tejidos del pulmón que puede resultar en una EPOC. Coma una manzana y respire con mayor facilidad a cualquier edad.

Sugerencia para el hogar

Decore con aros de manzana seca

Seque rodajas de manzana y utilícelas para crear sus propias guirnaldas, coronas y popurrí perfumados. He aquí cómo: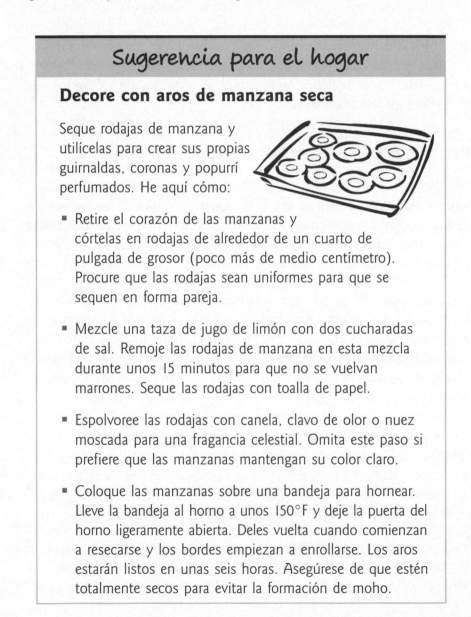

- Retire el corazón de las manzanas y córtelas en rodajas de alrededor de un cuarto de pulgada de grosor (poco más de medio centímetro). Procure que las rodajas sean uniformes para que se sequen en forma pareja.

- Mezcle una taza de jugo de limón con dos cucharadas de sal. Remoje las rodajas de manzana en esta mezcla durante unos 15 minutos para que no se vuelvan marrones. Seque las rodajas con toalla de papel.

- Espolvoree las rodajas con canela, clavo de olor o nuez moscada para una fragancia celestial. Omita este paso si prefiere que las manzanas mantengan su color claro.

- Coloque las manzanas sobre una bandeja para hornear. Lleve la bandeja al horno a unos 150°F y deje la puerta del horno ligeramente abierta. Deles vuelta cuando comienzan a resecarse y los bordes empiezan a enrollarse. Los aros estarán listos en unas seis horas. Asegúrese de que estén totalmente secos para evitar la formación de moho.

Aspirina

Evite el riesgo de sufrir un derrame cerebral

Los AINE son antiinflamatorios no esteroideos, también conocidos como NSAID, por su sigla en inglés. Así como muchas manos en un plato hacen mucho garabato, también muchos AINE en el cuerpo pueden terminar anulándose entre sí. Eso podría cancelar la protección contra un derrame cerebral que usted creyó que estaba asegurada por la aspirina.

Cuando se toma la aspirina sola, el ácido salicílico en la pastilla impide que las plaquetas se aglutinen. Eso, a su vez, ayuda a prevenir los coágulos sanguíneos que causan los accidentes cerebrovasculares isquémicos. Las investigaciones lo demuestran. Un estudio reciente encontró que la aspirina por sí sola impide la agregación plaquetaria hasta por 96 horas. Pero cuando se toma ya sea ibuprofeno (Advil) o naproxeno (Alleve) junto con la aspirina, esa protección antiagregante se reduce a seis horas o menos. Esto lo dejaría desprotegido durante 18 horas cada día.

Por extraño que parezca, este problema puede ocurrir porque estos tres analgésicos se unen a la enzima ciclooxigenasa (COX) para evitar que las plaquetas se aglutinen y formen un coágulo sanguíneo. Si el ibuprofeno o el naproxeno llegan antes a todas las enzimas COX, la aspirina queda excluida. De ese modo, usted sólo contará con la capacidad temporal de prevenir coágulos del ibuprofeno o el naproxeno, en lugar de obtener la protección duradera de la aspirina.

"Esta interacción entre la aspirina y el ibuprofeno o un AINE de venta con receta médica es uno de los secretos más conocidos, aunque mejor guardados de la medicina especializada en accidentes cerebrovasculares", dice Francis M. Gengo, investigador principal del estudio. Así que a menos que usted tome aspirina con cubierta entérica, esto es lo que los investigadores recomiendan:

- Tome ibuprofeno o naproxeno por lo menos ocho horas antes o 30 minutos después de tomar aspirina.

- Pregunte a su médico o a su farmacéutico si usted está tomando algún medicamento que contenga aspirina, como Aggrenox. De ser así, siga las mismas indicaciones.

Vaya a lo seguro: guíese por el olor

Si su frasco de aspirinas tiene un olor penetrante a vinagre puede ser señal de que las pastillas están vencidas. La exposición prolongada a la humedad hace que la aspirina se descomponga en ácido acético y ácido salicílico. Debido a que el ácido acético es el principal componente químico natural del vinagre, la aspirina caducada despedirá un fuerte olor a vinagre.

Si esto le sucede a usted, no tome las pastillas de ese frasco. Deshágase de ellas, porque es probable que ya perdieron todo su poder analgésico y antiinflamatorio. No guarde el nuevo frasco de aspirinas en un lugar húmedo, como el baño. Un lugar seco ayudará a que las pastillas duren más tiempo.

Gánele al cáncer mientras disfruta de las barbacoas

Tenga a mano un frasco de aspirinas si a usted le encanta la carne asada a la parrilla. Puede ayudarle a evitar el cáncer de mama.

Las mujeres que consumen alimentos a la parrilla o a la brasa por lo menos dos veces al mes tienen un riesgo 74 por ciento mayor de padecer cáncer de mama que las que nunca lo hacen, según un estudio de la Universidad de Johns Hopkins. Comer carne ya eleva el riesgo, y asarla hace que el peligro sea aún mayor. Cuando se asa la carne directamente sobre el fuego se forman unos compuestos llamados aminas heterocíclicas (AHC). Cuando uno come carne carbonizada, una enzima en el cuerpo convierte estas AHC en compuestos cancerígenos. Las mujeres que tienen la mala suerte de tener enzimas de metabolización rápida crearán AHC más activas, lo que las pone en un riesgo mayor de padecer cáncer. Las mujeres que metabolizan lentamente y que evitan las carnes y los alimentos cocinados a la parrilla tienen un riesgo menor. Pero, sorprendentemente, la aspirina parece reducir el peligro. Los investigadores encontraron que tomar aspirina eliminaba el riesgo adicional de cáncer en las "metabolizadoras rápidas" que comieron alimentos asados a la parrilla con carbón. No están seguros a qué se debe, pero creen que es posible que la aspirina bloquee la actividad de las enzimas.

Si usted de vez en cuando come carnes o alimentos asados a la parrilla, pregunte a su médico si es seguro tomar una aspirina con la comida para reducir el riesgo de desarrollar cáncer de mama. Puede que éste sea el más sencillo método de prevención del cáncer que exista.

Sugerencia para el hogar

Cabello fabuloso y sin caspa por menos

¿Por qué gastar una fortuna en un champú anticaspa? Simplemente muela dos aspirinas y mezcle el polvo con un puñado o dos de su champú normal. La aspirina es ácido salicílico, ingrediente a menudo utilizado en los costosos champús anticaspa. Usted obtendrá el mismo efecto poderoso, sin afectar su bolsillo.

Líbrese de tres amenazas a la salud con una aspirina diaria

Esa aspirina que usted toma cada mañana para el corazón o el dolor en las articulaciones tiene beneficios ocultos que le van a encantar.

Reduce el riesgo de cáncer de colon. Las personas con osteoartritis suelen utilizar antiinflamatorios no esteroideos (AINE), tales como la aspirina, para aliviar el dolor. Un estudio reciente encontró que, tal vez por eso, estas personas tienen una probabilidad 15 por ciento menor de desarrollar cáncer de colon. Los investigadores concluyeron que estas son las dos razones de por qué la aspirina puede ofrecer esa protección:

- Controla la rápida producción de células, que es típica del cáncer, según estudios de laboratorio y con animales.

- Impide el desarrollo de pólipos en el colon que se pueden convertir en cancerosos.

Arrasa con el peligro de asma. Con frecuencia los médicos diagnostican nuevos casos de asma en adultos mayores, lo que significa que el asma se puede desarrollar a cualquier edad. Pero usted puede elegir el analgésico de venta libre adecuado y evitar esta afección. En un estudio que se realizó durante cinco años se observó que los hombres que tomaron 325 miligramos de aspirina cada segundo día tenían una probabilidad 22 por ciento menor de desarrollar asma. Otro estudio indica que quienes toman acetaminofeno pueden presentar un riesgo más elevado de sufrir asma que las personas que toman aspirina u otros analgésicos. Aunque el acetaminofeno alivia el dolor, no combate la inflamación como lo hace la aspirina. Eso es importante porque los científicos creen que el poder antiinflamatorio de la aspirina puede ayudar a prevenir que el asma se desarrolle.

Previene el mal de Parkinson. Los AINE, tales como la aspirina, pueden ayudar a prevenir la enfermedad de Parkinson (EP) de la misma manera, ya que bloquean la inflamación que puede provocar la enfermedad. Algunos expertos dicen que eventos como un fuerte golpe en la cabeza o factores genéticos pueden causar inflamación en el cerebro. Esta inflamación sabotea las células cerebrales que producen dopamina, un mensajero químico que transmite señales a los centros del cerebro que controlan el movimiento y la coordinación. La inflamación puede matar estas células gradualmente, por lo que el cerebro producirá cada vez menos dopamina. Eso a su vez reduce el control motor de los músculos y causa los temblores y la inestabilidad del Parkinson.

La aspirina, el ibuprofeno y el naproxeno combaten la inflamación al bloquear los compuestos llamados enzimas ciclooxigenasas (COX). Los científicos creen que estas enzimas COX son un factor que contribuye a la enfermedad de Parkinson (EP). Si los analgésicos suprimen tanto a las enzimas como a la inflamación, la EP puede no llegar a desarrollarse. De hecho, los investigadores comprobaron que las personas que tomaron dos o más pastillas de naproxeno o ibuprofeno a la semana durante por lo menos un mes redujeron el riesgo de desarrollar EP en hasta 60 por ciento. Las mujeres que tomaron dos o más aspirinas a la semana redujeron la probabilidad de sufrir EP en 40 por ciento, sobre todo si usaron la aspirina de manera regular durante más de dos años.

Con beneficios como éstos, la aspirina diaria se vuelve aún más importante. Si su médico se la recomienda para una afección en particular, no se olvide de tomarla. Usted podría estar previniendo más de un problema de salud.

Lo que todas las personas que toman aspirina deben saber

La aspirina puede causar pérdida de la audición en algunas personas y puede no ofrecer protección alguna para prevenir un primer ataque al corazón en mujeres sanas menores de 65 años de edad. Hable con su médico antes de tomar aspirina de manera regular, ya que el uso de aspirina está asociado con un riesgo mayor de desarrollar los siguientes problemas:

- peligrosa hemorragia en el sistema digestivo

- problemas renales

- derrame cerebral causado por una hemorragia en el cerebro

- úlceras

- ataques de asma si usted ya tiene asma

Recuperación de una cirugía de rodilla

Salga del hospital cuanto antes y acelere su recuperación, con aspirina. Es cierto, esta pequeña pastilla podría asegurarle una mejoría más rápida de la cirugía de sustitución de rodilla.

Los coágulos de sangre peligrosos siempre son un riesgo después de una cirugía, por lo que los médicos recetan medicamentos anticoagulantes para prevenirlos. Pero una nueva investigación indica que los medicamentos de venta con receta no son siempre lo mejor. Los participantes del estudio que recibieron aspirina se recuperaron más rápido y tuvieron una estadía hospitalaria más corta que las personas que recibieron warfarina u otros medicamentos recetados. Pero no empiece a tomar aspirina por su cuenta. Algunas personas necesitan otro tipo de medicamento; además, la aspirina puede interactuar peligrosamente con otros medicamentos recibidos durante su estadía en el hospital. Si desea reducir costos, efectos secundarios y tiempo de recuperación, consulte antes con su médico.

Descubra la verdad sobre la aspirina tamponada

No pague de más por la aspirina que está etiquetada como *"buffered"* (tamponada), *"enteric-coated"* (con cubierta entérica) o *"safety coated"* (con cubierta entérica de seguridad). Aunque se supone que estas aspirinas recubiertas protegen el estómago del daño que puede resultar en úlceras y otros peligros, los expertos advierten que la aspirina tamponada puede que no proteja el estómago mejor que la aspirina regular. Peor aún, estas pastillas tienen un sorprendente efecto secundario que usted debe conocer.

El recubrimiento de los comprimidos tamponados de aspirina bloquea la liberación de los contenidos de la pastilla que dañarían el estómago, hasta después de haber pasado por el estómago. Lamentablemente, una vez que la aspirina llega al torrente sanguíneo, pasa a través de los vasos sanguíneos en el revestimiento del estómago. De ahí bloquea la enzima COX-1, que normalmente ayuda a proteger al estómago de sus propios ácidos erosivos, por lo que el riesgo de sufrir úlceras y otros problemas puede volver a elevarse. Peor aún, el recubrimiento de los comprimidos tamponados hace que su cuerpo absorba la aspirina con mayor lentitud. Eso significa que usted puede que no se beneficie de todo el efecto analgésico hasta tres o cuatro horas después de tomarla.

Así que no pague extra por aspirinas recubiertas. En vez de eso, hable con su médico sobre cuál es la mejor manera de proteger su estómago y, a menos que él le indique lo contrario, considere la opción de comprar aspirinas sin recubrimiento (*unbuffered aspirin,* en inglés).

Bicarbonato de sodio

Cómo descongestionar la nariz sin medicamentos

La congestión nasal causada por resfriados, gripes o alergias puede ser desesperante. Usted no puede respirar por la nariz y siente como si tuviera cemento en los senos nasales. Hágase un lavado nasal o irrigación nasal para poder respirar nuevamente sin problemas.

Un lavado nasal limpia las bacterias y los virus para prevenir las infecciones. También elimina el polen, el polvo y la mucosidad de la nariz para que los medicamentos puedan ser efectivos. Esto ayuda a aliviar la inflamación en los senos nasales y a respirar mejor. Se pueden obtener algunos de estos beneficios con un atomizador nasal, pero la irrigación nasal es más efectiva para las personas con problemas nasales crónicos. Éstos son los pasos a seguir:

■ Mezcle una cuarto de cucharadita de sal no yodada en una taza (8 onzas) de agua tibia. La sal yodada puede ser irritante si se usa por un período largo de tiempo.

- Agregue un cuarto de cucharadita de bicarbonato de sodio a la mezcla. El bicarbonato actúa como un tampón haciendo que la mezcla sea menos ácida, bloqueando la reacción de la histamina, que es tan común en las inflamaciones crónicas de los senos nasales.

- Inclínese sobre el lavabo con la cabeza hacia abajo. Utilice una perilla de goma para inyectar la solución en una fosa nasal. Mantenga esa fosa cerrada para evitar que la solución se salga. Suénese la nariz suavemente y repita en la otra fosa nasal.

- Tire la solución que no ha utilizado, no la guarde para más tarde. Limpie la perilla de goma después de cada uso: llénela con agua caliente, agite el agua dentro de la perilla y vacíela completamente. Colóquela boca abajo en un vaso para que se vacíe por completo.

Usted necesitará repetir este lavado nasal varias veces al día. Si lo prefiere, usted puede usar un rinocornio, también conocido como *neti pot*, dispositivo especial que encontrará en la mayoría de las farmacias.

Ahuyente el dolor de mordeduras y picaduras

Las mordeduras y las picaduras de insectos duelen y pican. Encuentre alivio en su cocina con un remedio hecho con bicarbonato de sodio.

Para una picadura de abeja, primero saque el aguijón raspando la piel con una tarjeta de crédito. Luego prepare una pasta con agua y bicarbonato de sodio. Aplique la pasta sobre la zona lesionada y deje actuar durante unos 30 minutos. El bicarbonato funciona porque es alcalino (lo opuesto a ácido) y, por lo tanto, neutraliza el ácido en el veneno de la abeja.

En caso necesario, puede usar ablandador de carne en lugar de bicarbonato o, simplemente, aplique

Pruebe un enjuague bucal de bicarbonato de sodio para tratar las úlceras bucales, que son las pequeñas y dolorosas aftas blancas que salen en la boca. Mezcle media cucharadita de bicarbonato de sodio en un vaso pequeño de agua, haga buches y escupa. El bicarbonato también puede bloquear el *Streptococcus mutans*, la bacteria que causa las caries.

hielo sobre la lesión para reducir la hinchazón y el enrojecimiento. Este remedio de bicarbonato de sodio también funciona para las mordeduras y las picaduras de otros insectos. Para otros problemas de comezón en la piel, como las erupciones por la hiedra venenosa, la varicela y otros sarpullidos, pruebe un baño de bicarbonato de sodio. Agregue la mitad de una caja de bicarbonato de sodio a la bañera y disfrute de un baño relajante.

Elimine el peligro de la intoxicación por alimentos

Primero fue la espinaca, luego la lechuga, seguidas del melón. Los brotes de intoxicación alimentaria por productos agrícolas contaminados con bacterias son ahora cada vez más frecuentes. Eso se debe en parte a que la gente está comiendo más frutas y verduras frescas. También se debe a que estos productos a menudo vienen de lejos y tienen más ocasiones de entrar en contacto con bacterias. Tome las siguientes medidas a la hora de lavar y almacenar los productos frescos:

■ Primero lávese las manos para evitar la propagación de los gérmenes a otras personas en la mesa.

■ No use jabón para lavar las frutas y las verduras. Éste puede contener sustancias químicas y no funciona mejor que el agua.

■ En cambio, moje los productos agrícolas, luego espolvoree bicarbonato de sodio y refriegue suavemente con una escobilla para eliminar la suciedad. Enjuague bien para no sentir el sabor a bicarbonato de sodio. Llene un viejo salero con bicarbonato de sodio y manténgalo cerca del fregadero para mayor comodidad.

■ Use agua tibia, no fría. La diferencia de temperatura entre el agua fría y los productos agrícolas que están a temperatura ambiente hará que las bacterias corran a esconderse dentro de las frutas y las verduras, fuera de su alcance.

■ Elimine las contusiones, cortes o partes dañadas de las frutas y verduras, lugares donde las bacterias pueden multiplicarse.

Tres trucos para el lavado de ropa

Usted no tiene que pagar una fortuna en detergentes para ropa. Ahora usted puede usar un detergente barato y de marca desconocida. El bicarbonato de sodio ayuda a que su ropa salga limpia, impecable y oliendo a fresco.

■ Espolvoree bicarbonato de sodio sobre las manchas de grasa, como las del espagueti o la pizza. El bicarbonato actúa como un pretratamiento para el lavado de ropa y ataca la grasa al transformarla en jabón. El jabón y la mancha saldrán juntos cuando se lave la pieza.

■ Añadir media taza al detergente que usa regularmente deja la ropa más limpia y brillante. Los minerales en el bicarbonato de sodio neutralizan el agua de lavado, lo que ayuda a mejorar la acción del detergente.

■ Desodorice la ropa, así como desodoriza el refrigerador. Refresque esas toallas con olor a humedad y esas medias de gimnasia malolientes, agregando media taza de bicarbonato de sodio al ciclo de enjuague. O agregue algo de bicarbonato de sodio a la carga de ropa la próxima vez que use lejía o cloro. Así puede usar menos para que la ropa le quede limpia, fresca y sin ese olor a lejía.

Soluciones naturales para el cuidado personal

A menos de un dólar la caja, el bicarbonato de sodio también puede utilizarse para refrescar y rejuvenecer el cuerpo naturalmente, de la cabeza a los pies:

- Elimine la acumulación de laca para que el cabello recupere su brillo. Mezcle una cucharada de bicarbonato de sodio en un puñado de champú y lávese el cabello como de costumbre. No olvide usar acondicionador.

- Líbrese del sarro y de las manchas dentales. El bicarbonato de sodio es un ingrediente en algunos tipos de pasta de dientes, pero usted puede utilizarlo directamente de la caja. Para eliminar las manchas, espolvoréelo sobre el cepillo húmedo y cepíllese los dientes. Tenga cuidado porque puede ser abrasivo para las encías.

- Refresque el aliento. Gracias a su capacidad amortiguadora, el bicarbonato de sodio neutraliza los olores, incluso en la boca. Prepare un enjuague bucal con una cucharadita de bicarbonato de sodio en un vaso pequeño de agua, haga buches y escupa.

- Suavice la piel. Haga una pasta con tres partes de bicarbonato de sodio y una parte de agua. Úsela como un exfoliante facial unas cuantas veces a la semana para eliminar las células muertas de la piel. Este tratamiento deja el cutis terso y suave como de bebé.

- Destierre el mal olor de los pies. Remoje los pies durante 30 minutos en una solución de dos cucharadas de bicarbonato de sodio y dos cuartos de galón (cerca de dos litros) de agua.

Limpie la casa de arriba abajo con un solo producto

El bicarbonato de sodio también es un producto natural, no tóxico y económico para limpiar y refrescar toda la casa. Acaba con los malos olores gracias a su acción amortiguadora, esto es, a que mantiene el equilibrio ácido-base y el pH neutro. Y limpia tan bien como lo haría cualquier limpiador de tienda, gracias a su textura arenosa.

- Limpie de manera segura los mostradores, la bañera y otras superficies de cerámica, cromo, acero y esmalte. Simplemente use el bicarbonato de sodio como un pulidor o polvo limpiador, y espolvoree un poco sobre una esponja limpia y húmeda. Eliminará la suciedad y las manchas sin rayar ni dejar residuos.

■ Deje el horno reluciente. Espolvoree bicarbonato de sodio en la parte inferior del horno, cubriendo los restos incrustados de grasa y comida carbonizada. Rocíe con agua varias veces y deje reposar durante la noche. A la mañana siguiente, la suciedad se habrá ablandado y usted podrá limpiarla con un paño. Enjuague bien hasta dejar el horno brillante.

■ Desodorice el triturador de residuos. Vierta media taza de bicarbonato de sodio por el desagüe, seguida de una taza de vinagre. Espere 15 minutos y deje que la mezcla burbujee. Enjuague el desagüe con agua y el triturador de residuos quedará oliendo a fresco.

■ Prepare su propio limpiador líquido. Simplemente disuelva bicarbonato de sodio en agua y úselo como jabón limpiador suave. También puede agregar un poco de jabón líquido, pero prepárelo en cantidades pequeñas, ya que se secará si lo almacena.

■ ¿Le agrada el aroma de los productos de limpieza con fragancia? Haga su propio polvo limpiador aromatizado. Comience con una caja de dos libras de bicarbonato de sodio e incorpore un par de docenas de gotas de aceite esencial de limón, de aceite esencial de melaleuca (también conocido como aceite de árbol de té) o de aceite esencial de menta. Utilice un tenedor para mezclar bien.

Sistema de alerta temprana para el cáncer

El bicarbonato podría algún día ayudar a detectar los tumores cancerosos. El bicarbonato equilibra los niveles de acidez en el cuerpo. Investigadores en Gran Bretaña encontraron que el tejido canceroso convierte al bicarbonato en dióxido de carbono, lo que hace que el tumor se vuelva más ácido, una diferencia que la resonancia magnética puede detectar. En el futuro, esto ayudaría a los médicos a detectar tumores muy pequeños y a determinar desde un inicio si un tratamiento contra el cáncer está funcionando.

Banana

Baje la presión arterial sin pastillas

La banana o plátano de alegre color amarillo es un refrigerio sabroso y fácil de transportar, que le da un toque nutritivo al cereal del desayuno y le da cuerpo a los batidos. También es una merienda saludable para el corazón ya que contiene dos nutrientes que ayudan a controlar la presión arterial alta:

El potasio neutraliza el sodio. Estos dos minerales parecen estar montados en un subibaja dentro del cuerpo. Si permanecen en equilibro, entonces ayudan a que las células nerviosas transporten mensajes, a que las células musculares se contraigan, a que el corazón lata y así sucesivamente. Pero cuando se consume demasiada sal, ingresa sodio adicional al organismo. Esto hace que los riñones bombeen más agua hacia la sangre y que la presión arterial se eleve. Con el tiempo, eso significa más presión sobre el corazón y sobre los vasos sanguíneos.

La típica dieta estadounidense tiene una proporción de potasio y sodio de aproximadamente 1:2. Eso es demasiada sal. Los expertos dicen que uno debe aspirar a una proporción de 5:1, es decir, mucho más potasio que sodio. Si bien los suplementos de potasio lograron bajar la presión arterial alta en estudio tras estudio, obtener el potasio de fuentes naturales es mucho mejor. La mayor parte de las frutas y las verduras contienen mucho potasio, especialmente la banana y la papa.

La melatonina reduce la presión arterial. Otro gran compuesto que ofrece la banana es la melatonina, la hormona del sueño que ayuda al buen funcionamiento del reloj interno del cuerpo. Los expertos ya sabían que las personas con enfermedades cardíacas y presión arterial alta tendían a tener menos melatonina en el organismo durante la noche. Así que hicieron pruebas para ver si tomar suplementos de melatonina ayudaba a controlar la presión arterial.

Investigadores en Europa y Estados Unidos estudiaron a hombres y mujeres con y sin presión arterial alta. Durante tres semanas, los participantes tomaron suplementos de melatonina antes de acostarse y se les midió la presión arterial mientras dormían. Los dos números de la presión arterial, la presión sistólica y la presión diastólica, bajaron durante la noche después de tomar la melatonina.

Los expertos advierten que no saben a ciencia cierta cómo es que los suplementos de melatonina interactúan con los medicamentos para la presión arterial, por lo que usted no debe tomar suplementos de melatonina si está recibiendo tratamiento para la presión arterial alta. En su lugar, obtenga su dosis diaria de melatonina de la banana, una buena fuente natural de esta hormona. El tomate, el rábano, la almendra y la cereza también son buenas fuentes naturales de melatonina.

Apague el cerebro para dormir mejor

¿Ha tenido alguna vez problemas para dormir? ¿Da vueltas en la cama durante horas, mientras repasa los problemas del día y se preocupa por lo que pueda pasar el día siguiente? Las pastillas para dormir no son la solución. No funcionan para todos y pueden hacer más mal que bien. En cambio, opte por la solución natural: coma bananas.

La banana tiene melatonina, la hormona natural que ayuda a regular el reloj biológico. Los suplementos de melatonina no siempre funcionan. Esto se debe a que la dosis más común es de 3 miligramos (mg) cada noche lo que, según algunos investigadores, es demasiado. Los expertos recomiendan una dosis inferior a 0.3 mg, pero la mayoría de las pastillas de melatonina vienen en dosis de 1 mg ó 3 mg, por lo que es mejor obtener la melatonina de manera natural de los alimentos. Usted puede probar las hojas de mostaza o el hinojo, pero es poco probable que le apetezcan como merienda nocturna. En cambio, media banana le brinda la cantidad exacta de la melatonina que usted necesita para conciliar el sueño.

La banana también está repleta de carbohidratos. Cerca del 93 por ciento de las calorías de la banana provienen de carbohidratos, por lo que le dejará satisfecho y le ayudará a dormir como un bebé.

Evite la diabetes durmiendo

Uno se siente bien cuando duerme la cantidad justa de horas. También podría estar previniendo la diabetes tipo 2.

Un estudio realizado en Massachusetts encontró que los hombres que dormían cerca de siete horas cada noche tenían menos probabilidades de desarrollar diabetes tipo 2 en 15 años. Quienes durmieron sólo cinco o seis horas, o bien más de ocho horas, presentaban un riesgo mucho mayor de sufrir esta enfermedad. Los científicos creen que esto se debe a los niveles de hormonas como el cortisol y la testosterona en los hombres. Así que coma una banana o tome un poco de leche tibia por las noches, lo que sea necesario para descansar y gozar de buena salud.

Alivie el síndrome del intestino irritable

Retortijones, gases, hinchazón, diarrea o, tal vez, hasta estreñimiento. Si estos síntomas le son familiares usted podría estar padeciendo el síndrome del intestino irritable (SII), también conocido como "colon espástico". EL SII puede causar dolor abdominal y, a veces, náuseas, dolores de cabeza y fatiga. Comer bien puede ayudar a aliviar muchos de estos síntomas:

Busque la fibra. Los médicos a menudo aconsejan obtener más fibra soluble para regularizar los movimientos intestinales y aliviar los malestares del SII. Una banana mediana tiene cerca de 2.8 gramos de fibra, tanto soluble como insoluble.

Sírvase melatonina. La banana también tiene otro ingrediente para aliviar el SII: la melatonina. Esta hormona natural del sueño se produce en el cerebro y en el tracto intestinal, pero también se obtiene de alimentos como la banana y la cereza. Investigadores realizaron pruebas para determinar si los suplementos de melatonina pueden ayudar a las personas con SII. Dieciocho personas con SII tomaron ya sea 3 miligramos de melatonina o una pastilla de azúcar cada noche durante ocho semanas. Quienes tomaron la melatonina experimentaron alivio de sus malestares digestivos y se sintieron mejor en general.

Comer bananas para calmar las entrañas no es algo nuevo. La conocida dieta BRAT para combatir la diarrea, por ejemplo, las incluye. BRAT son las siglas en inglés de bananas, arroz, puré de manzana y tostadas —*Bananas, Rice, Applesauce, Toast*—, que son los cuatro ingredientes principales de esta dieta.

Algunas frutas son mejores frescas

Si usted desea obtener el mayor poder antioxidante de la banana, cómala rápido. Investigadores en Bélgica se preguntaron si las frutas y las verduras perdían sus antioxidantes saludables cuando empezaban a malograrse. Primero midieron el nivel de antioxidantes en productos agrícolas, como el brócoli, la banana, la espinaca, la manzana, la zanahoria y la uva, justo después de que éstos fueran comprados. Luego los almacenaron adecuadamente durante días y semanas. Cuando empezaron a mostrar signos de que se estaban echando a perder, volvieron a medir su contenido nutricional.

La mayoría de los productos mantuvieron el mismo nivel de antioxidantes, pero la banana, el brócoli y la espinaca perdieron antioxidantes. No es difícil encontrar bananas frescas, ya que se cosechan todos los días del año en algún lugar del planeta. Así que cómalas mientras que estén buenas.

Proteja sus huesos de manera integral

El calcio, que es el rey de los huesos fuertes y de la prevención de la osteoporosis, está rodeado de toda una corte real de ayudantes nutricionales, muchos de ellos provenientes de la banana.

Una buena nutrición evita que los huesos se adelgacen y se debiliten con el paso de los años. Empiece con el calcio, que mantiene los huesos densos y previene las fracturas. Usted también necesitará vitamina D para ayudar a absorber y utilizar el calcio, vitamina C para formar el colágeno que mantiene la cohesión de los dientes y los huesos, magnesio para prevenir el adelgazamiento de los huesos y potasio para ayudar a mantener el calcio donde pertenece.

El potasio es especialmente importante para las mujeres mayores, que tienden a perder más calcio debido a las dietas modernas con alto contenido de sal. Un estudio encontró que las mujeres que seguían una dieta alta en sal y que tomaron suplementos de potasio perdieron menos calcio que aquéllas que no recibieron potasio. Los investigadores instaron a las mujeres a obtener potasio de las frutas y de las verduras en lugar de hacerlo de los suplementos.

Una banana mediana tiene cerca del 12 por ciento del potasio que usted necesita al día, por lo que es una fabulosa opción para mantener los huesos sanos y jóvenes. La banana también le brinda magnesio y vitamina C, dos miembros importantes de la corte real de ayudantes nutricionales para la prevención de la osteoporosis.

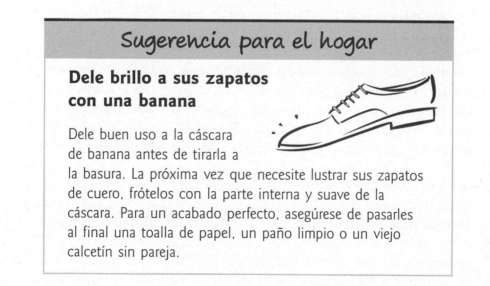

Sugerencia para el hogar

Dele brillo a sus zapatos con una banana

Dele buen uso a la cáscara de banana antes de tirarla a la basura. La próxima vez que necesite lustrar sus zapatos de cuero, frótelos con la parte interna y suave de la cáscara. Para un acabado perfecto, asegúrese de pasarles al final una toalla de papel, un paño limpio o un viejo calcetín sin pareja.

Frijoles

Alimento de 50 centavos domina el cáncer

Los frijoles, que alguna vez fueron considerados el alimento de los pobres, son hoy en día el alimento milagroso. Esta humilde legumbre se ha hecho famosa debido a que cuanto mayor es su consumo, menor es el riesgo de sufrir ciertos tipos de cáncer.

Llénese de fibra. En efecto, muchos alimentos contienen fibra, pero los frijoles se jactan de tener más fibra por porción que cualquier verdura. De hecho, una porción individual de frijoles le proporciona el 20 por ciento de la fibra diaria recomendada.

Durante siete años, investigadores en Japón dieron seguimiento a más de 43,000 personas entre 40 y 79 años de edad, un grupo con índices elevados de cáncer y que tradicionalmente consume poca fibra. Cuanta más fibra consumían, menor era el riesgo de padecer cáncer de colon, especialmente entre los hombres. La fibra del frijol encabezó la lista porque su impacto sobre el riesgo de cáncer de colon fue mayor que el de la fibra de cualquier otro alimento.

Estudios de laboratorio indican que la fibra de legumbres como el garbanzo evita que el organismo absorba compuestos que causan cáncer, llamados carcinógenos. Cuantos menos carcinógenos absorbamos, menos daño causarán a las células, a los tejidos y a los órganos; y menos daño significa un riesgo menor a largo plazo de sufrir cáncer.

Contraataque con fitoquímicos. El poder anticáncer de los frijoles tal vez se deba a unos compuestos naturales conocidos como fitoquímicos. Cuando usted consume alimentos de origen vegetal, estos compuestos se encargan de combatir a los chicos malos que merodean por su organismo, las partículas llamadas radicales libres. Al igual que adolescentes rebeldes, estos radicales libres provocan estragos en las células y los tejidos, causando daños a través de un proceso llamado oxidación. Y al igual que la policía, los fitoquímicos intervienen para capturar y neutralizar los radicales libres antes de que causen daño.

Los frijoles podrían ser beneficiosos especialmente para las mujeres en riesgo de sufrir cáncer de mama. En un estudio realizado con 90,000 enfermeras jóvenes, aquéllas que comieron frijoles y lentejas por lo menos dos veces a la semana tenían una probabilidad 24 por ciento menor de desarrollar cáncer de mama. Los expertos creen que los flavonoles, una familia de fitoquímicos, bloquean los radicales libres, previenen el daño oxidativo a las células e inducen a las células cancerosas a morir. Para obtener la misma protección, sírvase por lo menos dos porciones de frijoles y lentejas en sus comidas semanales.

No elimine todos los carbos. Reducir el consumo de carbohidratos está de moda, pero piénselo dos veces si le preocupa el cáncer de colon. Los carbohidratos en los frijoles son de un tipo especial que no pueden ser digeridos por el organismo y acaban siendo fermentados en el colon por las bacterias intestinales. Esta fermentación produce un compuesto llamado butirato, que parece reducir la inflamación y el crecimiento de células anormales que conducen al cáncer. Es más, el frijol le debe su bajo índice glucémico (IG) a estos carbohidratos no digeribles. Según investigaciones pasadas, un IG bajo está asociado con un riesgo menor de cáncer colon.

Cuantas más legumbres consuman los hombres, menos probable es que padezcan cáncer de próstata. Tres importantes estudios encontraron que comer muchas legumbres, como los frijoles, las lentejas o los chícharos partidos, reduce el riesgo de sufrir cáncer de próstata entre 29 y 38 por ciento.

Recientemente, un grupo de expertos comprobaron estas teorías. Personas a las que se les había extirpado pólipos del colon modificaron su dieta para incluir más legumbres cocidas. Después de cuatro años, aquéllas que comieron más legumbres disminuyeron, en un asombroso 65 por ciento, las probabilidades de tener pólipos nuevamente. Los frijoles colorados (*kidney beans,* en inglés), los frijoles pinto, las habas blancas (*lima beans*) y los frijoles blancos (*navy beans*), todos reducen el riesgo de cáncer de colon.

Fíese del folato. Los frijoles son una excelente fuente de esta vitamina B básica, otra arma en el arsenal contra el cáncer. Consumir alimentos ricos en folato reduce el riesgo de sufrir cáncer de páncreas y de colon. Las células necesitan folato para formar y reparar el ADN. Demasiado poco conduce a rupturas, mutaciones y al deterioro del ADN. Sin embargo, los suplementos de ácido fólico (la forma sintética del folato) no le protegerán de la misma manera que los frijoles y que los alimentos ricos en folato. Así que abastézcase de lentejas, frijoles pinto y garbanzos para una dosis de protección natural.

El secreto para brownies saludables

Los *brownies* o pastelillos de chocolate pueden ser saludables (o casi). Un estudio encontró que sustituir hasta la mitad de la manteca de los *brownies* con puré de frijoles blancos tipo *cannellini* redujo la grasa en 40 por ciento y resultó en menos calorías. Lo mejor de todo es que no se notó cambio alguno en el rico sabor, la textura, el color o la suavidad de los *brownies*. Esta simple sustitución le puede ayudar a combatir las enfermedades cardíacas y la diabetes. Los frijoles blancos enlatados cuestan un increíble 80 por ciento menos que la mantequilla y algo menos que la margarina.

Los investigadores que condujeron esta dulce prueba utilizaron frijoles cocidos de lata, escurridos y hechos puré y sustituyeron, onza por onza, la mitad de la manteca de la receta. ¿Que no tiene *cannellini*? Los frijoles blancos tipo *Great Northern* también funcionan.

Manera sencilla de acabar con la diabetes tipo 2

Consumir frijoles puede ayudar a evitar los peligros de la diabetes tipo 2. El frijol es un alimento sencillo que se enfrenta a esta enfermedad compleja de dos maneras importantes:

Controla el azúcar en la sangre. En general, las legumbres tienen un IG bajo. El Índice Glucémico (IG) mide la velocidad en la que el azúcar de la sangre se eleva después de comer un alimento. Los alimentos con IG alto hacen que el nivel de azúcar en la sangre se eleve rápidamente; los alimentos con IG bajo, como los frijoles, provocan un aumento más lento y gradual. Un análisis de 37 estudios concluyó que las dietas con abundantes alimentos con IG alto prácticamente duplican el riesgo de desarrollar diabetes tipo 2 y aumentan en 25 por ciento la probabilidad de sufrir una enfermedad cardíaca.

Los alimentos con IG alto causan un pico del azúcar en la sangre, forzando al páncreas a liberar más insulina. Si su dieta incluye mayormente alimentos con IG alto, el páncreas está bajo presión constante de producir más insulina. Al igual que un empleado con sobrecarga de trabajo, el páncreas puede llegar a un estado de agotamiento extremo y dejar de producir insulina, conduciendo a la diabetes. A veces las células empiezan a ignorar las señales que la insulina les da para que se abran y dejen entrar a la glucosa. Los médicos llaman a esto resistencia a la insulina, otro camino a la diabetes.

Mientras que los alimentos con IG alto aumentan el riesgo de resistencia a la insulina y de diabetes tipo 2, los alimentos con IG bajo, como los frijoles, hacen lo opuesto. De hecho, los investigadores dicen que la protección contra la diabetes de estos pequeños héroes es tan buena o mejor que la de los cereales integrales y las dietas altas en fibra.

Controla el peso. Los frijoles tal vez sean el mejor alimento para bajar de peso. Un estudio encontró que las personas que comen frijoles con regularidad pesan menos que las que nunca los comen, aun cuando consuman más calorías cada día. Las personas que comen frijoles no sólo son más delgadas, también tienden a obtener más fibra, potasio y magnesio, además de consumir menos grasa y azúcar agregado.

Media taza le hace bien al corazón

El colesterol alto, los coágulos sanguíneos, la resistencia a la insulina, la oxidación, son factores que contribuyen a aumentar los problemas cardíacos. Los frijoles los combaten por sólo centavos.

Prevenga un ataque al corazón. Tan sólo 1/3 de taza de frijoles negros al día podría reducir el riesgo de sufrir un ataque cardíaco en casi 40 por ciento, mientras que cuatro porciones a la semana (en vez de una o ninguna) podrían significar una probabilidad 22 por ciento menor de desarrollar un mal cardíaco. Investigadores de Harvard dicen que este poder de los frijoles para proteger el corazón no es de extrañar, dado su alto contenido de nutrientes. Sus carbohidratos

La grasa abdominal ha sido asociada con enfermedades cardíacas y diabetes. Ahora la demencia ha sido añadida a esta lista. Un nuevo estudio muestra que tener la cintura ancha y mucha grasa abdominal casi triplica la probabilidad de desarrollar demencia. Si usted además es obeso, el riesgo se cuadriplica.

complejos reducen la carga glucémica de las comidas, mientras que su combinación única de magnesio, cobre, fibra y ácido alfa-linolénico aumenta la sensibilidad a la insulina, ayuda a prevenir los coágulos sanguíneos y reduce el riesgo cardíaco. Además, son una excelente fuente de proteínas, lo que ayuda a controlar el peso.

Conquiste el colesterol alto. Los expertos dicen que, sin lugar a dudas, los frijoles secos pueden mejorar los niveles de colesterol. Aun cuando la avena acapara toda la atención, los frijoles funcionan igual de bien en hombres con colesterol alto. Comer media taza de frijoles pintos cocidos al día durante tres meses redujo tanto el colesterol total como el colesterol LDL en personas con síndrome premetabólico.

Sugerencia para el hogar

Embellezca su hogar con frijoles

Haga un arreglo de mesa utilizando frijoles secos sobrantes. Llene un florero transparente, alto y delgado con diferentes tipos de frijoles.
Busque crear contrastes llenando el florero en capas con frijoles de distinto color y tamaño. Puede usarlo como un llamativo centro de mesa o para colocar flores de seda.

una colección de factores de riesgo para las enfermedades del corazón o la diabetes. Incluso las personas sanas pueden beneficiarse de comer más frijoles, además de ver una caída de aproximadamente el 10 por ciento en su nivel de colesterol.

Evite el endurecimiento de las arterias. Los flavonoides son antioxidantes naturales, que desarman a los radicales libres antes de que puedan atacar y oxidar el colesterol. Esto es clave porque el colesterol LDL oxidado contribuye a la ateroesclerosis, también conocida como el endurecimiento de las arterias. En pruebas de laboratorio, los frijoles negros, las lentejas, los frijoles colorados y los frijoles pinto superan a todas las demás leguminosas en poder antioxidante. No es una coincidencia que también eviten la oxidación del colesterol LDL mejor que las demás leguminosas. Así que inclúyalas en su dieta diaria si desea bajar sus niveles de colesterol.

Betacaroteno

Cuide el corazón con un arco iris de alimentos

Llene su plato con alimentos coloridos y podría ganarle la guerra al colesterol alto, a las enfermedades cardíacas, al ataque al corazón y al derrame cerebral. Las frutas y las verduras vienen en todos los colores del arco iris gracias, en gran parte, al betacaroteno. El betacaroteno es uno de los muchos carotenoides, que son los compuestos de colores brillantes que les dan a los alimentos su color amarillo y naranja. También es responsable de cuidar el corazón.

■ **Colesterol alto**. Uno de los mayores beneficios del betacaroteno para la salud cardíaca es el efecto que tiene sobre el colesterol. Por ser además un antioxidante, el betacaroteno evita la oxidación del colesterol, un proceso que causa el engrosamiento de las paredes de las arterias que lleva a la ateroesclerosis.

- **Enfermedades cardíacas.** Se necesitan alrededor de 6 miligramos (mg) diarios de betacaroteno. Aun cuando muchas frutas y verduras lo contienen, la mayoría de las personas sólo obtiene 1.5 mg. Mala noticia, porque la deficiencia de las vitaminas A, C, E y de betacaroteno ha sido asociada con enfermedades cardíacas. Incorpórelas a su dieta y reducirá este riesgo.

- **Ataque al corazón.** Los antioxidantes de los suplementos parecen no proteger el corazón, pero los antioxidantes de los alimentos sí lo hacen. Las pruebas indican que comer verduras y frutas ricas en carotenoides, entre ellos el betacaroteno, puede reducir el riesgo de sufrir un ataque cardíaco.

- **Accidente cerebrovascular.** Otras investigaciones indican que dos carotenoides en particular pueden detener el riesgo de sufrir un derrame cerebral: el betacaroteno y el licopeno, este último presente en los alimentos de color rojo, como el tomate.

Consumir más betacaroteno no es tan difícil como cree. La zanahoria, la batata dulce y el mango son elecciones obvias, pero el betacaroteno también puede ocultarse en algunas verduras de hoja verde, como la espinaca, la col rizada y la berza.

Fuentes naturales de betacaroteno	
★ calabaza común	★ zanahoria
★ calabaza de cidra	★ tomate
★ batata dulce	★ melón
★ albaricoque	★ pimiento rojo
★ mango	★ papaya
★ naranja	★ sandía

Sin embargo, para combatir estas enfermedades, usted necesita potenciar el poder curativo del betacaroteno en cada comida. La solución es muy simple: basta con añadir un poco de grasa. Cocine las verduras con un poco de aceite de *canola*, rocíe aceite de oliva sobre las ensaladas crudas, unte un poco de mantequilla sobre la batata dulce. Cocinar, picar y rallar verduras como la zanahoria también ayuda a liberar el betacaroteno y a facilitar su absorción.

Usted puede estar ante la ensalada más saludable del mundo, con zanahorias, hojas verdes y otras verduras ricas en carotenoides, pero si la adereza con un aliño que no contiene grasa o si simplemente no la adereza, no absorberá los carotenoides antienfermedades de esa ensalada. Para obtener la mayor cantidad de betacaroteno de la ensalada, usted necesita acompañarla de por lo menos 6 gramos de grasa.

Lo aconsejable es agregar un poco de grasa a los alimentos de color naranja y amarillo y a los de hoja verde que come cada día. Así usted puede obtener todo el betacaroteno que necesita sin cambiar su dieta. Asegúrese de elegir la grasa adecuada. Por ejemplo:

- En lugar de un aliño, agregue queso graso rallado a la ensalada.

- Elija aceite de oliva y vinagre balsámico para un aliño saludable para el corazón.

- Decore las ensaladas con rodajas de aguacate o guacamole.

La calabaza le declara la guerra al cáncer

La calabaza de Halloween no sólo asusta a fantasmas y duendes, también aleja al cáncer. La calabaza, el calabacín y otros alimentos ricos en betacaroteno tienen dos maneras de combatir este mal:

La vitamina A al ataque. La vitamina A proviene de los alimentos de origen animal, tales como la carne, los productos lácteos y el huevo, pero, de ser necesario, el cuerpo puede convertir el betacaroteno y el alfacaroteno en vitamina A.

La vitamina A, a su vez, ayuda a regular el crecimiento celular y a controlar las reacciones del sistema inmunitario. Las células más afectadas por la vitamina A se encuentran en el tracto digestivo, en órganos como el estómago.

No es casual que consumir alimentos repletos de vitamina A, alfacaroteno y betacaroteno parece

No sea víctima de la diabetes. En un estudio de 15 años, los no fumadores con la mayor cantidad de carotenoides en la sangre tenían una probabilidad 26 por ciento menor de desarrollar diabetes o resistencia a la insulina. Aumente sus defensas naturalmente con alimentos de origen vegetal de colores vivos.

reducir a la mitad el riesgo de sufrir cáncer de estómago. En un estudio realizado en Suecia, las personas adultas que recibieron la mayor cantidad de estos nutrientes de alimentos y suplementos tenían una probabilidad entre 40 y 60 por ciento menor de desarrollar cáncer gástrico. Otros estudios con resultados similares establecen un vínculo entre niveles más altos de vitamina A en la sangre y una disminución de la probabilidad de sufrir cáncer gástrico.

El poder anticáncer de los antioxidantes. Gracias a su gran potencia antioxidante, el betacaroteno también puede proteger contra otros tipos de cáncer, entre ellos, el cáncer de esófago, de hígado, de páncreas, de colon, de recto, de próstata, de ovario y de cuello uterino. Las personas con un nivel bajo de antioxidantes en la dieta o en el torrente sanguíneo tienen más probabilidades de desarrollar ciertos tipos de cáncer. En comparación, las personas que comen abundantes frutas y verduras reducen este riesgo a la mitad.

Más vale prevenir que lamentar. Protéjase desde ahora con las fuentes naturales de betacaroteno.

Los suplementos: una solución peligrosa

El betacaroteno y la vitamina A son buenos para usted cuando los obtiene de los alimentos o de un multivitamínico diario, pero si los toma como suplementos individuales podrían ser peligrosos. Los suplementos de vitamina A pueden aumentar el riesgo de muerte en 16 por ciento; los suplementos de betacaroteno en 7 por ciento. Ésos son los resultados de un análisis de 47 estudios con más de 180,000 personas. Es más, los hombres que toman betacaroteno como suplemento individual son más propensos a desarrollar cáncer de próstata mortal, y parece que estos suplementos aumentan el riesgo de cáncer de pulmón en los fumadores.

Los alimentos son la fuente más segura para obtener la vitamina A y su precursor, el betacaroteno. Hable con su médico antes de tomarlos en forma de suplementos.

Bocados de salud protegen contra el Alzheimer

No se llevará el premio mayor en el programa televisivo *Jeopardy,* pero al menos podrá recordar donde puso las llaves si usted adquiere el hábito de comer alimentos ricos en betacaroteno. Este poderoso protector cerebral funciona de dos maneras:

- Como vitamina A, el betacaroteno normaliza la manera en que su organismo procesa la proteína beta-amiloide. La ruptura de este proceso es uno de los culpables detrás del mal de Alzheimer.

- Como antioxidante, el betacaroteno estimularía la función cerebral y la supervivencia de las células del cerebro, y mejoraría la comunicación entre ellas. También puede hacer al cerebro más resistente a los efectos tóxicos de la acumulación de beta-amiloides en las células. Ciertas investigaciones indican que los antioxidantes, en particular el betacaroteno, pueden proteger contra el deterioro mental a las personas con el gen APOE 4, el "gen del Alzheimer".

Los hombres que obtuvieron betacaroteno adicional de manera regular durante 15 años tuvieron un rendimiento ligeramente superior en las pruebas de función cerebral que los que no lo hicieron, sobre todo en las pruebas de memoria verbal que ayudan a predecir el riesgo de demencia. Los investigadores dicen que aun pequeñas diferencias como ésta afectan significativamente el riesgo de demencia. Es más, en estudios el betacaroteno funcionó igual de bien que el donepezil, un medicamento para el Alzheimer. Los investigadores no saben bien por qué, pero las personas con niveles sanguíneos más altos de betacaroteno tienden a tener menos lesiones en la sustancia blanca cerebral, lesiones que predicen el Alzheimer. El mango, la papaya, los espárragos, las calabazas de invierno, el *bok choy* e, incluso, los paquetes de verduras mixtas congeladas son excelentes fuentes de fitoquímicos salvadores del cerebro.

Póngase en forma sin mover un músculo

La clave para mantenerse independiente de por vida puede estar en el pasillo de verduras del supermercado. La berza, la batata dulce, la zanahoria y la col son fantásticas fuentes de betacaroteno, que ayudan a mantener la fuerza y la movilidad muscular al envejecer.

La sarcopenia o la pérdida de masa y fuerza muscular, hace que sea mucho más difícil movilizarse por su cuenta. También hace que las personas se vuelvan más frágiles y aumenta la posibilidad de caídas y hospitalizaciones. Sin embargo, la pérdida muscular no es solamente producto de la pereza. Nuevas pruebas indican que el mismo daño oxidativo detrás de algunos tipos de cáncer, de ciertos problemas cardíacos y de la enfermedad pulmonar también es un factor. La oxidación afecta al ADN, las proteínas y la grasa de los músculos de un modo que puede hacer que los músculos se debiliten con la edad.

Por suerte, los carotenoides, como el betacaroteno, eliminan los radicales libres adicionales que deambulan por el organismo y que de otra manera provocarían la oxidación. Esto, a su vez, minimiza el daño a los músculos y al ADN. Al acabar con los radicales libres, el betacaroteno y los demás antioxidantes también calman la inflamación. Las investigaciones han establecido que existe una relación entre los niveles elevados del compuesto inflamatorio interleucina-6 y la sarcopenia, la pérdida de la función física e, incluso, la discapacidad.

En la mujer, la cantidad de carotenoides que tiene en la sangre ahora, predice directamente cuánta interleucina-6 tendrá en el futuro. Cuanto más bajo es el nivel actual de carotenoides, mayor será el nivel de interleucina-6 con el tiempo. Un nivel bajo de carotenoides también predice debilidad muscular y discapacidad severa para caminar en las mujeres mayores. De otro lado, niveles altos de betacaroteno y de otros carotenoides en la sangre, gracias una alimentación con abundantes frutas y verduras, resultarán en una mayor fuerza de agarre, así como en una mayor fuerza en las caderas y en las rodillas en las mujeres mayores.

Los niveles de carotenoides están directamente vinculados a la cantidad de frutas y verduras que consumimos. De hecho, destacados expertos sostienen que comer más frutas y verduras puede ayudar a prevenir la discapacidad en la vejez. Así que empiece a comer más de los alimentos que pueden asegurarle una vida activa e independiente.

Receta para combatir el daño al ADN

El daño oxidativo se va acumulando con el paso de los años, pero no tiene por qué ser así. Un interesante estudio publicado en la revista médica *American Journal of Clinical Nutrition* encontró que, en las mujeres mayores, simplemente comer la combinación adecuada de alimentos durante 15 días puede contrarrestar el daño oxidativo al ADN. Según la investigación, esto es lo que se necesita comer todos los días:

- 1/4 de taza de espinacas cocidas
- 1/3 de zanahoria mediana ó 1/4 de taza de calabaza común
- 1 tomate mediano ó 3/4 de cucharada de pasta de tomate

La poderosa combinación de carotenoides en estos alimentos fue suficiente para proteger las células del daño al ADN. Recuerde acompañar estos alimentos con un toque de grasa para obtener el máximo provecho de estos compuestos.

La batata dulce y la prevención de la ceguera

No se debe subestimar el valor de la visión. Es absolutamente esencial para conducir, leer, reconocer rostros y mantenerse independiente. Lamentablemente, el proceso de envejecimiento conspira contra usted con enfermedades que le van robando la vista, como la degeneración macular asociada con la edad (DMAE). Pero ahora usted cuenta con la protección de un diminuto nutriente.

La retina del ojo contiene millones de células que detectan la luz y el color. La mácula, que se encuentra en el centro, le permite ver los detalles finos y es responsable de la visión central. Con la DMAE, las células de esta zona de la visión fina se encogen o se bloquean, a veces por el tejido cicatrizante en el interior del ojo. Puede que al principio usted sólo tenga problemas menores de vista, pero la DMAE tiende a empeorar con la edad. Es una de las principales causas de pérdida grave e irreversible de la visión en Estados Unidos.

Mantenga la vista aguda. Las frutas y verduras llenas de betacaroteno ayudaron a prevenir la degeneración macular asociada con la edad (DMAE) en estudios. Uno en particular, publicado en la respetada revista médica *Journal of the American Medical Association,* encontró que las personas mayores de 55 años que consumieron alimentos ricos en betacaroteno, además de vitaminas C y E, redujeron la probabilidad de desarrollar DMAE en 35 por ciento.

Cuando se trata del betacaroteno, nada supera a la batata dulce. No sólo es deliciosa, también contiene más de este nutriente, onza por onza, que cualquier otro alimento no enriquecido, incluso más que la zanahoria y la calabaza. Una sola batata dulce mediana proporciona un asombroso 438 por ciento del valor diario de vitamina A, en la forma de betacaroteno. Eso no es todo. Este 'superalimento' le da 4 gramos de fibra, más de un tercio del valor diario de vitamina C y más de un cuarto del valor diario de manganeso, todo en tan sólo 103 calorías con cero grasa.

Retarde el progreso de la DMAE. Hay una buena noticia para quienes padecen degeneración macular: el Estudio de Enfermedades Oculares Relacionadas con la Edad (AREDS, en inglés) encontró que un suplemento con cierta combinación de nutrientes —15 mg de betacaroteno, 500 mg de vitamina C, 400 UI de vitamina E, 80 mg de cinc y 2 mg de óxido cúprico— redujo el riesgo de empeoramiento de estas afecciones en 25 por ciento. También retardó su progresión

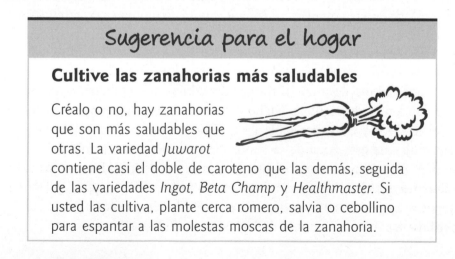

Sugerencia para el hogar

Cultive las zanahorias más saludables

Créalo o no, hay zanahorias que son más saludables que otras. La variedad *Juwarot* contiene casi el doble de caroteno que las demás, seguida de las variedades *Ingot, Beta Champ* y *Healthmaster.* Si usted las cultiva, plante cerca romero, salvia o cebollino para espantar a las molestas moscas de la zanahoria.

en las personas con DMAE intermedio en uno o en ambos ojos, o con DMAE avanzado en un solo ojo.

Proteja sus pulmones con betacaroteno

"Respire hondo". Suena fácil, pero si sufre una enfermedad pulmonar tal vez lo no lo sea para usted. Consumir más alimentos ricos en betacaroteno ayuda a prevenir el tipo de daño oxidativo que contribuye a problemas pulmonares, como la enfermedad pulmonar obstructiva crónica (EPOC). La conexión se puso claramente de manifiesto en un estudio realizado en Francia con más de 500 personas. Aquéllas con los niveles más altos de betacaroteno en la sangre conservaron una mayor función pulmonar a lo largo de ocho años. Mejor aún, las personas que elevaron sus niveles de betacaroteno durante el estudio detuvieron la pérdida de función pulmonar.

El jugo de zanahoria se echará a perder si no lo refrigera. Manténgalo frío después de abrirlo, de preferencia por debajo de 40 grados. De lo contrario, se convertirá en un caldo de cultivo ideal para la *Clostridium botulinum*, la bacteria que causa el botulismo.

Los procesos corporales naturales, como respirar, en realidad generan radicales libres que causan la oxidación. Lo mismo ocurre al fumar. De hecho, fumar produce oxidantes altamente concentrados en el cuerpo. Los fumadores empedernidos con menos betacaroteno o vitamina E, otro antioxidante, sufrieron pérdida de función pulmonar dos veces mayor que otras personas y enfrentaron un riesgo muy alto de EPOC.

En conclusión, aumente su consumo de betacaroteno y proteja sus pulmones. Nunca es tarde para empezar a comer bien. Los fumadores, en particular, deben buscar los alimentos saludables ricos en betacaroteno y otros antioxidantes, tales como la espinaca, el melón y los pimientos rojos. Sin embargo, si usted fuma no recurra a los suplementos de betacaroteno. Varios estudios muestran que para los fumadores que toman estos suplementos, la posibilidad de desarrollar cáncer de pulmón es mayor, no menor. Cantidades abundantes de betacaroteno pueden bloquear la absorción de otros nutrientes anticáncer de los alimentos, dejándolo vulnerable.

Té negro

La bebida que beneficia a los huesos

La leche no es la única bebida para combatir la osteoporosis. El té también ayuda a fortalecer los huesos. Un nuevo estudio realizado por la Universidad de Australia Occidental señala que las mujeres que beben té tienen una densidad apreciablemente mayor de masa ósea, es decir, tienen huesos más resistentes y menos propensos a romperse con facilidad. El estudio también indica que la pérdida de masa ósea es más lenta en las bebedoras de té que en las mujeres que no lo consumen.

Esto es importante porque los "huesos viejos" no son realmente viejos. De hecho, el esqueleto está constantemente eliminando hueso viejo y agregando hueso nuevo en su lugar. Pero a medida que se envejece, el cuerpo tiende a perder hueso más rápido de lo que puede producir nuevas células óseas. Esto provoca una erosión de los huesos, como un viejo muro de piedra que empieza a desmoronarse. Pero si usted pudiera encontrar algo que le ayude a formar hueso con mayor rapidez, los huesos podrían permanecer fuertes por mucho más tiempo. Unas cuantas tazas diarias de té pueden ayudar. Los investigadores creen que los flavonoides en el té ayudan a estimular el cuerpo para crear más hueso. Además, el té contiene fitoestrógenos, tales como los lignanos, que también pueden tener poderes salvavidas para el esqueleto.

Aunque algunos estudios cuestionan la eficacia del té en la prevención de fracturas de cadera y de otros huesos, los investigadores australianos concluyeron que puede ser tan eficaz como la famosa combinación de calcio más ejercicio. Otros estudios indican que el té puede ayudar a prevenir las fracturas de cadera en los hombres y a mejorar la densidad de la masa ósea en las mujeres mayores. Así que procure beber cuatro tazas al día o, para mejores resultados, además de consumir té negro, obtenga calcio extra y vitamina D, y haga ejercicios que impliquen soportar el peso del cuerpo, como la jardinería o las caminatas.

Los beneficios del té con leche

Si usted prefiere añadirle leche al té, pero ha oído que esto anula los beneficios del té, le tenemos buenas noticias. Los científicos de la Universidad de Aberdeen, en Escocia, encontraron que las personas que bebían té con leche no presentaban una cantidad menor de polifenoles y antioxidantes en la sangre que las personas que bebían el té solo. Así que si usted ha dejado el té simplemente porque no le gusta beberlo sin leche, ya es hora de que vuelva a servirse una taza.

Más té significa menos cáncer

Sólo dos tazas de té negro al día le pueden ayudar a evitar el cáncer de piel. Y esas dos mismas tazas podrían ayudar a las mujeres a prevenir el cáncer de ovario.

Defienda su piel. Los expertos dicen que dos tipos de cáncer de piel —el carcinoma de células escamosas (CCE) y el carcinoma basocelular (CBC)— están en aumento. Sin embargo, un estudio realizado por la Escuela Médica de Dartmouth indica que beber té ayudaría a prevenir ambos. Los investigadores observaron que la probabilidad de desarrollar CCE era mucho menor en las personas que tomaban dos o más tazas de té verde o negro al día. El riesgo de padecer CBC también era mucho menor en los bebedores de té que en las personas que no lo consumían. Los estudios indican que los polifenoles son los compuestos del té con mayores propiedades anticancerígenas. Si bien el té verde tiene un mayor número de polifenoles, el té negro contiene teaflavinas, que son un tipo particular de polifenoles con poder anticancerígeno.

Si usted desea potenciar los beneficios del té, bébalo con limón. El estudio de Dartmouth mostró que añadir cáscara de limón al té brindaba una protección anticáncer aún mayor. Las personas que beben más té durante el mayor período de tiempo parecen tener un menor riesgo de sufrir cáncer de piel, de modo que disfrútelo las veces que lo desee.

Gánele al cáncer de ovario. Esas dos mismas tazas de té pueden tener un feliz efecto secundario para las mujeres. Investigadores de Nueva York descubrieron que las mujeres que bebían dos o más tazas de té negro tenían una probabilidad 30 por ciento menor de desarrollar cáncer de ovario. Se cree que esto se debe a los polifenoles, aunque otros investigadores indican que los flavonoides del té, como el camferol y la miricetina, también tienen poderes protectores.

Cinco formas de prevenir los males cardíacos

Los derrames cerebrales y los ataques al corazón ocurren cuando una arteria se obstruye ya sea por coágulos sanguíneos, por la acumulación de placa en las paredes arteriales o por ambos. Afortunadamente el té ofrece cinco maneras de evitar estos procesos:

- La "activación de plaquetas" es un proceso clave en la formación de los coágulos sanguíneos. Un nuevo estudio conducido en Londres concluyó que beber té negro durante seis semanas reducía la activación plaquetaria.

- Las arterias rígidas y cubiertas de placa son más vulnerables a los desgarros y a las lesiones. Cuando esto ocurre, el cuerpo trata de protegerse formando coágulos de sangre. Los estudios señalan que los flavonoides naturales en el té pueden reducir la coagulación de la sangre y combatir el endurecimiento de las arterias.

- La proteína C reactiva es una señal de alerta de inflamación, que es un desencadenante clave en la acumulación de placa en las arterias. Investigaciones de la University College London indican que beber té también reduce los niveles de la proteína C reactiva.

- La acumulación de placa en las arterias del cuello puede elevar el riesgo de sufrir un accidente cerebrovascular incapacitante. Un estudio francés encontró recientemente que las mujeres que tomaban más té tenían menos placa en estas arterias.

- Estudios han demostrado que los flavonoides pueden prevenir la oxidación del colesterol LDL en las arterias, otro ingrediente clave en la formación de cúmulos de placa. Y un reciente estudio japonés encontró que el extracto de té negro puede reducir los niveles de colesterol total en 9 por ciento y de colesterol LDL en 12 por ciento.

A pesar de estas pruebas, otros estudios sobre el té y las enfermedades cardíacas arrojaron resultados dispares. En consecuencia, la Administración de Alimentos y Fármacos (FDA, en inglés) no respalda las afirmaciones de que el té puede ayudar a reducir el riesgo de sufrir un ataque al corazón o un derrame cerebral. Mientras la ciencia sigue buscando respuestas, no le hará daño disfrutar de unas cuantas tazas de té negro todos los días.

Una bolsita para la presión arterial

Baje la presión arterial bebiendo té, cuanto más, mejor. Un estudio realizado en Australia encontró que tomar té negro con leche reduce la presión arterial diastólica y sistólica en las mujeres mayores. Por cada taza adicional de té que bebieron cada día, las mujeres del estudio bajaron la presión arterial sistólica en dos puntos y la diastólica en un punto. Estas cifras tal vez parecen menores, pero pueden tener un gran impacto. Según los investigadores, si todos redujéramos nuestra presión arterial en tan sólo dos o tres puntos, el número de personas con presión arterial alta se reduciría en 17 por ciento, el riesgo de accidentes cerebrovasculares en 15 por ciento y la probabilidad de un ataque cardíaco también sería menor.

Es más, usted no tiene que preocuparse por la cafeína. Los expertos dicen que son los polifenoles del té los que relajan las paredes de los vasos sanguíneos y ayudan a bajar la presión arterial, de modo que basta con beber té descafeinado.

Supere el estrés bebiendo

Si tras un día largo y agotador se toma un momento para disfrutar de una taza humeante de té, usted podrá sentir cómo esta deliciosa bebida prácticamente diluye la tensión muscular y mental. Frente a una situación estresante, el cuerpo segrega hormonas, como el cortisol y la adrenalina, para responder a las amenazas inminentes. Estas hormonas elevan el ritmo cardíaco y provocan otros cambios radicales en el cuerpo, que le aseguran mayor fuerza, energía y lucidez mental para poder enfrentar el peligro. Pero usted no puede permanecer en esta situación de "alerta roja" durante mucho tiempo sin afectar su salud negativamente. Felizmente la University College London demostró la forma como el té puede ayudar.

Los investigadores dividieron a 75 hombres jóvenes en dos grupos. Un grupo bebió una mezcla de té negro y el otro un placebo cafeinado cuatro veces al día. Después de seis semanas, los participantes fueron sometidos a una serie de tareas estresantes. Cincuenta minutos después de una tarea, los bebedores de té estaban más relajados y tenían menores niveles de cortisol que los no bebedores. Eso significa que el té negro puede ayudarle a superar una situación de "alerta roja". Puede que usted vuelva a estresarse, pero su recuperación será más rápida y más fácil.

Los investigadores no saben exactamente cuáles son los ingredientes del té que producen este efecto, pero dicen que es aconsejable disfrutar de una taza de té inmediatamente después de un evento estresante. Es más, beber cuatro tazas de té negro al día puede ayudarle a controlar mejor el estrés en el largo plazo.

Nuevo antídoto contra el bioterrorismo

Beber té negro ofrece muchos beneficios para la salud, pero uno en particular es bastante sorprendente. Un equipo de científicos de Gales y Estados Unidos descubrió que el té conocido como *English Breakfast* podría ofrecer protección contra el ántrax. "Componentes especiales en el té, como los polifenoles, tienen la capacidad de inhibir considerablemente la acción del ántrax", dice Les Baillie, investigador principal del estudio y catedrático de la Universidad de Cardiff. Lamentablemente, añadir leche al té anula este beneficio.

Manera fácil de combatir los resfriados y la gripe

Beba unas cuantas tazas de té negro todos los días para defenderse de los virus durante la temporada de gripes y resfriados. Un pequeño estudio efectuado por la Universidad de Harvard señala que el té puede estimular el sistema inmunitario y contribuir a la prevención de infecciones. Los investigadores creen que esto se debe a la teanina, un compuesto del té. La teanina produce una reacción en cadena saludable, que funciona de esta manera:

- La teanina se descompone en el hígado en un compuesto llamado etilamina.

- La etilamina capacita a los soldados inmunitarios del cuerpo, las células T gamma/delta, como una unidad de primera intervención.

- Ante la amenaza de virus o bacterias, las células T mejoradas acuden a toda prisa.

- Es entonces cuando estas células segregan una poderosa cantidad de interferón, un compuesto clave contra las infecciones.

- Esto ayuda al sistema inmunitario a combatir con mayor ferocidad las infecciones, los resfriados y la gripe.

Pero, ¿tiene la teanina realmente estos efectos tras convertirse en etilamina? Los investigadores de Harvard decidieron averiguarlo. Dividieron las células T gamma/delta en dos grupos y expusieron sólo a uno de ellos a la etilamina. Luego expusieron a los dos grupos a las bacterias infecciosas. Las células que habían sido expuestas a la etilamina produjeron mucho más interferón que las no expuestas.

En una prueba similar con muestras de sangre se encontró que las células de las personas que bebieron cinco tazas de té al día durante un mes produjeron cinco veces más interferón. Es por esta razón que los investigadores creen que beber té puede proteger a algunas personas contra las infecciones. Y si aun así se enferman, sostienen que los efectos del virus serán más leves y de menor duración que en las personas que no consumen té.

Usted puede tomar el té caliente o frío, lo importante es que sea negro, verde, *oolong* o *pekoe* para obtener los mayores beneficios de la teanina. Y no tienen que ser cinco jarros o tazas grandes de té: los participantes del estudio bebieron cinco tazas pequeñas (unas 20 onzas) de té, lo que debería funcionar para usted también.

Dos ingredientes para mantener los dientes libres de caries

A usted le puede encantar el té verde por sus beneficios para la salud o el té con cafeína por la energía que le da, pero si usted es propenso a tener caries, beba té negro descafeinado con más frecuencia. El té negro tiene dos ingredientes especiales que le pueden ahorrar dinero en el consultorio del dentista.

Salve su sonrisa con flúor. Las caries se originan cuando una película de bacterias, llamada placa, permanece sobre el diente durante demasiado tiempo. Estas bacterias producen ácidos que erosionan los dientes causando las caries. Por suerte, tanto el té verde como el té negro contienen el mismo flúor que la pasta dental. Las hojas acumulan flúor de la tierra donde crece la planta de té. Sin embargo, el té negro tiene cinco veces más flúor que el té verde. Y usted puede obtener aún más si opta por el té descafeinado ya que el proceso de descafeinización agrega flúor.

El azúcar que se añade al té puede tener efectos nocivos sobre los dientes; algunos estudios señalan que el flúor puede contrarrestar estos efectos. El flúor también puede reducir los niveles de acidez en la superficie dental, lo que disminuye la probabilidad de erosión dental y de desarrollar caries. Eso hace que el té sea una opción estupenda para la salud bucal.

Potencie la poderosa protección de los polifenoles. Estudios indican que los polifenoles en el té negro pueden reducir tanto la cantidad de placa bacteriana en la boca como la cantidad de ácido que producen. Agregue a eso los efectos del flúor y dispondrá de una defensa anticaries. Propóngase beber tres o cuatro tazas de té negro descafeinado todos los días para mayor protección.

Sáquele brillo a sus pisos de madera

Dele a sus pisos de madera oscura un brillo intenso y deslumbrante limpiándolos con té. Prepare una olla de té negro, deje que enfríe y viértalo en un balde o una cubeta para fregar el piso. Moje un trapeador de microfibra en el balde, escúrralo bien y pase por un área pequeña. El ácido tánico del té hará brillar el piso como si estuviera nuevo. Pase un paño para secar esa sección de piso y siga con la siguiente sección. Sus amigos le rogarán que les diga cuál es su secreto para tener pisos relucientes.

aranja roja

Elija el rojo para una salud óptima

No todas las naranjas son de color naranja. La naranja roja, también llamada naranja sanguina, recibe su nombre por el color rojo lava intenso del jugo y de la pulpa. Ese rojo es un indicador de los fabulosos nutrientes que sólo la naranja roja posee y que la hacen una superfruta de gran sabor. La naranja roja solía provenir de Italia o España, pero ahora también se cultiva en Estados Unidos. Usted la puede encontrar en tres variedades: *Moro, Tarocco* y *Sanguinello*.

Este tipo de naranja puede ser rojizo o hasta verde por fuera o, sencillamente, de color naranja. Pero el interior es oscuro, desde rojo cereza hasta rojo púrpura. Al igual que en las naranjas comunes, su sabor puede variar, pero tiende a ser dulce y menos ácido que el sabor de las naranjas "rubias", como la naranja de ombligo *(navel orange,* en inglés) o la tipo Valencia. La naranja roja es tan fragante que su jugo es utilizado en la elaboración de perfumes naturales.

Aproveche el trío de bondades nutricionales. La naranja roja contiene tres fitoquímicos, o compuestos químicos vegetales, que la distingue de las demás naranjas:

■ Su llamativa tonalidad carmesí proviene de las antocianinas, las sustancias que dan color a la cereza y a algunas otras frutas de color rojo oscuro y azul. Las antocianinas son poderosos antioxidantes y se cree que retardan el crecimiento de las células cancerosas. Los expertos opinan que estos compuestos pueden ser más eficaces en los tipos de cáncer que afectan el tracto digestivo, adonde pueden llegar, ya que no es mucho lo absorbido por la sangre. Algunas antocianinas también pueden ayudar a proteger los ojos de la degeneración macular, una afección que puede causar la pérdida de la visión. Por último, usted no puede obtener antocianinas de la naranja común.

■ La naranja roja también contiene naringenina, una sustancia natural que comúnmente se encuentra en la toronja. Los investigadores han demostrado que la naringenina puede reparar los daños al ADN, que es el código que les indica a las células cómo comportarse, para detener el crecimiento sin control del cáncer de próstata. La naringenina también puede ayudar a reducir el colesterol, aunque los científicos siguen estudiando este beneficio.

■ Esta fruta de reciente popularidad también puede presumir de contener un compuesto químico vegetal recién descubierto: la herperidina. En estudios realizados con animales se ha demostrado que este compuesto, que pertenece al grupo de fitoquímicos conocidos como flavononas, puede reducir la presión arterial alta y el colesterol alto. La herperidina se concentra en la cáscara y en la pulpa, de modo que comer la fruta le brindará más beneficio que simplemente beber el jugo.

Salud al rojo vivo

La naranja roja y su jugo ofrecen grandes beneficios para la salud. Sin embargo, en Estados Unidos sólo están disponibles entre los meses de noviembre y mayo. ¿Qué debe hacer entonces un *chef* innovador?

Usted puede comprar jarabe de naranja roja para utilizarlo en refrescantes bebidas, sorbetes y batidos. Usted puede encontrar jugo de naranja roja, ya sea en botella o congelado, en las tiendas especializadas en productos *gourmet* y en los mercados étnicos. A medida que la fruta adquiera más popularidad, puede que la encuentre fresca o en jugo en su supermercado local. Compre el jugo para beberlo o para preparar vinagretas, salsas o pastelillos. El llamativo color rojo le dará un nuevo toque a sus viejas recetas.

Lamentablemente, los mismos fitoquímicos responsables de que esta fruta sea sabrosa, saludable y de un precioso color rojo rubí hacen que ésta pierda parte de su buena calidad una vez que se transforma en jugo y es concentrada y pasteurizada. De modo que exprima sus propias naranjas y disfrute de la fruta mientras que está en temporada.

Las naranjas de la buena salud. Lo principal de la naranja roja es que tiene un nivel extraordinariamente alto de antioxidantes, incluso más vitamina C que la naranja común. Esto hace que sea una importante aliada en la lucha contra todo tipo de problemas de salud relacionados con los nocivos radicales libres, tales como las enfermedades cardíacas, la diabetes, las cataratas e, incluso, el cáncer. Hay un tipo de antioxidante en la naranja roja, las antocianinas, que pueden comportarse como los analgésicos inhibidores de la COX-2, como el celecoxib (Celebrex). A eso se debe que las antocianinas combatan la inflamación de la artritis y hasta de la gota. Así que manténgase saludable con la bondad sabrosa de la naranja roja.

Refrescante ensalada de frutas

Ingredientes* (Rinde 6 porciones)

1 lata (8 onzas) de albaricoques en almíbar *light*, escurridos y cortados en cuartos

1 lata (8 onzas) de piña en trozos, escurrida

2 naranjas rojas medianas, peladas y cortadas en trozos de un bocado

16 onzas (454 g) de yogur natural bajo en grasa.

Preparación

1. Combine todos los ingredientes y revuelva suavemente para mezclar bien.

2. Cubra y refrigere durante 24 horas o más.

Información nutricional por porción: 94.1 calorías (11.1 calorías de la grasa, 11.78 por ciento del total); 1.2 g de grasa; 4.4 g de proteínas; 17.4 g de carbohidratos; 4.5 mg de colesterol; 1.1 g de fibra; 54.8 mg de sodio

* Si no reconoce el nombre de un ingrediente, vea el glosario en la página 360.

Cereal para desayuno

Empiece el día con un buen desayuno y adelgace

¿Le gustaría perder más de 30 libras (¡casi 14 kilos!) en un año? Bajar de peso es difícil. No volver a recuperarlo es aún más difícil. Sin embargo, los expertos dicen que usted lo puede lograr con muy poco esfuerzo.

Una de cada cinco personas logra perder el 10 por ciento de su peso corporal y no volver a recuperarlo durante al menos un año. Más de 4,000 de estas personas que adelgazaron exitosamente participan hoy en el Registro Nacional de Control de Peso. Los científicos buscan establecer qué es lo que estas personas hacen que sea diferente a lo que hacen las demás. Cada una de ellas ha bajado por lo menos 30 libras (14 kilos) y no las han vuelto a subir durante más de un año.

Resulta que el desayuno es uno de sus secretos. Tres de cada cuatro personas toman desayuno siete días a la semana, por lo general un tazón de cereales y fruta. Muy pocos (tan sólo el 4 por ciento) nunca desayunan. Los investigadores dicen que las personas que tienen éxito en adelgazar son menos propensas a saltarse el desayuno.

Las personas que consumen cereal para desayuno van por el buen camino y son menos propensas a tener un índice de masa corporal (IMC) alto, que es un índice para medir la obesidad. Las mujeres, en particular, tienen una probabilidad 24 por ciento mayor de tener un IMC saludable si toman desayuno, mientras que los hombres que consumen cereal para desayuno con regularidad tienden a pesar menos y es menos probable que engorden a medida que envejecen.

La fibra insoluble en *All-Bran,* de Kellogg's, *FiberOne* y otros cereales ricos en fibra, suprime el apetito, ayuda a comer menos y mejora la forma como el cuerpo controla el azúcar en la sangre después de las comidas. También ayuda a que los alimentos pasen rápidamente a través del intestino delgado, por lo que usted absorbe menos almidón. El almidón no absorbido hace que su cuerpo segregue una hormona de la "saciedad" durante dos a cuatro horas más tiempo de lo normal. La fibra insoluble también aumenta los niveles sanguíneos de otra hormona de la saciedad y lo hace mejor que los cereales bajos en fibra.

Las personas que toman desayuno tienden a comer menos grasa durante el resto del día y a elegir alimentos con menor densidad energética. También obtienen más calcio, gracias a la leche en el cereal. Una mayor ingesta de calcio lácteo ha sido asociado con un IMC menor. Dese tiempo para disfrutar de un buen desayuno todas las mañanas y usted también podrá convertirse en un exitoso "perdedor de peso".

Derrote la diabetes con un tazón al día

Los expertos saben que el consumo de granos integrales puede reducir el riesgo de padecer diabetes. Ahora la ciencia muestra que un tazón diario de cereal para desayuno también puede lograrlo gracias, en gran parte, a la cantidad de granos integrales y fibra que contiene.

Las personas que disfrutan de un tazón de cereal para desayuno los siete días de la semana tienen una probabilidad 37 por ciento menor de sufrir diabetes. Y aun si sólo lo hacen entre dos y seis veces a la semana, pueden reducir el riesgo en 24 por ciento. Los cereales integrales ofrecen mayor protección que los cereales refinados. Según los expertos, el cereal para desayuno funciona de la siguiente manera:

Ayuda a mantener un peso saludable. La obesidad es uno de los principales factores de riesgo para desarrollar diabetes. Los cereales para desayuno ricos en fibra, como los elaborados con granos integrales, "llenan" el estómago, de modo que usted siente menos hambre y tiende a comer menos calorías. ¡Otra buena noticia! Usted puede consumir tanta fibra como el cuerpo tolere. La fibra no tiene calorías y, además, el cuerpo la necesita para funcionar de manera óptima.

Mejora la sensibilidad a la insulina. La fibra puede retardar la absorción de otros nutrientes, como la glucosa. Esto ayuda a equilibrar los picos de insulina y glucosa en la sangre que normalmente ocurren luego de consumir carbohidratos. Dado que las personas con resistencia a la insulina tienden a desarrollar diabetes, mejorar esta sensibilidad podría reducir el riesgo. Los cereales menos procesados tienen un menor efecto en la glucosa de la sangre que los cereales refinados.

Mejora las bacterias intestinales. Consumir fibra con regularidad produce cambios en la población de bacterias intestinales. Las bacterias "obesas" (el tipo de bacteria que suelen tener las personas obesas) son desplazadas por las bacterias "delgadas", que suelen vivir en las personas delgadas. Las bacterias obesas producen un compuesto llamado LPS (lipopolisacárido), que ha mostrado promover el aumento de peso, de la grasa hepática y de los marcadores tanto de inflamación como de resistencia a la insulina, factores en el desarrollo de la diabetes.

El cereal ofrece estímulo cerebral

Un tazón diario de cereal para desayuno puede mejorar la salud cerebral. Al equilibrar el azúcar en la sangre, el cereal para desayuno reduce el riesgo de padecer Alzheimer u otra demencia.

En las personas con diabetes, con resistencia a la insulina o con niveles crónicamente altos de azúcar en la sangre, las células cerebrales no obtienen suficiente glucosa para su funcionamiento. Esta deficiencia puede conducir a un deterioro mental en cuestión de años. Un nivel alto de azúcar en la sangre hasta daña los pequeños vasos sanguíneos en el cerebro, lo que contribuye a la demencia.

Niveles altos de azúcar en la sangre también producen unas sustancias dañinas llamadas productos finales de glicosilación avanzada e impiden que el cuerpo elimine la beta-amiloide de las células cerebrales. La acumulación tanto de estas sustancias como de la beta-amiloide está asociada a la enfermedad de Alzheimer.

Tres pasos sencillos para reducir el riesgo de demencia:
- Elija alimentos nutritivos, como el cereal integral, que ayudan a regular los niveles de azúcar en la sangre.
- Baje de peso si tiene sobrepeso.
- Haga ejercicio 30 minutos al día, cinco días a la semana.

El secreto de $4 para prevenir las enfermedades cardíacas

Usted puede protegerse de la insuficiencia cardíaca, la enfermedad arterial coronaria y la presión arterial alta por tan sólo $4 a la semana. Es más, también empezará el día con más ánimo. ¿Cuál es el secreto? Disfrutar de un tazón de cereal integral en cada desayuno.

Detenga las enfermedades coronarias. Son la principal causa de muerte en Estados Unidos. En las enfermedades coronarias (EC), las arterias que llevan sangre al corazón se obstruyen debido a la acumulación de placa, un proceso conocido como ateroesclerosis. Las arterias se estrechan y, en consecuencia, el corazón no puede obtener suficiente oxígeno y nutrientes para un funcionamiento óptimo.

En las mujeres posmenopáusicas con EC, el consumo de por lo menos 3 gramos (g) de fibra de cereal para desayuno retardó el progreso de la ateroesclerosis casi tanto como el tratamiento con un medicamento de estatina. Los expertos creen que esto se debe al efecto positivo de este tipo de fibra sobre el colesterol, el azúcar en la sangre y la insulina.

Evite la insuficiencia cardíaca. Una de cada cinco personas de 40 años está en riesgo de desarrollar una insuficiencia cardíaca congestiva, una afección en la que el corazón no puede bombear suficiente sangre para satisfacer las necesidades del cuerpo. Al inicio uno se siente cansado y sin aliento después de una actividad pesada, pero con el tiempo se agotará aun con una actividad ligera. Las personas que consumen un tazón de cereal para desayuno al día, reducen el riesgo de sufrir insuficiencia cardíaca en 29 por ciento comparadas con aquéllas que no lo hacen. Así fue con los hombres que participaron en el estudio "Physician's Health Study", de 20 años de duración. Sólo los cereales integrales como el salvado tuvieron este efecto, y los expertos creen que eso se debe a lo siguiente:

- Quienes consumen cereales para desayuno tienden a aumentar menos peso a medida que envejecen, posiblemente debido a que la fibra y los granos integrales ayudan a mantener la figura.

- Los cereales integrales para desayuno contienen gran cantidad de nutrientes que se sabe bajan la presión arterial, como el potasio.

- Los compuestos vegetales llamados fitoestrógenos, que se encuentran en los granos integrales, parecen mejorar los niveles de colesterol y la sensibilidad a la insulina.

La elección es clara. La próxima vez que vaya de compras, elija un cereal con alto contenido de fibra e ingredientes integrales, como el salvado. Su corazón se lo agradecerá con una vida más larga y saludable.

Manténgase alerta a cualquier edad

Los cereales integrales, especialmente el salvado, están llenos de fibra, potasio y magnesio, nutrientes conocidos por ayudar a controlar la presión arterial. Una gran noticia para las personas de más de 70 años, ya que la presión arterial alta les podría causar deterioro mental. Por un lado, estudios asocian la presión arterial alta con el desarrollo de placas cerebrales, nudos neurofibrilares y reducción de la masa cerebral característicos del mal de Alzheimer. Y por el otro, la presión arterial alta duplica el riesgo de demencia vascular.

La solución sencilla es consumir alimentos que, como los cereales para desayuno, ayudan a bajar la presión arterial. Los expertos dicen que el control de la presión al envejecer puede ayudar a conservar el poder mental y la memoria.

El cereal para la regularidad digestiva

Usted probablemente ha oído decir que "todo lo que entra sale". Pero lo que usted se lleva a la boca influye en la forma como sale. Consumir los alimentos adecuados puede aliviar el estreñimiento y mantener la regularidad intestinal, con menos esfuerzo. He aquí por qué:

La fabulosa fibra. La fibra de salvado ablanda las heces, agrega volumen y acelera su paso por el colon. Lamentablemente, la mayoría de las personas no consumen la cantidad recomendada: 21 gramos (g) de fibra al día para las mujeres y 30 g para los hombres mayores de 50 años. El cereal para desayuno puede ayudarle a obtener esta cantidad.

Las mujeres con trastornos del suelo pélvico que consumieron cereal con alto contenido de fibra cada día (14 g de fibra por media taza) lograron aliviar el estreñimiento y necesitaron menos laxantes que las mujeres que no lo consumieron. Los expertos dicen que un menor esfuerzo durante las evacuaciones también puede reducir el riesgo de sufrir prolapso uterino y evitar su recurrencia.

El magnífico magnesio. El cereal para desayuno tampoco se queda atrás cuando se trata de magnesio. En un estudio realizado en Japón se vio que era más probable que las mujeres que recibían una dieta baja en magnesio tuvieran problemas de estreñimiento. Por suerte, algunos cereales de salvado, tales como *Raisin Bran* y *All-Bran,* de Kellogg's, son excelentes fuentes de magnesio y de fibra, por lo que propinan un golpe doble al estreñimiento.

Es buena idea consumir más fibra, pero incorpórela gradualmente a su dieta. No aumente su consumo de golpe. Para ayudar a la digestión, beba mucha agua a medida que coma más fibra. Las dietas ricas en fibra no ayudan a todas las personas que sufren estreñimiento. Pruébela usted durante dos o tres meses y vea si sus síntomas mejoran. De lo contrario, hable con su médico sobre otros tratamientos.

No se deje engañar

Las compañías de cereales para desayuno están agregando a sus productos yogur y fruta. ¡Suena saludable! Pues se equivoca. El yogur en estos cereales no contiene nada de lo que hace que un yogur de verdad sea bueno para usted: bacterias vivas o calcio. En cambio, contiene más gramos de grasa y azúcar. Por ejemplo, el *Multi-grain Cheerios* contiene más calcio, hierro y casi todos los nutrientes que el *Yogurt-Burst Cheerios,* además de tener menos azúcar y grasa saturada. Del mismo modo, las frutas secas tal vez agreguen sabor, pero muy pocos nutrientes. *Special K Red Berries,* de Kellogg's, contiene casi tres veces el azúcar, pero la mitad de proteínas y manganeso y solamente un tercio del folato, B6 y B12 que el *Special K* común.

La moraleja de la historia: es mejor comprar la versión normal de la mayoría de los cereales para desayuno, y agregarles leche descremada o baja en grasa, más rodajas de frutas frescas.

Cereal de arroz de rápida preparación

Ingredientes* (Rinde 4 porciones)

2 tazas de arroz integral cocido

1 taza de leche al 1%

1 cucharadita de canela molida

1 taza de almendras picadas

1 cucharadita de extracto de vainilla

3/4 de cucharadita de sal

Preparación

1. Mezcle bien el arroz cocido con los demás ingredientes.

2. Pase la mezcla a un recipiente, cubra y refrigere durante toda la noche.

3. Caliente en el horno microondas la mañana siguiente y sirva.

Información nutricional por porción: 275.7 calorías (121.6 calorías de la grasa, 44.12 por ciento del total); 13.5 g de grasa; 9.6 g de proteínas; 30.7 g de carbohidratos; 3.1 mg de colesterol; 4.9 g de fibra; 474.3 mg de sodio

Capsaicina

Calme el dolor crónico con chile

Un plato de tamales picantes puede que sea lo más indicado para el dolor de la artritis, los dolores de espalda, los dolores del herpes zóster y la neuropatía diabética. Resulta que la capsaicina, el compuesto que le da al chile su sabor picante, es un poderoso analgésico. Es tan potente que las compañías farmacéuticas incluyen capsaicina en las frotaciones para aliviar el dolor, como Zostrix. Cuando uno le aplica una crema de capsaicina a la piel, los nervios liberan una sustancia química conocida como "sustancia P", que le dice al cerebro que debe sentir dolor. Con cada aplicación de capsaicina, los nervios liberan más sustancia P. Pero como no tienen una cantidad ilimitada de sustancia P, a la larga ésta se agotará: si no hay sustancia P, no habrá dolor. Aplicar crema de capsaicina con regularidad a una zona puede gradualmente adormecer el dolor articular de la artritis o la neuropatía de la diabetes y el herpes zóster. Sin embargo, el compuesto no es una cura para la afección subyacente. Simplemente evita que usted sienta dolor.

La capsaicina no es la primera opción de tratamiento para la mayoría de las personas. Funciona mejor junto con otros analgésicos o cuando ya nada más funciona. Los expertos dicen que la capsaicina alivia el dolor de los nervios (herpes zóster, diabetes) mejor que el dolor muscular (lesiones en la espalda, por ejemplo). Hay quienes informan haber obtenido alivio en casos de artritis de la rodilla y de la mano. Estos consejos pueden ayudar a potenciar los beneficios de la capsaicina:

- Use guantes de látex o de goma cuando se aplica la crema para evitar que entre en contacto con sus manos o sus ojos.

- Aplíquese la crema frotando sobre la piel hasta que se absorba totalmente.

- Déjela sobre las manos durante 30 minutos en casos de artritis de la mano. Después lávese las manos con agua tibia si lo desea.

- Aplique capsaicina tres o cuatro veces al día para un mejor resultado y para evitar que los nervios se reabastezcan de la sustancia P.

- Empezará a sentir alivio de la artritis después de una a dos semanas de tratamiento continuo y de la neuralgia después de dos a cuatro semanas.

La capsaicina puede arder y picar al principio, pero esta sensación desaparece a medida que se agotan las reservas de la sustancia P. Únicamente una de cada tres personas experimentan estos efectos secundarios. Consulte con un médico si después de un mes de tratamiento el dolor persiste o empeora.

Alivio para la psoriasis

Además de calmar el dolor de la psoriasis, las cremas de capsaicina pueden ayudar a tratarla. La aplicación de cremas potentes, que contenían 0.025 por ciento de capsaicina mejoró la comezón, el enrojecimiento y la descamación en personas que sufrían de psoriasis. Puede que calme otras afecciones de la piel, en particular aquéllas que producen picazón, además de aliviar el dolor articular provocado por la artritis psoriásica. Hable con su médico para determinar si las cremas de capsaicina son el tratamiento adecuado para usted.

Apague el ardor estomacal

El chile pareciera ser la causa y no la cura de la indigestión, pero en realidad, este alimento picante puede ser un remedio para la hinchazón, el dolor, las agruras o acidez estomacal y las úlceras.

Estabiliza el estómago. El chile o pimiento picante puede aliviar la indigestión de la misma manera que calma el dolor de la artritis: agotando las reservas de la sustancia P. Sazone sus comidas con pimiento rojo picante y poco a poco acabará con toda la sustancia P en el estómago. Menos sustancia P equivale a menos indigestión.

Los participantes de un estudio que consumieron pimiento rojo picante en polvo diariamente, se sintieron mejor después de tres semanas, con menos dolor estomacal y náuseas después de comer. Cerca de la mitad dijeron que sus síntomas empeoraron durante la primera semana de tratamiento y que después mejoraron progresivamente, un patrón común con la capsaicina. Usted puede obtener los mismos resultados agregando a sus comidas pimienta de Cayena o chile en polvo. Utilice un cuarto de cucharadita en el desayuno y media cucharadita en el almuerzo y otra en la cena.

Alivia las agruras. El sentido común le dirá que se mantenga alejado de los chiles picantes si usted sufre de agruras o acidez estomacal. Pero el uso regular de salsa picante mejoró los síntomas de acidez en los participantes de un estudio, ya que la capsaicina hizo que se agotara la sustancia P en el esófago. La capsaicina también parece reducir la cantidad de ácido que el estómago segrega. El problema es que con este tratamiento la acidez estomacal primero empeora antes de mejorar.

Protéjase contra las úlceras. En vez de agravar las úlceras o causarlas, la capsaicina puede ofrecer protección contra ellas. Al parecer, bloquea los medicamentos antiinflamatorios impidiendo que dañen el revestimiento del estómago, lo que puede resultar en hemorragias y úlceras estomacales. La capsaicina parece proteger este revestimiento, posiblemente previniendo las "microhemorragias" en el estómago y aumentando el flujo sanguíneo hacia el revestimiento protector.

Contrariamente a la creencia popular, los expertos dicen que el chile no agravará el dolor de las hemorroides ni causará úlceras. A algunos expertos les preocupa que el consumo a largo plazo de demasiada capsaicina pueda dañar los intestinos. Pero otros expertos señalan que millones de personas consumen muchos más chiles (y obtienen mucha más capsaicina) cada día que las pequeñas cantidades utilizadas en estos estudios, y sin efectos secundarios aparentes. Siempre consulte sus preocupaciones sobre posibles efectos secundarios con un médico.

Apague las llamas del ardor bucal

Enjuáguese la boca con salsa de Tabasco y agua para poner fin a los padecimientos del síndrome del ardor bucal. Si la lengua, los labios y el paladar le arden como si se hubiera quemado con café hirviendo, enjuáguese con regularidad y no le quedará sustancia P para enviar señales de dolor al cerebro.

Los expertos también recomiendan el ejercicio y la reducción del estrés. Los medicamentos para la ansiedad y la depresión también pueden aliviar los síntomas. Hable con su médico.

Combata el cáncer con un toque de picor

Desarrolle un gusto por lo picante si desea protegerse del cáncer. El mismo compuesto que alivia la indigestión y el dolor de la artritis, también puede combatir el cáncer.

Cáncer de pulmón. La capsaicina ataca el cáncer en su punto débil: las mitocondrias, los diminutos generadores de energía al interior de las células cancerosas. Las mitocondrias producen ATP, la principal fuente de energía en el cuerpo. La capsaicina interfiere en este proceso, destruyendo las células cancerosas del pulmón sin dañar a las células saludables vecinas. Puede que haga lo mismo con las células de cáncer pancreático. Timothy Bates, uno de los investigadores de la Universidad de Nottingham que descubrieron este efecto, cree que la capsaicina puede ser utilizada para vencer al cáncer. "Dado que estos compuestos atacan el corazón mismo de las células tumorales, creemos haber descubierto el 'talón de Aquiles' de todos los tipos de cáncer", dice Bates.

Cáncer cerebral. Según un estudio reciente este compuesto también aniquilaría las células cancerosas en el cerebro. Las células saludables pasan por un proceso llamado diferenciación terminal. Eso significa que una vez que han desarrollado una función específica, dejan de multiplicarse. Las células precancerosas pierden esta capacidad de diferenciarse y continúan multiplicándose aun cuando ya no deben hacerlo. Los investigadores encontraron que la capsaicina ayudó a restaurar este proceso en las células cerebrales anormales, lo que impidió que se convirtieran en cancerosas.

Cáncer de piel. Este compuesto picante destruye a las proteínas Bcl-2. Cuando el ADN dentro de una célula se daña, la célula debe "suicidarse" para evitar reproducirse y crear más células dañadas. Tener demasiadas proteínas Bcl-2 impide a la célula suicidarse. En lugar de morir, la célula dañada continúa reproduciéndose. A la larga esto conduce al cáncer. La capsaicina detiene la sobreproducción de Bcl-2 de las células, induciendo su muerte antes de que se vuelvan cancerosas e impidiendo la proliferación de las células cancerosas existentes. Las pruebas indican que este proceso ayuda sobre todo a prevenir el melanoma, una forma mortal de cáncer de piel, así como el cáncer de hígado.

Los múltiples poderes anticancerígenos de la capsaicina pueden explicar por qué las personas que viven en países como México e India, que tradicionalmente tienen una dieta picante, suelen tener índices más bajos de varios tipos de cáncer que son comunes en muchos países del mundo occidental, dice Bates.

El sabor picante que adelgaza

Adelgazar puede ser tan fácil como agregarle un toque picante a sus comidas. La pimienta de Cayena, el chile habanero, el ají amarillo y el jalapeño contienen el fiero compuesto picante de la capsaicina. Los expertos solían creer que la capsaicina podía ayudar a comer menos. Esto es cierto en el corto plazo. Ratas alimentadas con una dieta que lleva pimiento rojo picante comen menos los primeros días, pero diez días más tarde vuelven a la cantidad normal. Aunque el efecto que tiene sobre el apetito pueda no durar, la capsaicina ayuda a mantener la figura y a prevenir enfermedades relacionadas con la obesidad de tres maneras importantes:

■ Aumenta la cantidad de calcio en las células grasas jóvenes. Niveles altos de calcio frenan el crecimiento de las células grasas. Ratas alimentadas con una dieta alta en grasa y con capsaicina no aumentaron de peso, mientras que aquéllas que recibieron la misma dieta, pero sin capsaicina, se volvieron obesas.

■ Limita la cantidad de Bcl-2. Estas proteínas impiden la muerte de las células cancerosas y de las células grasas. La capsaicina suprime a las proteínas Bcl-2 y aumenta los niveles de Bax y Bak en las células, dos proteínas que provocan la muerte de las células grasas.

■ Aumenta la cantidad de adiponectina en las células grasas. Este compuesto químico le protege contra complicaciones relacionadas con la obesidad, como la inflamación, la ateroesclerosis y la diabetes.

Los expertos dicen que la cocina típica de México, Tailandia o India, que lleva mucho chile picante, proporcionaría suficiente capsaicina para obtener estos beneficios. Aventúrese a experimentar y póngale picante a sus comidas. No tiene nada que perder salvo el peso que le sobra.

La sazón que ayuda a controlar la diabetes

Dele sabor a su vida con chiles picantes, pimienta de Cayena y otras especias que contienen capsaicina e impóngase sobre la diabetes.

La inflamación puede desempeñar un papel clave en el desarrollo de la obesidad, la resistencia a la insulina y la diabetes. De hecho, algunos medicamentos para la diabetes también son antiinflamatorios. El azúcar en la sangre se reduce a medida que la inflamación disminuye. Imagine a los compuestos inflamatorios como botes que flotan por todo el cuerpo hasta atracar en los receptores especiales de algunas células nerviosas, como si fueran embarcaciones ancladas en un puerto. A estos receptores se les conoce en inglés como TRPV1. Los nervios liberan entonces un compuesto químico llamado PRGC, que hace que el cuerpo libere más compuestos inflamatorios, lo que a su vez provoca la liberación de más PRGC. Es un círculo vicioso en el desarrollo de la enfermedad, ya que niveles altos de PRGC pueden conducir a la resistencia a la insulina y, posiblemente, a la obesidad.

La capsaicina destruye a los nervios que cuentan con un receptor TRPV1. Esto corta la producción de PRGC, lo que puede prevenir la resistencia a la insulina y mejorar la tolerancia a la glucosa. La capsaicina también frena la acción de otros compuestos inflamatorios e incrementa los niveles de adiponectina, una sustancia química que combate las inflamaciones en el cuerpo. Si usted logra mantener la inflamación bajo control, puede evitar la resistencia a la insulina, la diabetes tipo 2 y la ateroesclerosis.

Empiece a sazonar sus comidas con chiles o con pimienta de Cayena. Las personas que agregaron un total de tres cucharadas de chile a sus comidas todos los días equilibraron los picos de insulina y azúcar en la sangre después de las comidas. Para simplificar este tratamiento al máximo, empiece cada día midiendo las tres cucharadas de chile. Luego incorpórelas a sus meriendas y a sus comidas a lo largo del día.

Cereza

Alivio natural para el dolor de la artritis

Usted no tiene que tomar pastillas para tratar la artritis. Las cerezas agrias pueden ser una dulce manera de calmar el dolor de la artritis, sin los efectos secundarios típicos de los medicamento antiinflamatorios no esteroideos (AINE). Las antocianinas, que le dan a la cereza su color rojo, contienen compuestos antiinflamatorios. Eso explica por qué las cerezas son tan eficaces contra los trastornos inflamatorios como la artritis y la gota. De hecho, en un estudio las cerezas redujeron entre 18 y 25 por ciento las proteínas C reactivas (PCR) y el óxido nítrico, dos marcadores de inflamación.

Por mucho tiempo las cerezas han sido un remedio popular para la gota y han probado ayudar a aliviar esta dolorosa afección. Al primer signo de reincidencia, coma unas 20 cerezas. Usted también puede optar por cerezas secas. Debido a que sus nutrientes están más concentrados, usted necesita menos para conseguir el mismo resultado. Una cereza seca es el equivalente a unas ocho cerezas frescas. Si usted las prefiere en jugo, mezcle dos cucharadas de concentrado de cerezas en una taza de agua. Así obtendrá el poder de unas 50 ó 60 cerezas.

Las cerezas concentran mucho poder en poco volumen. De hecho, una taza de 90 calorías de cerezas *Bing* contiene más antioxidantes que un pedazo pequeño de chocolate oscuro o 3 onzas de almendras. Además de las antocianinas, las cerezas también proporcionan melatonina, una hormona que combate la inflamación y el daño oxidativo.

Usted siempre puede encontrar maneras de incorporar cerezas a su dieta. Agregue unas cuantas cerezas secas al cereal para desayuno, la avena, el yogur, las ensaladas o los panqueques. También puede agregarlas al cuscús, al arroz *pilaf,* al *risotto* o a las pastas.

Merienda para conciliar el sueño

Investigadores han descubierto recientemente que la cereza contiene melatonina, una hormona natural esencial para el ciclo de sueño del cuerpo. Los expertos dicen que comer un puñado de cerezas agrias antes de acostarse puede elevar los niveles de melatonina y promover un sueño más reparador. La melatonina, que además es un antioxidante, puede ayudar a superar el desfase horario *(jet lag)* o a adaptarse a un horario de trabajo nocturno.

Poder antiinflamatorio favorable para el corazón

El corazón tiene muchas razones para amar las cerezas. Debido a que las antocianinas en la cereza combaten las inflamaciones, también pueden ofrecerle protección contra las enfermedades cardíacas. Un signo de inflamación es la sustancia conocida como proteína C reactiva (PCR), que tal vez sea un indicador de riesgo de enfermedad cardíaca más importante que el colesterol LDL alto.

En un estudio reciente, 18 hombres y mujeres sanos comieron diariamente cerca de 45 cerezas *Bing* frescas y deshuesadas, durante 28 días. Después de los 28 días, su nivel sanguíneo de proteínas C reactivas (PCR) cayó en 25 por ciento. Menos PCR en la sangre significa menos inflamación y un menor riesgo de enfermedades cardíacas. También presentaron niveles más bajos de óxido nítrico, otro marcador de inflamación.

Las cerezas también contienen potasio, el cual regula la presión arterial. Otros nutrientes en la cereza, como la vitamina C y la fibra, también hacen maravillas para la salud cardíaca.

La pequeña y potente enemiga del cáncer

A veces lo bueno viene en envases pequeños. Por ejemplo, usted encontrará varias sustancias poderosas para combatir el cáncer en una pequeña cereza:

- Las antocianinas y la cianidina, dos flavonoides que se encuentran en la cereza, han demostrado ser prometedoras para el tratamiento del cáncer de colon en estudios realizados con animales y en estudios de laboratorio con células cancerosas humanas. Estos flavonoides frenan el desarrollo de los tumores y ayudan a detener el crecimiento de las células cancerosas del colon.

- El alcohol perílico, un fitonutriente que se encuentra en la cereza, impide el desarrollo y la progresión del cáncer. Estudios han encontrado que ayuda a tratar y prevenir el cáncer de mama, de próstata, de pulmón, de hígado y de piel.

- El ácido elágico y la quercetina, presentes en la cereza, son otros dos conocidos combatientes del cáncer, que además proporcionan fibra y vitamina C, ingredientes esenciales en cualquier dieta anticáncer saludable.

Sume todas estas propiedades y tendrá la protección que le puede proporcionar la cereza contra esta temible enfermedad.

Combata el frío invernal con cerezas

En lugar de temblar de frío toda la noche o subir la calefacción al máximo, pruebe irse a la cama con una almohada rellena de huesos de cereza. Los huesos o pepitas de la cereza retienen el calor y lo liberan lentamente, de modo que usted no pasa frío toda la noche. Estas prácticas almohadillas también alivian los dolores articulares, los dolores de espalda y de cabeza, y los calambres musculares. Sólo tiene que calentar la almohadilla en el microondas. Debido a que los huesos de la cereza también se mantienen fríos durante más tiempo, usted puede guardar las almohadillas en el congelador para usarlas como bolsas de hielo.

Para hacer su propia almohadilla de huesos de cereza, junte huesos de cereza todo el año. Quíteles los residuos de pulpa, límpielos bien y séquelos. Luego rellene una bolsa pequeña hecha de un material resistente, como tela *jean*, lona o tela tapiz. También puede comprar estas almohadillas térmicas en línea, en *www.cherrypitstore.com.*

Chocolate

Dulce remedio para el corazón

Los indios Kuna, que viven en las islas San Blas, están entre los más pobres de Panamá, pero son los que tienen menos probabilidades de morir de una enfermedad cardíaca, diabetes, derrame cerebral o cáncer.

Y eso se debe a la bebida que consumen. Los Kuna isleños beben mucho cacao. Es más, el cacao es su principal bebida. Los Kuna que viven en San Blas cultivan su propio cacao, que es especialmente rico en flavanoles, un tipo de polifenol similar al del té verde.

Los científicos notaron que las personas que vivían en el territorio continental de Panamá tenían una probabilidad cinco veces mayor de morir de una enfermedad cardíaca que los Kuna de San Blas, 15 veces mayor de morir de cáncer, casi cuatro veces mayor de morir de diabetes e, increíblemente, 75 veces mayor de morir de un accidente cerebrovascular. Al principio, los expertos creyeron que los Kuna poseían una asombrosa resistencia genética a todas estas afecciones, pero la verdadera gracia salvadora parece ser todo el cacao que beben.

- Las investigaciones muestran que los vasos sanguíneos funcionan mejor después de consumir chocolate o cacao. Los flavanoles estimulan la producción de óxido nítrico en los vasos sanguíneos, lo que les ayuda a trabajar de manera más eficiente.

- El cacao puede incluso sanar los vasos sanguíneos. Las personas que bebieron cacao rico en flavanoles tres veces al día durante una semana revirtieron el daño a los vasos sanguíneos causado por el hábito de fumar.

- El cacao también mejora el funcionamiento del corazón y de los vasos sanguíneos en mujeres posmenopáusicas con el colesterol alto y evita la oxidación del colesterol LDL, un proceso que lleva al endurecimiento de las arterias.

Otra buena noticia: los adultos mayores obtienen más beneficios del cacao y el chocolate que los jóvenes. Los adultos mayores que consumieron cacao durante varios días experimentaron mayores mejoras en sus niveles de presión arterial y en su circulación que los adultos jóvenes que consumieron las mismas cantidades.

Muy bien, dirá usted, pero los supermercados ofrecen una inmensa variedad de chocolates. ¿Cómo saber qué tipo de chocolate comer para obtener resultados como ésos? He aquí una guía rápida para ayudarle a elegir los chocolates más saludables.

Cacao en polvo. Hace que el chocolate sea más achocolatado, contiene la mayor cantidad de polifenoles, contiene poco azúcar y grasa y tiene un intenso sabor a chocolate. Sin embargo, no se trata del cacao procesado conocido como *Dutch processed cocoa,* que tiene muy pocos polifenoles. Cuando vaya al supermercado, busque en el pasillo de productos de repostería y elija el cacao etiquetado como *"cocoa"* (cacao) o *"nonalkalized cocoa"* (cacao no alcalino). Revuélvalo en agua o leche para una bebida reconfortante antes de acostarse.

Chocolate oscuro. Debido a que contiene más cacao que el chocolate de leche o el blanco, contiene más polifenoles que éstos. De hecho, el chocolate cuanto menos procesado sea, más polifenoles contiene.

Chocolate de leche. Contiene gran cantidad de azúcar y por lo general, menos polifenoles que el chocolate oscuro. Sus efectos negativos en el riesgo diabético y en la salud dental pueden ser mayores que los beneficios para el corazón.

Chocolate blanco. No contiene cacao y, por lo tanto, no contiene polifenoles, sólo azúcar y grasa. Un estudio que comparó las bondades del chocolate oscuro y del blanco encontró que el blanco no tenía efecto alguno sobre la circulación, mientras que el chocolate oscuro la mejoró.

Los polifenoles no permanecen por mucho tiempo en el cuerpo, por lo que los expertos dicen que usted debe consumir chocolate o cacao con regularidad para aprovechar los beneficios. Por suerte, esos beneficios se acumulan con el tiempo, así que cuanto más tiempo usted disfrute de un poco de chocolate rico en flavanoles, más mejoras experimentará. Los estudios no han determinado aún la cantidad que usted necesitaría para combatir las enfermedades cardíacas, pero, como casi en todo, lo mejor es la moderación.

El chocolate oscuro reduce la presión arterial

Dese el gusto de disfrutar un poco de chocolate oscuro y diga que es por "razones de salud". Los flavanoles del chocolate hacen que los vasos sanguíneos liberen óxido nítrico, un compuesto que los relaja. La dilatación de los vasos sanguíneos reduce la presión arterial.

Un cuadrado de chocolate oscuro diario puede hacer que la presión arterial en el límite superior normal se mantenga en un rango saludable, según una nueva investigación publicada por la distinguida revista *Journal of the American Medical Association*. Cuarenta y cuatro adultos mayores y de mediana edad con presión arterial ligeramente alta comieron un cuadrado de chocolate oscuro al día durante cuatro meses y medio. A diferencia de estudios anteriores, en éste se utilizó chocolate oscuro normal, comprado en tienda, no un chocolate especial elaborado en el laboratorio. Sorprendentemente, con el chocolate comprado en la tienda se lograron buenos resultados. Al inicio del estudio, el 86 por ciento de las personas sufrían hipertensión clínica. Al final del estudio, sólo el 68 por ciento. Los demás participantes redujeron su presión arterial lo suficiente como para estar en el rango "normal".

Mejor aún, la pequeña cantidad de chocolate oscuro que comieron los participantes de este estudio sólo ascendía a 30 calorías diarias, casi lo mismo que 1.5 de *Hershey's Kisses*. Un análisis de cinco estudios mostró que el cacao reduce la presión arterial casi tan bien como los medicamentos estándar, como un betabloqueador o un inhibidor de la ECA. En promedio, el cacao redujo la presión arterial sistólica en 4.7 mm Hg y la diastólica en 2.8 mm Hg. Esto podría reducir el riesgo coronario en 20 por ciento y el de un ataque cardíaco en 10 por ciento.

Las personas con presión arterial alta tienden a experimentar las mayores reducciones y mayores beneficios. Otros estudios indican que los adultos mayores obtienen más beneficios que los adultos jóvenes. Pruebe cambiar la copita de las noches por una taza de cacao caliente o esa porción de torta de chocolate por un cuadrado de chocolate oscuro.

Una deliciosa manera de agilizar la mente

¿Perdió las llaves? Coma un poco de chocolate oscuro. El cacao le da un impulso al cerebro que está envejeciendo, posiblemente al aumentar el flujo de sangre a la materia gris. En ratas, extractos de cacao en polvo mejoraron la función cerebral y extendieron su tiempo de vida. En adultos sanos, quienes consumieron cacao rico en flavanoles durante cinco días mostraron más actividad cerebral mientras realizaban tareas que requerían pensar. Al aumentar el flujo de sangre hacia el cerebro, los científicos creen que los flavanoles del cacao ayudan a retardar el deterioro de las funciones del pensamiento y del cerebro, debido al envejecimiento normal y a la demencia.

Los expertos esperan que algún día se empleen los flavanoles del cacao para tratar la demencia, el derrame cerebral y otros problemas de los vasos sanguíneos en el cerebro. Entretanto, disfrute de un poco de chocolate negro. Podría ser beneficioso.

Sugerencia para el hogar

Cómo cocinar con cacao

El cacao presenta desafíos especiales que pueden sorprender incluso a *chefs* experimentados. Estos consejos le evitarán frustraciones:

- El cacao normal y el cacao con procesado holandés *(Dutch process cocoa)* no son intercambiables en la cocina. Utilice *"Dutch process cocoa"* solamente si la receta lo pide. De lo contrario, use el cacao normal.

- Trate el cacao en polvo como si fuera parte de la harina en la receta. Si agrega más cacao, reste esa cantidad de la cantidad total de harina que pide la receta, o lo que prepare le saldrá seco.

- Para que el sabor a chocolate sea más intenso, caliente los ingredientes líquidos de la receta hasta el punto de ebullición, de ser posible, y viértalos sobre el cacao en polvo.

- Las yemas crudas pueden diluir la consistencia del *mousse* o del flan de chocolate. Luego de combinar las yemas y el cacao, caliente ligeramente la mezcla para evitar que esto suceda.

Disfrute del efecto rejuvenecedor del cacao

Usted tal vez ha oído que el chocolate empeora los problemas de la piel, como el acné. Todo lo contrario. Los flavanoles del cacao pueden ayudar a tener la piel radiante y juvenil de dos maneras:

Proporcionan una apariencia más suave. Durante 12 semanas, un grupo de mujeres bebieron un cacao especial rico en flavanoles. Al finalizar el estudio, todas tenían una piel notablemente más suave e hidratada, y menos descamación. Los flavanoles del cacao mejoran el nivel de óxido nítrico, lo que a su vez aumenta el flujo de sangre a la piel. Esto alimenta a las células hambrientas con más oxígeno y nutrientes, mejorando la condición y la apariencia de la piel.

Protegen a la piel contra el daño solar. La exposición a los rayos ultravioleta (UV) del sol puede dañar las grasas, las proteínas y el material genético de la piel, envejeciéndola y contribuyendo al cáncer de piel. Las mujeres que bebieron media taza de cacao todos los días, el equivalente a 3.5 onzas de chocolate oscuro, mejoraron las defensas naturales de su piel contra el daño solar en 25 por ciento. También se volvieron menos sensibles a los rayos UV y menos susceptibles de sufrir quemaduras solares.

El chocolate combate los coágulos sanguíneos mortales

Un dulce placer que usted tal vez pensó le estaba prohibido, en realidad puede reducir el riesgo de sufrir un ataque cardíaco por dos razones:

- Los flavanoles en el chocolate y el cacao hacen que los vasos sanguíneos liberen óxido nítrico, el cual previene que las plaquetas se adhieran entre sí y se aglutinen. Esto evita la formación de coágulos de sangre.

- Los flavonoides, el grupo de compuestos al cual pertenecen los flavanoles, parece que ayudan a acabar con la inflamación en el cuerpo. Los estudios vinculan la inflamación a un riesgo mayor de sufrir un ataque cardíaco y al endurecimiento de las arterias.

Hasta hace poco, los estudios sobre el efecto antiplaquetario del chocolate sólo se habían realizado con pequeños grupos de personas, en entornos de laboratorio altamente controlados y utilizando grandes cantidades de chocolate especial, con alto contenido de flavanoles y no disponible en las tiendas. Por fin, las pruebas parecen indicar que el chocolate común comprado en las tiendas también tiene poderes antiplaquetarios.

Sin embargo, la interrogante permanece en cuanto a la cantidad de chocolate que usted debe consumir para obtener este efecto. No mucho. En un estudio, solamente 6 gramos de chocolate comprado en tienda —esto es, menos de un cuarto de una onza de chocolate oscuro— previno los coágulos. Otro estudio encontró que 25 g de chispas de chocolate semidulce lograron el mismo resultado. Los fumadores necesitan más para beneficiarse de este efecto antiplaquetario: cerca de 1.5 onzas diarias de chocolate oscuro. Los expertos dicen que gracias a estos hallazgos el chocolate puede ser parte de una alimentación saludable para el corazón, siempre y cuando usted elija las variedades que tienen menos azúcar y grasa, y lo consuma con moderación.

Cuidado con el adelgazamiento óseo

Puede ser bueno para el corazón, pero malo para los huesos. El chocolate contiene oxalatos, que impiden que el cuerpo absorba calcio y azúcar, lo que puede hacer que usted pierda calcio a través de la orina. En un estudio reciente, las mujeres que disfrutaban del chocolate todos los días tenían una densidad ósea menor que las que casi no lo comían. De otro lado, las amantes del chocolate pesaban menos y tenían un IMC menor.

En conclusión: el chocolate puede ayudar al corazón, a la piel, al cerebro y a la presión arterial. Pero si usted está en riesgo de sufrir osteoporosis, o si ya tiene la enfermedad, tal vez no deba comer tanto chocolate. Considere los riesgos y hable con su médico.

Pudín de arroz y chocolate

Ingredientes* (Rinde 8 porciones)

4 tazas de leche al 1%

2/3 de taza de arroz blanco sin cocer

1/2 taza de azúcar

2 onzas (57 g) de trocitos de chocolate semidulce

1/2 taza de sustituto de huevo

1/2 taza de leche evaporada

1/2 taza de azúcar

1 1/2 cucharadas de harina multiuso

1 cucharadita de extracto de vainilla

Preparación

1. Mezcle la leche, el arroz y el azúcar en una cacerola grande. Hierva suavemente a fuego medio, revolviendo constantemente.

2. Baje el fuego al mínimo. Deje que hierva a fuego lento, sin tapar, durante unos 25 minutos o hasta que el arroz esté suave. Asegúrese de que el arroz no se queme. Agregue el chocolate y revuelva hasta que se derrita.

3. En un recipiente mediano, bata el sustituto de huevo con la leche evaporada, el azúcar, la harina y la vainilla, hasta lograr una consistencia uniforme. Poco a poco, incorpore la mezcla de huevo a la mezcla de arroz, sin dejar de batir.

4. Revuelva constantemente. Cocine a fuego medio de 5 a 7 minutos o hasta que espese. No deje que rompa a hervir.

5. Vierta el pudín en un recipiente mediano. Cubra y refrigere.

Información nutricional por porción: 276.5 calorías (33.3 calorías de la grasa, 12.04 por ciento del total); 3.7 g de grasa; 8.7 g de proteínas; 52.0 g de carbohidratos; 7.1 mg de colesterol; 0.5 g de fibra; 100.2 mg de sodio

*Si no reconoce el nombre de un ingrediente, vea el glosario en la página 360.

Canela

Controle la glucosa en la sangre con sabor

Es probable que usted haya oído decir que para estabilizar el azúcar en la sangre lo que se necesita es una pizca de canela. Esto es importante para las personas con diabetes, que deben cuidarse de los dulces, consumir abundante fibra y planificar atentamente sus alimentos para lograr un equilibrio óptimo del azúcar en la sangre.

Algunas investigaciones muestran que tomar suplementos de canela podría ayudar a controlar el azúcar en la sangre. De hecho, uno de los primeros estudios encontró que las personas con diabetes tipo 2 que tomaron apenas media cucharadita de canela al día redujeron sus niveles de azúcar en la sangre en un promedio de 20 por ciento. Los expertos creen que esto se debe a un antioxidante en la canela llamado polímero de chalcona hidroximetilo (MHCP, en inglés). El MHCP parece actuar de forma similar a la insulina, ya que ayuda a las células a absorber glucosa como deberían hacerlo. Sin embargo, no todas las investigaciones han probado que la acción de la canela ayuda a reducir los niveles de azúcar en la sangre. Los expertos están tratando de averiguar por qué. Tal vez las diferentes condiciones de las personas estudiadas, como, por ejemplo, si estaban o no tomando medicamentos para la diabetes, podrían explicar estos resultados diferentes.

Otro posible problema es que en los estudios se utilizó la canela *Cassia*, un tipo de canela que puede contener altos niveles de cumarina. Consumir grandes cantidades de esta sustancia química natural puede causar daño hepático. En el 2006, el gobierno alemán alertó sobre el consumo excesivo de una popular galleta, las "estrellas de canela", debido a la preocupación por la cumarina que contienen.

Demasiados dulces, gomas de mascar e, incluso, pasta de dientes de canela pueden provocar una reacción alérgica: enrojecimiento y dolor en las encías, los labios y la lengua.

Es mejor evitar los suplementos de canela y obtener esta especia, con moderación, de la manera tradicional. Espolvoree canela sobre el cereal o sobre la tostada del desayuno, o revuelva el té caliente con un palito de canela. Sin embargo, controlar el azúcar en la sangre no puede ser una excusa para darse el gusto de comer un rollo de canela. Una porción de *Cinnamon Melts,* de McDonald's, tiene 460 calorías y 32 gramos de azúcar, mientras que un *Cinnabon Roll* tiene 730 calorías y 24 gramos de grasa. Estos panecillos no son saludables para nadie, y menos para una persona con diabetes.

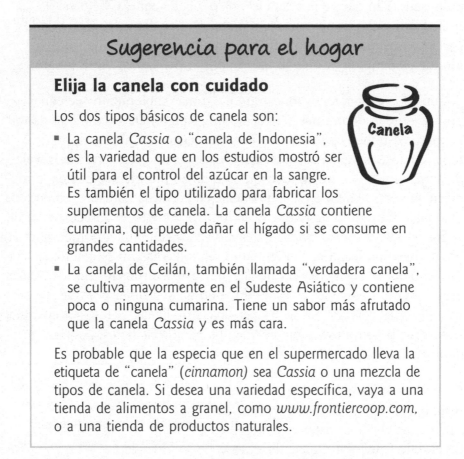

Sugerencia para el hogar

Elija la canela con cuidado

Los dos tipos básicos de canela son:

- La canela *Cassia* o "canela de Indonesia", es la variedad que en los estudios mostró ser útil para el control del azúcar en la sangre. Es también el tipo utilizado para fabricar los suplementos de canela. La canela *Cassia* contiene cumarina, que puede dañar el hígado si se consume en grandes cantidades.

- La canela de Ceilán, también llamada "verdadera canela", se cultiva mayormente en el Sudeste Asiático y contiene poca o ninguna cumarina. Tiene un sabor más afrutado que la canela *Cassia* y es más cara.

Es probable que la especia que en el supermercado lleva la etiqueta de "canela" (*cinnamon)* sea *Cassia* o una mezcla de tipos de canela. Si desea una variedad específica, vaya a una tienda de alimentos a granel, como *www.frontiercoop.com,* o a una tienda de productos naturales.

Salud cardíaca: otra razón para agregar sazón

Derrote el colesterol alto y la presión arterial alta a cucharaditas. A cucharaditas de canela. La razón es que la canela está repleta de antioxidantes y manganeso, importantes para mantener el corazón contento. La canela funciona de la siguiente manera:

Derriba el colesterol malo. La canela puede ayudar a mantener alto el nivel de colesterol "bueno" (HDL) y bajo el nivel de colesterol "malo" (LDL). Un estudio realizado con 60 personas con diabetes tipo 2 mostró que tomar apenas media cucharadita de canela todos los días redujo sus niveles de colesterol LDL, de colesterol total y de triglicéridos.

El alto contenido de antioxidantes en la canela puede explicar el poderoso impacto que tiene sobre el colesterol. Los antioxidantes en los alimentos imponen un límite al colesterol LDL, lo que evita su oxidación y que haga más daño al sistema. Usted obtendrá más poder antioxidante de una cucharadita de canela que de dos tazas de uvas rojas, otras potencias antioxidantes.

Controla la presión arterial. Una cucharadita de canela tiene además alrededor de un cuarto del requerimiento diario de manganeso. El manganeso es un oligoelemento que impide la contracción de los vasos sanguíneos que podría elevar la presión arterial. Investigadores pusieron esta idea a prueba en el laboratorio, empleando ratas a las que se les dio ya sea un dieta alta en azúcar o una dieta normal. Se encontró que, en ambos grupos, las ratas que recibieron canela entera o extracto de canela todos los días tenían una menor presión arterial.

Además de bajar la presión, el manganeso en la canela podría defender a los huesos de la osteoporosis. Así que dele a su corazón y a sus huesos una cucharadita de buena salud.

Aromas que dan seguridad

Manténgase alerta y feliz detrás del volante de su auto, incluso en viajes largos. Lleve el dulce aroma de la canela en su auto, ya sea en un *sachet* perfumado o en popurrí, y usted será un mejor conductor.

Eso es lo que los investigadores en West Virginia comprobaron cuando estudiaron el efecto del olor de la canela y la menta en los conductores. La canela y la menta ayudan a que los conductores se mantengan alerta y concentrados en la carretera y evitan que se frustren cuando las cosas salen mal. La menta además reduce la fatiga y la ansiedad en los conductores. Si el popurrí no es realmente lo suyo, pruebe la goma de mascar de canela o de menta en su próximo viaje por carretera.

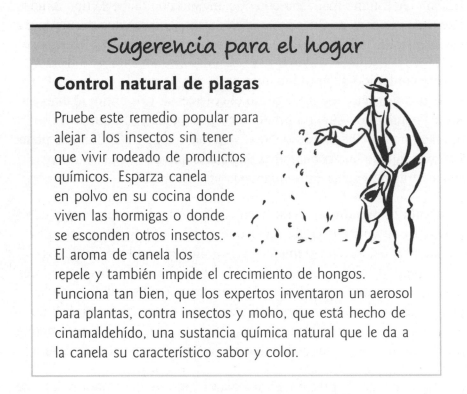

Sugerencia para el hogar

Control natural de plagas

Pruebe este remedio popular para alejar a los insectos sin tener que vivir rodeado de productos químicos. Esparza canela en polvo en su cocina donde viven las hormigas o donde se esconden otros insectos. El aroma de canela los repele y también impide el crecimiento de hongos. Funciona tan bien, que los expertos inventaron un aerosol para plantas, contra insectos y moho, que está hecho de cinamaldehído, una sustancia química natural que le da a la canela su característico sabor y color.

Cítricos

Prefiera la naranja para una sonrisa más blanca

Las frutas cítricas son famosas por tener gran cantidad de vitamina C. Esta vitamina combate el resfriado y la gripe al fortalecer el sistema inmunitario. También ayuda a la visión y, al combatir la inflamación, previene las enfermedades cardíacas y el derrame cerebral. La vitamina C o ácido ascórbico, también es importante para mantener los dientes y las encías saludables, tal como lo descubrieron los antiguos marineros británicos cuando navegaban durante meses, sin frutas ni verduras frescas. Sus dientes se aflojaban, sus encías sangraban y muchos morían. Finalmente aprendieron a llevar consigo jugo de limón verde y de otras frutas cítricas, ganándose el apodo de *"limeys"*. Resulta que la vitamina C de los cítricos previene el escorbuto. Incluso en la actualidad las personas contraen esta enfermedad si no obtienen suficiente vitamina C, aunque en los países desarrollados sólo suelen contraerla las personas mayores que no tienen una alimentación variada. El escorbuto puede hacer que sangren las encías, que las heridas no se curen y que uno se sienta cansado e irritable.

Pero antes de que eso ocurra, la falta de vitamina C puede acelerar la gingivitis, que es una enfermedad de las encías. La vitamina C ayuda al cuerpo a producir colágeno, importante para el tejido conectivo, como los huesos y la dentina, que es la parte de los dientes que se encuentra debajo del esmalte. Sin suficiente vitamina C no se curan las pequeñas lesiones en la boca, como las de la gingivitis, cuando la placa acumulada causa irritación por debajo de la línea de las encías. Si las lesiones empeoran se pueden convertir en periodontitis, una forma más grave de enfermedad de las encías con focos de infección que pueden causar la pérdida de dientes.

Frutas cítricas	
★ naranja	★ toronja
★ mandarina	★ limón
★ limón verde	

Un estudio encontró que las personas con periodontitis que comían dos toronjas al día lograban elevar sus niveles de vitamina C en tan sólo dos semanas. También les sangraban menos las encías, posiblemente debido a que la vitamina C se vale de su poder antioxidante para reducir la inflamación. No se requiere una megadosis de vitamina C para evitar este mal de las encías. Usted puede reducir su riesgo con sólo 180 miligramos (mg) al día. Eso se obtiene bebiendo dos tazas de jugo de naranja, o comiendo dos naranjas, dos toronjas y media o seis mandarinas. Pero no olvide que también puede obtener vitamina C de alimentos como las verduras de hoja verde oscuro, el brócoli y los pimientos dulces.

Truco para aprovechar los cítricos

Las frutas son generalmente saludables para los dientes. Contienen azúcares naturales, pero también mucha agua, lo que ayuda a diluir el azúcar en la boca. Además, comer fruta estimula el flujo de saliva para enjuagar el azúcar de sus dientes. Pero el problema se presenta con los ácidos naturales de los cítricos. Con el tiempo, éstos pueden debilitar el esmalte de los dientes y causar su erosión. Para prevenir esto, consuma los cítricos rápidamente o como parte de una comida. Eso reduce la cantidad de tiempo que sus dientes permanecen expuestos al ácido.

Propiedades antidiabéticas de los cítricos

Naranjas, toronjas, clementinas: todas son excelentes opciones para ayudar a mantener la diabetes tipo 2 bajo control. Usted necesita vigilar lo que come y cuándo lo hace, para que su nivel de azúcar en la sangre no suba o baje demasiado. Un plan de alimentación adecuado es diferente para cada persona con diabetes, pero generalmente consiste en consumir una dieta saludable para el corazón, controlar el peso y evitar demasiada carne roja, alimentos fritos o refinados y golosinas. Los cítricos son parte de una dieta saludable porque contienen tres ingredientes clave que ayudan a mantener equilibrado el nivel de azúcar en la sangre.

La fibra equilibra el azúcar en la sangre. Todo el mundo, con o sin diabetes, debe consumir fibra soluble e insoluble, con el objetivo de obtener al menos entre 20 y 35 gramos diarios. La fibra soluble es especialmente importante para los diabéticos, ya que puede ayudar a equilibrar el azúcar en la sangre. Los expertos creen que la fibra hace más lenta la digestión y retrasa la descomposición de los carbohidratos, de modo que la glucosa ingresa a la sangre más lentamente. Eso acabaría con los picos en los niveles de azúcar en la sangre.

Se necesita comer la fruta entera, no sólo beber el jugo, para obtener el máximo de fibra de los cítricos. Una naranja mediana tiene cerca de 3 gramos de fibra, pero el jugo de naranja casi no tiene fibra.

Los flavonoides combaten la oxidación. Los flavonoides en los cítricos son fitoquímicos naturales que los convierten en un arma poderosa contra la inflamación. Ésa es una palabra elegante para referirse al daño celular producido por los radicales libres, que se cree contribuye a muchas enfermedades crónicas, como la diabetes.

Investigadores en Nueva York querían saber la forma como el jugo de naranja afectaba a los diabéticos, así que lo pusieron a prueba junto con el agua azucarada y el agua endulzada artificialmente. El jugo de naranja no produjo un incremento en la acumulación de radicales libres en la sangre, pero sí el agua con azúcar. Así que aunque el jugo de naranja contiene azúcares naturales, sigue siendo una bebida saludable para las personas con diabetes.

El jugo de naranja no siempre ha sido visto de esa manera. Algunos expertos dicen que se necesita prestar atención al índice glucémico (IG), que es la medida de la velocidad con la que los alimentos elevan el azúcar en la sangre

> Para más información sobre cómo mantenerse fuerte y saludable con la vitamina C, vea el capítulo *Maracuyá*.

después de una comida. El jugo de naranja tiene un valor medio de IG, aun cuando la naranja está clasificada como un alimento con IG bajo. De hecho, el jugo de naranja puede ser útil porque con sólo beber unas 4 onzas (aproximadamente media taza), eleva el azúcar en la sangre si ésta disminuye demasiado.

La vitamina C elimina el estrés. Al igual que los flavonoides, las vitaminas antioxidantes como la vitamina C le declaran la guerra a los radicales libres. Pero las personas con diabetes tipo 2 no tienen tanta vitamina C en sus glóbulos blancos como las personas saludables. Ése es un signo de que el cuerpo está bajo estrés y necesita más de esta súper vitamina. Los investigadores descubrieron que tomar grandes dosis de vitamina C —1,000 mg al día, una verdadera megadosis—, puede reducir el azúcar en la sangre, el colesterol LDL y los triglicéridos. Ésa es una muy buena noticia para las personas con diabetes, que a menudo tienen problemas con estos marcadores de salud. Pero usted tendría que beber 10 tazas de jugo de naranja o comer 10 naranjas grandes para obtener esa cantidad. Pregúntele a su médico si un suplemento de vitamina C podría serle útil.

Es bueno si es realmente de fruta

Opte por la fruta o por el jugo de la fruta, no por los suplementos o por el agua enriquecida, para obtener los beneficios para la salud de las vitaminas y antioxidantes que se encuentran en los cítricos. Los expertos sostienen que tomar megadosis de vitaminas antioxidantes en realidad no ayuda a prolongar la vida. De hecho, demasiado puede ser peligroso, incluso de las vitaminas "inocuas" solubles en agua. Tomar cantidades excesivas de vitamina C en forma de suplementos puede causar cálculos renales.

Obtener vitaminas de los alimentos no hace daño y es beneficioso. Un estudio italiano comparó el poder antioxidante del jugo de naranja, del agua enriquecida con vitamina C y del agua azucarada. Sólo el jugo de naranja proporcionó beneficios antioxidantes. Eso demuestra que no es sólo la vitamina lo que ayuda, sino el paquete completo de la fruta o el jugo de fruta.

La cura del cáncer no es fantasía

Las personas que comen más frutas y verduras tienen menos probabilidades de contraer cáncer. Ésa es la pura verdad, demostrada una y otra vez. Los cítricos, en particular, son una triple defensa contra el cáncer a lo largo del tracto digestivo, en la boca, el estómago y el colon. Eso se debe a que aportan tres excelentes nutrientes a la batalla contra el cáncer.

La vitamina C le pone el freno al cáncer. Esta vitamina antioxidante, presente en todos los cítricos, combate los distintos tipos de cáncer digestivo. Un estudio encontró que los hombres que obtienen más vitamina C de los alimentos tienen menos riesgo de padecer cáncer de boca, mientras que otro concluyó que comer más frutas y verduras puede prevenir el cáncer de estómago. Parece que la vitamina C de los suplementos no ofrece la misma protección.

La vitamina C funciona debilitando a las nitrosaminas, que son compuestos cancerígenos que se forman a partir de los nitritos presentes en algunos alimentos. Sin embargo, si usted tiene mucha grasa en el estómago, la vitamina C no puede trabajar con eficacia. En ese caso, hace más daño que bien. Incluya naranjas y toronjas en una dieta baja en grasas para obtener la mejor protección posible contra el cáncer.

Los limonoides son excelentes limpiadores. Los cítricos cuentan con aproximadamente 40 tipos de estos fitoquímicos naturales, que dan a las frutas su agradable aroma y su sabor ligeramente amargo. Ellos ayudan a estimular la enzima GST para que desintoxique los compuestos nocivos, convirtiéndolos en sustancias menos peligrosas y solubles en agua. Éstas son luego eliminadas del cuerpo, evitando la formación de tumores. Usted obtendrá la mayor cantidad de limonoides de los jugos de naranja, toronja y limón.

El folato es favorable. Los cítricos, en particular la naranja, rezuman esta importante vitamina B. Ésta es una buena noticia ya que el folato puede proteger contra el cáncer de colon, especialmente a las personas con antecedentes familiares. Los expertos afirman que el folato —o ácido fólico, que es la forma de la vitamina en los suplementos—, aumenta los aminoácidos del cuerpo, para evitar los cambios genéticos que podrían causar tumores. Dos vasos de 8 onzas de jugo de naranja le proporcionan la mitad de sus necesidades diarias de folato y son un buen comienzo en la protección contra el cáncer de colon.

El jugo protector de articulaciones y huesos

Los cítricos contienen una infinidad de antioxidantes que defienden las articulaciones y los huesos a medida que se envejece.

Lleve su propio limón cuando coma fuera

Piénselo dos veces antes de poner esa rodaja de limón en su vaso de agua la próxima vez que cene fuera. Puede estar cubierta de bacterias.

Investigadores en Nueva Jersey examinaron las rodajas de limón de bebidas servidas en 21 restaurantes. Casi el 70 por ciento de las rodajas estaban contaminadas con bacterias, como el *E. coli* y otras variedades que causan enfermedades. Si usted adora ese toque de limón en su bebida y desea obtener los beneficios para la salud de los cítricos, la próxima vez que salga a cenar organícese con tiempo y lleve sus propias rodajas de limón en una bolsita sellada.

Dele nuevos bríos a su batalla contra la artritis. La vitamina C y otros antioxidantes protegen las articulaciones al ayudar a formar y reparar el cartílago. El cartílago es un tejido resbaladizo que evita la fricción y el desgaste de los huesos en las articulaciones, pero que se deshace cuando se tiene artritis. Los antioxidantes en los alimentos también combaten la inflamación articular que puede presentarse con la artritis.

Investigadores en Australia descubrieron que las personas que comen más frutas y más alimentos con vitamina C tienen menos probabilidades de desarrollar artritis en la rodilla. Para ello estudiaron durante 10 años a un grupo de casi 300 adultos de mediana edad que consumían en promedio 218 miligramos (mg) de vitamina C al día. Eso es más del doble de la ingesta diaria recomendada de 75 mg para mujeres y 90 mg para hombres. Usted puede obtener la cantidad recomendada bebiendo tres vasos de jugo de naranja o comiendo tres toronjas al día.

Apoye al calcio en la formación de hueso. Los huesos necesitan algo más que sólo calcio. También están hambrientos de otros nutrientes, como la vitamina C, para mantenerse fuertes y evitar parecerse a un queso suizo con agujeros, tal como puede lucir el tejido óseo después del daño por la osteoporosis. Aliméntese bien para defenderse de esta enfermedad relacionada con el envejecimiento, que puede hacerle perder estatura y predisponerle a sufrir fracturas de hueso.

Comer más fruta puede ayudar. Las personas mayores que comen más frutas, verduras y cereales tienen huesos más densos que aquéllas que prefieren la carne, los pasteles o las golosinas. Huesos densos significan que usted no está en camino de sufrir osteoporosis. Investigadores encontraron que las ratas que bebían jugo de naranja o de toronja todos los días, tenían huesos más densos que aquéllas que no bebían jugo. Ellos creen que los antioxidantes de los jugos de fruta previnieron el daño en los huesos de las ratas.

Pruebe el jugo de naranja enriquecido para obtener, en un solo vaso, una protección completa para los huesos y las articulaciones. Un vaso de 8 onzas de jugo de naranja *Tropicana Pure Premium* enriquecido con calcio y vitamina D ofrece el 35 por ciento de la ingesta diaria recomendada de calcio, el 25 por ciento de la ingesta de vitamina D y el 120 por ciento de la de vitamina C. Ésa es una cantidad extraordinaria de protección ósea en un solo vaso.

Sugerencia para el hogar

Un alimentador afrutado para los pájaros

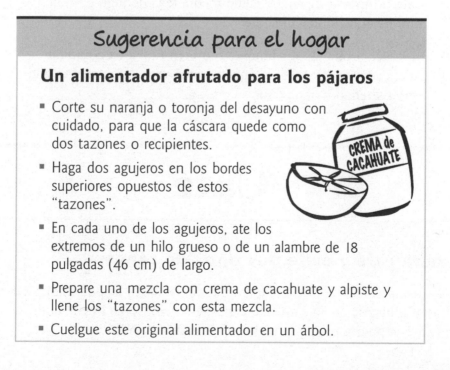

- Corte su naranja o toronja del desayuno con cuidado, para que la cáscara quede como dos tazones o recipientes.
- Haga dos agujeros en los bordes superiores opuestos de estos "tazones".
- En cada uno de los agujeros, ate los extremos de un hilo grueso o de un alambre de 18 pulgadas (46 cm) de largo.
- Prepare una mezcla con crema de cacahuate y alpiste y llene los "tazones" con esta mezcla.
- Cuelgue este original alimentador en un árbol.

Siete fantásticos consejos de limpieza no tóxica

Deje su casa reluciente sin productos químicos nocivos. El jugo de limón, ya sea embotellado o recién exprimido, hace maravillas cuando se trata de dejar la casa limpia y perfumada. Todo el mérito se lo lleva el ácido cítrico del jugo.

- Coloque una rodaja de limón en el triturador de residuos y encienda el interruptor para obtener una fresca fragancia.

- Para desinfectar el lavavajillas, vierta un cuarto de taza de jugo de limón en el dispensador de jabón y haga funcionar un ciclo sin platos.

- Sumerja la mitad de un limón en bicarbonato de sodio y úselo para devolverle el brillo al bronce y al cobre.

- Limpie las juntas de los azulejos con jugo de limón y con un cepillo de dientes.

- Haga relucir el cristal de las puertas de la ducha empapando una esponja húmeda con jugo de limón.

- Dele brillo a la ropa agregando media taza de jugo de limón durante el ciclo de enjuague.

- El fresco aroma de los limones también funciona como un purificador ambiental. Coloque pequeños recipientes con jugo de limón alrededor de la casa.

Café

Beba café y evite dos tipos de cáncer

Si bien al café se le suele culpar de todo, desde la acidez estomacal hasta la insuficiencia cardíaca, ahora le tenemos una buena noticia: el café le podría proteger de dos tipos mortales de cáncer.

Escape de un asesino silencioso. El cáncer de hígado tal vez sea uno de los tipos más peligrosos de cáncer. Por lo general no presenta síntomas hasta alcanzar las etapas más avanzadas. Por eso es que tiende a ser mortal para cuando el médico diagnostica la enfermedad. Afortunadamente, el café puede ayudar a evitar este esquivo cáncer. Investigadores de Italia encontraron que la probabilidad de desarrollar cáncer es 41 por ciento menor en los bebedores de café que en los no bebedores. Y el Instituto Karolinska, de Suecia, descubrió que el riesgo de padecer cáncer de hígado se redujo en 43 por ciento cuando las personas aumentaban su consumo de café en dos tazas diarias.

La capacidad del café para combatir el cáncer tal vez se deba a antioxidantes como el ácido clorogénico. Estos antioxidantes ayudan a prevenir la formación de compuestos cancerígenos y a neutralizar las moléculas de radicales libres que pueden contribuir al desarrollo del cáncer.

Eluda al cáncer sigiloso. Al igual que con el cáncer de hígado, las personas que padecen cáncer de ovario pueden no presentar síntomas hasta que el cáncer se encuentra en una etapa avanzada. Beber café también puede reducir el riesgo de desarrollar este tipo de cáncer. De hecho, en un estudio realizado en Harvard con más de 80,000 mujeres se descubrió que a mayor consumo de cafeína menor es el riesgo de desarrollar cáncer de ovario, sobre todo en las mujeres que nunca han tomado hormonas.

Así que adelante, disfrute de su taza diaria de café. Sólo ponga atención a la cantidad de cafeína que obtiene de otras fuentes, especialmente si utiliza acetaminofeno (Tylenol). Nuevos estudios indican que el consumo de dosis altas de cafeína en combinación con acetaminofeno podría dañar el hígado.

Detenga la diabetes con una taza diaria

El mismo café que usted bebe para despertarse por la mañana o para sacudirse de la modorra de la tarde, también puede ayudarle a evitar la diabetes. En una revisión de nueve estudios realizada en Harvard se encontró que las personas que bebían entre seis y siete tazas de café al día tenían 35 por ciento menos probabilidades de desarrollar diabetes que las personas que tomaban dos tazas o menos. Las personas que bebieron entre cuatro y seis tazas diarias también redujeron su riesgo de diabetes en 28 por ciento.

El café puede tener este efecto porque es una fuente rica en polifenoles antioxidantes, como el ácido clorogénico y el ácido fítico. Los científicos creen que estos compuestos pueden utilizar una serie de tácticas para ayudar a evitar que la glucosa (azúcar en la sangre) se acumule en el torrente sanguíneo:

La adición de azúcar puede acabar con el poder del café para combatir la diabetes. Científicos de Harvard afirman que agregar azúcar de mesa al café reduce la capacidad del cuerpo para controlar el azúcar en la sangre. Agregar leche, en cambio, parece ser una opción segura.

- ■ Hacen que el hígado produzca y libere menos glucosa al torrente sanguíneo.

- ■ Limitan la cantidad de glucosa que el intestino reabsorbe para reenviar al torrente sanguíneo.

- ■ Ayudan al cuerpo a disminuir la resistencia a la insulina.

Las células necesitan glucosa para producir energía y, con frecuencia, la obtienen del torrente sanguíneo. Pero las células esperan a que la insulina les indique cuándo abrirse para permitir el ingreso de la glucosa. En la prediabetes, las células dejan de responder cuando la insulina toca sus puertas, una afección llamada resistencia a la insulina. La glucosa queda atrapada en el torrente sanguíneo y empieza a acumularse. Afortunadamente, es ahí donde el ácido clorogénico puede ayudar. Contiene un compuesto llamado quinidina, que al ayudar a las células a responder a la insulina, permite que la glucosa abandone el torrente sanguíneo y pueda dinamizar las células.

Pero éstos no son los únicos compuestos del café que contribuyen a prevenir la diabetes. La cafeína también desempeña un papel importante. Algunas investigaciones señalan que el café con cafeína provoca un marcado aumento en el metabolismo "quemagrasa" que puede ayudar a controlar el peso. Esto a su vez reduce el riesgo de sufrir diabetes.

Investigaciones realizadas en Harvard indican que usted puede obtener beneficios como éstos si opta por el café filtrado por goteo. Y el Estudio de la Salud de la Mujer realizado en Iowa encontró que el café descafeinado puede ser mejor para prevenir la diabetes que el café con cafeína. Los expertos recomiendan beber sólo dos o tres tazas de café descafeinado o con cafeína al día y he aquí por qué:

- Un análisis de Harvard sobre las mujeres que participaban en el Estudio de Salud de Enfermeras encontró que dos o tres tazas de café al día reducen el riesgo de sufrir diabetes en un 42 por ciento, mientras que una taza reduce ese riesgo en 13 por ciento.

- Un pequeño estudio realizado por la Universidad de Duke mostró que el equivalente a cuatro tazas de café con cafeína puede hacer que el nivel de azúcar en la sangre se eleve hasta en 8 por ciento.

- Grandes cantidades de cafeína pueden interferir con el sueño y usted podría experimentar otros efectos secundarios no saludables.

Un café con más poder antioxidante

Imagínese un café que tiene 10 veces más poder antioxidante para combatir enfermedades que el vino o el té. Eso es precisamente lo que usted encontrará en el café de tueste torrefacto, dice una investigadora española.

Isabel López, de la Universidad de Navarra, analizó once tipos de café y sostiene que la capacidad antioxidante superior del café torrefacto se debe al azúcar. Durante el proceso de tueste torrefacto se agrega azúcar que, al caramelizarse, le da un brillo especial a los granos de café. Esto no sólo hace que el café sea menos amargo y ácido, también crea una cantidad mayor de compuestos antioxidantes. Incluso la mezcla del café de tueste torrefacto con el café de tueste natural tiene más antioxidantes. López dice que además de los poderosos polifenoles, este café también proporciona un grupo prometedor de antioxidantes llamados "compuestos marrones".

La bebida que no le romperá el corazón

Buenas noticias para los amantes del café. Beber café con regularidad podría reducir el riesgo de morir de una enfermedad cardíaca.

Un estudio realizado en Nueva York señala que beber cuatro o más bebidas con cafeína al día reduce el riesgo de muerte por enfermedad cardíaca en 53 por ciento en los adultos mayores con presión arterial normal. La razón de esto puede ser la caída en la presión arterial que comúnmente ocurre después de una comida. Esta caída es más marcada a medida que pasan los años, un problema que eleva el riesgo cardíaco. Pero la dosis repentina de energía de la cafeína contrarresta este peligroso efecto.

Ésa no es la única buena noticia acerca del café y los males del corazón:

■ Beber varias tazas de café con regularidad puede implicar menos riesgo que empezar a beber café o beberlo solo ocasionalmente, indican algunos estudios. El café aumenta la presión arterial temporalmente. Estudios señalan que las personas que están acostumbradas a beber café pueden desarrollar una tolerancia parcial contra este efecto estimulador de la presión. De modo que los bebedores nuevos u ocasionales de café pueden experimentar un mayor incremento en la presión arterial que los bebedores de café veteranos. Esta presión adicional podría provocar el desprendimiento de placa de las paredes de los vasos sanguíneos, formar coágulos de sangre que bloquean las arterias y causar un ataque cardíaco. Las investigaciones muestran que es menos probable que el café provoque una insuficiencia cardíaca en bebedores habituales de café, y que una a tres tazas diarias pueden realmente proteger a los bebedores regulares de un ataque cardíaco.

■ La cafeína puede ser menos peligrosa para el corazón si se tiene los genes adecuados. La manera como el cuerpo maneja la cafeína depende, en parte, de un gen llamado CYP1A2. Una variante de este gen hace que el cuerpo metabolice la cafeína más lentamente. Un estudio reciente encontró que la cafeína sólo eleva el riesgo de un ataque cardíaco en las personas con la variante del gen CYP1A2, no en las personas con el gen normal. Pero dado que usted no puede saber cuál gen tiene, he aquí un buen consejo: si usted no bebe café actualmente, piénselo bien antes de empezar. Su presión arterial podría aumentar, así como también otros factores de riesgo cardíaco, como el nivel de homocisteína y la rigidez de las arterias.

De otro lado, si bebe habitualmente varias tazas de café al día y su presión arterial es normal, usted no tiene por qué dejar el café. Es más, las personas que reemplazan el café por refrescos de cola aumentan sus probabilidades de sufrir una enfermedad cardíaca al aumentar su presión arterial. El Estudio de Salud de Enfermeras, de Harvard, encontró que el riesgo de presión arterial alta aumentó en las mujeres que bebían cuatro o más colas al día, pero no en las mujeres que bebían café. Se cree que los compuestos de la cola llamados "productos terminales de glicación avanzada" (PTGA) pueden ser la razón por la cual el refresco de cola provocó el aumento de la presión arterial. Así que hable con su médico antes de dejar el café. Tal vez pueda seguir disfrutando de este placer sin sentirse culpable.

Cuidado con el café descafeinado

Tan sólo dos o tres tazas de café descafeinado podría proporcionarle tanta cafeína como la Coca-Cola clásica. Eso es lo que un grupo de investigadores de la Universidad de Florida descubrieron cuando analizaron nueve tipos de café descafeinado de los cafés locales y de las cadenas nacionales de café. En promedio, cada taza de 16 onzas contenía entre 8.6 y 13.9 miligramos de cafeína. Sólo uno, un café instantáneo descafeinado de Folgers, realmente no tenía cafeína.

Una taza al día reduce el riesgo de Alzheimer

Una taza diaria de café podría reducir el riesgo de la enfermedad de Alzheimer, sobre todo si a usted le encantan los alimentos con alto contenido de grasa y colesterol, como el helado. Eso se debe a que el café puede ayudar a proteger el cerebro de ciertos compuestos peligrosos que se encuentran en el torrente sanguíneo.

Así como una puerta con tela metálica impide el ingreso de los insectos, pero le permite ver, oír y oler lo que viene de fuera, el cerebro cuenta con una barrera sanguínea para impedir el ingreso de sustancias nocivas, como las toxinas, y, a la vez, dejar entrar el oxígeno y los nutrientes. A esta barrera se le conoce como barrera hematoencefálica. Sustancias que son buenas para el resto del cuerpo podrían ser perjudiciales para el cerebro. Una de ellas, la proteína llamada beta-amiloide, puede ser un factor crítico en el desarrollo de la enfermedad de Alzheimer. Los investigadores creen que cuando se debilita esta barrera hematoencefálica, la proteína beta-amiloide se filtra al cerebro donde se acumula en forma de placa o parches pegajosos.

Por desgracia, es fácil abrirle las puertas a la placa beta-amiloide. Basta con consumir con frecuencia alimentos altos en grasa y en colesterol. Las investigaciones indican que eso podría elevar los niveles sanguíneos de colesterol, lo que puede debilitar la barrera hematoencefálica. Los científicos creen que la cafeína defiende esta barrera de los efectos perjudiciales del colesterol. Mejor aún, puede que usted sólo necesite una taza de café con cafeína al día.

Antes de empezar a beber una taza diaria de café para prevenir la enfermedad de Alzheimer, hay dos cosas que usted debe saber:

- Según algunos estudios la cafeína puede ayudarle a protegerse del Alzheimer, mientras que otros muestran poco o ningún efecto protector. Así que no cuente solamente con el café para prevenir el deterioro de la memoria. Reduzca el colesterol en su dieta y adopte tantas otras medidas como pueda para evitar el Alzheimer.

- Tenga en cuenta que algunos tipos de café pueden contener sustancias que ayudan a elevar el colesterol. Así que evite el café hervido o sin filtrar, como el *espresso* o el café hecho en una cafetera de pistón o prensa francesa. En su lugar, siga disfrutando de su café filtrado favorito.

Cuatro usos para los posos de café

Disfrute de una taza de café y luego utilice lo que queda, los posos o la borra del café, para solucionar algunos problemas en la casa y en el jardín:

- Limpiar la chimenea ya no tiene por qué ser un asunto desagradable y polvoriento. Simplemente esparza posos húmedos de café sobre las cenizas antes de limpiar. No verá las nubes de polvo, y la limpieza será más fácil.

- Usted podría comprar un producto especial para ayudar a ocultar los rayones y las marcas en sus muebles de madera. Pero, ¿por qué gastar dinero? Mejor remoje posos de café en agua caliente y escurra. Luego con la ayuda de un hisopo de algodón cubra las marcas en los muebles. Nadie notará la diferencia.

- Impida que los gatos usen el jardín como baño. Esparza posos de café y cáscaras de naranja alrededor de las plantas. El olor espantará a los gatos.

- A las hormigas tampoco les agrada el café. Ahuyéntelas esparciendo posos de café sobre los hormigueros.

Maicena

El refrigerio nocturno que regula la glucosa

El mismo ingrediente que se usa para espesar una salsa podría acabar con los bajones nocturnos del azúcar en la sangre. En la diabetes tipo 1, la mayoría de los episodios de hipoglucemia severa (niveles bajos de azúcar en la sangre) ocurren durante la noche. Controlar estos episodios es importante, ya que la hipoglucemia nocturna está asociada con un empeoramiento del control sobre el azúcar en la sangre durante el día.

Un refrigero nocturno y sencillo de leche con maicena casera sin cocer podría ayudar a controlar el azúcar en la sangre. El azúcar en la maicena cocida llega rápidamente al torrente sanguíneo, provocando un pico de glucosa. Pero la maicena sin cocer, es decir, la maicena cruda directamente de la caja, se digiere con mucha más lentitud. El azúcar en la maicena sin cocer se absorbe poco a poco y se convierte en una fuente gradual y constante de glucosa hasta por siete horas.

Esto convierte a la maicena en un remedio ideal a la hora de acostarse para evitar episodios nocturnos de hipoglucemia. En al menos un estudio, el consumo de maicena cruda disuelta en leche antes de irse a la cama redujo el número de episodios hipoglucémicos, tanto durante la noche como antes del desayuno, sin efectos secundarios. Una ventaja adicional: la leche contiene triptófano, un compuesto que le ayuda a conciliar el sueño. Así que la leche más maicena no sólo le ayudará a controlar el azúcar en la sangre, también le ayudará a dormir mejor. Pruebas actuales indican que una persona de 140 libras (63.5 kilos) debe tomar 4 cucharadas de maicena en un vaso de leche.

Esta cura de la cocina también puede ayudar a las personas con diabetes tipo 2. Un refrigerio nocturno que contenía maicena cruda ayudó a controlar los niveles altos de azúcar en la sangre en ayunas (hiperglucemia), entre la cena y el desayuno.

Según los estudios, la maicena funciona mejor para las personas con diabetes tipo 1 que tienen las siguientes características:

- Llevan un control firme de sus niveles de azúcar en la sangre. Estas personas tienden a sufrir episodios de hipoglucemia.

- No tienen "conciencia hipoglucémica", es decir, no reconocen las señales de alerta de un nivel bajo de azúcar en la sangre.

- Hacen ejercicio. La maicena cruda antes de hacer ejercicio puede ayudar a evitar la caída posterior del azúcar en la sangre.

■ Beben alcohol. Consumir maicena sin cocinar después de beber alcohol puede ayudar a evitar un bajón del azúcar en la sangre.

La maicena puede usarse como una medida para prevenir el nivel bajo de azúcar en la sangre, pero no para tratar la hipoglucemia existente. Simplemente no se digiere con la suficiente rapidez para salvarlo de una caída peligrosa del nivel de azúcar en la sangre.

Sustitutos para los ingredientes faltantes

La falta de un ingrediente no tiene por qué arruinar su receta. Usted puede sustituir ingredientes con la ayuda de esta tabla:

Ingrediente faltante	Sustituto adecuado
Polvo de hornear de doble acción	1/4 de cucharadita de bicarbonato de sodio, más 1/2 cucharadita de cremor tártaro y 1/4 de cucharadita de maicena por una cucharadita de polvo de hornear
Huevo entero (para hornear)	Una cucharada de maicena por uno de cada tres huevos; agregar más líquido de ser necesario
Azúcar en polvo o azúcar impalpable	Una taza de azúcar granulada, más una cucharada de maicena; reducir a polvo en el procesador de alimentos
Harina multiuso (para espesar)	1/2 cucharada de maicena por una cucharada de harina multiuso
Harina multiuso (para hornear)	1/2 taza de maicena, más 1/2 taza de harina de centeno, de papa o de arroz por una taza de harina multiuso
Arrurruz (para espesar)	Una cucharada de maicena por una cucharada de arrurruz

Tratamientos caseros para suavizar la piel

La maicena sirve para espesar las salsas y, además, es excelente para suavizar la piel reseca, irritada o quemada por el sol.

Revitalice la piel reseca. Prepare una pasta con dos tazas de maicena y cuatro tazas de agua. Hierva la mezcla y viértala en una bañera a medio llenar. Tenga cuidado, ya que la bañera puede estar resbalosa.

Supere el sarpullido. Dese un baño relajante con seis cucharadas de avena, más tres cucharadas de maicena. Algunos afirman que los baños de maicena también alivian la comezón causada por la hiedra venenosa. Pruebe añadir una caja de bicarbonato de sodio, más una taza y media de maicena al agua del baño y sumérjase en la bañera.

Alivie las quemaduras de sol. Disuelva entre media y una taza de maicena en un baño de agua fría y sumérjase. También puede aplicar una pasta hecha con maicena y agua directamente sobre la quemadura.

Calme la comezón del cáncer. La radioterapia para el cáncer puede resecar gravemente la piel. Usted puede proteger su piel si espolvorea maicena sobre las zonas irradiadas y con picazón, después de bañarse.

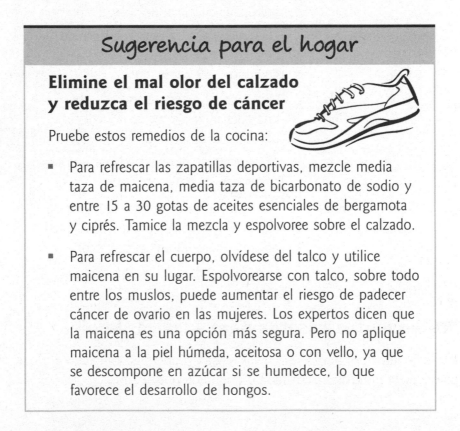

Sugerencia para el hogar

Elimine el mal olor del calzado y reduzca el riesgo de cáncer

Pruebe estos remedios de la cocina:

- Para refrescar las zapatillas deportivas, mezcle media taza de maicena, media taza de bicarbonato de sodio y entre 15 a 30 gotas de aceites esenciales de bergamota y ciprés. Tamice la mezcla y espolvoree sobre el calzado.

- Para refrescar el cuerpo, olvídese del talco y utilice maicena en su lugar. Espolvorearse con talco, sobre todo entre los muslos, puede aumentar el riesgo de padecer cáncer de ovario en las mujeres. Los expertos dicen que la maicena es una opción más segura. Pero no aplique maicena a la piel húmeda, aceitosa o con vello, ya que se descompone en azúcar si se humedece, lo que favorece el desarrollo de hongos.

Arándano agrio

Acabe con las bacterias y goce de mejor salud

Los arándanos agrios, también conocidos como arándonos rojos o *cranberries* en inglés, tienen sustancias químicas naturales que impiden que las bacterias se afiancen en su sistema. Eso puede mantenerlo libre de infecciones en la boca, el estómago y las vías urinarias.

Evite las infecciones de las vías urinarias. La mayoría de las mujeres contraen una infección urinaria de vez en cuando y algunas la padecen una y otra vez. El jugo de arándano agrio es un remedio popular para tratar el dolor, el ardor y la necesidad frecuente de orinar. La ciencia demuestra que este jugo puede ayudar a prevenir estas molestas infecciones.

Se creía que la acidez en el jugo de arándano hacía que la vejiga se volviera un lugar poco amigable para las bacterias. Ahora los expertos atribuyen este mérito a unas sustancias naturales de origen vegetal, presentes en el arándano, llamadas proantocianidinas (PAC). Las PAC impiden que las bacterias se adhieran a las paredes de las vías urinarias, lo que detiene el avance de una infección. Beber jugo de arándano agrio también puede ayudarle a superar una infección que ya empezó. Usted puede obtener el mismo efecto comiendo arándanos secos endulzados. Si prefiere el remedio tradicional, beba por lo menos una o dos tazas de jugo de arándano agrio al día para prevenir las infecciones urinarias. Este jugo también funciona como un diurético natural para eliminar el exceso de agua del cuerpo y reducir la hinchazón.

Protéjase contra las úlceras estomacales. Las sustancias químicas naturales presentes en los arándanos también impiden que la bacteria *H. pylori* se establezca en su estómago. Las bacterias, no el estrés ni los malos hábitos de alimentación, son las culpables de la mayor parte de las úlceras estomacales. Una infección por *H. pylori* provoca otros problemas, como el reflujo ácido y el cáncer de estómago. Un estudio realizado en China encontró que las personas que bebieron alrededor de dos tazas de jugo de arándano cada día redujeron, en sólo tres meses, su riesgo de infección por *H. pylori*.

Evite la placa dental. Ahora existe el hilo dental y la pasta de dientes a base de extractos de arándano. Esto se debe a que el arándano agrio también puede evitar la formación de placa bacteriana. Estudios de laboratorio han demostrado que el jugo de arándano agrio puede impedir que la *S. mutans,* la bacteria responsable de la formación de placa, se adhiera a superficies. Si usted retarda el proceso de formación de placa, también puede frenar la enfermedad de las encías. Pero al igual que con otros jugos de frutas con ácidos y azúcares naturales, es mejor beber este jugo todo a la vez. Sorber el jugo lentamente a lo largo del día contribuye a la erosión dental.

Una mirada a los beneficios del arándano

Presentaciones diferentes ofrecen beneficios diferentes. Una porción de bayas enteras tiene más fibra, pero el cóctel de jugo de arándano tiene más vitamina C, debido a que ha sido enriquecido durante su procesamiento.

Nutriente	Bayas frescas enteras (1 taza)	Bayas secas endulzadas (1/3 de taza)	Jugo sin endulzar (1 taza)	Cóctel de jugo (al 27%) (1 taza)
Calorías	44	123	116	137
Fibra (gramos)	4.4	2.3	0.3	0
Potasio (mg)	81	16	194	35
Vitamina C (mg)	12.6	0.1	23.6	107
Vitamina E (mg)	1.14	0.43	3.04	0.56
Betacaroteno (mcg)	34.2	0	68.3	13

La baya saludable que ofrece triple protección

Beba un vaso de jugo de arándano agrio todas las mañanas y ayudará a proteger su corazón. De hecho, la Asociación Estadounidense del Corazón califica a algunos productos elaborados a base de arándano agrio como "saludables para el corazón" debido a sus fabulosos nutrientes. Estas maravillas de color rojo carmesí pueden ayudarle de tres importantes maneras:

Baja el colesterol "malo". Los flavonoides, las sustancias químicas naturales de origen vegetal presentes en el arándano agrio, retrasan la oxidación del colesterol "malo" (LDL). Según las investigaciones eso significa que el arándano puede reducir el colesterol y evitar peligrosas inflamaciones, que pueden resultar en una afección cardíaca. Una taza de arándanos agrios contiene el mismo poder antioxidante para bajar el colesterol LDL que 1,000 miligramos de vitamina C.

> El jugo de arándano blanco brinda los mismos beneficios para la salud que el jugo de arándano rojo. Está hecho de arándanos típicos que no han madurado del todo. El arándano adquiere su color rojo escarlata en las últimas semanas de crecimiento. Este jugo es menos ácido que el jugo de color rojo.

Sube el colesterol "bueno". Digamos que el colesterol "bueno" (HDL) hace lo opuesto que el colesterol "malo" (LDL): arrastra al colesterol "malo" fuera de las arterias, primero hacia el hígado, para luego ser eliminado por el organismo. Ésa es la razón por la cual es mejor tener valores más altos de colesterol HDL. Los expertos dicen que el jugo de arándano agrio puede elevar el nivel de colesterol HDL. Un estudio vio que los hombres que bebían apenas 8 onzas al día tenían el colesterol HDL más alto, así como una mejor protección cardíaca.

Relaja las arterias. Cuando están relajados, los vasos sanguíneos están bien abiertos, permitiendo que la sangre circule con muy poca presión. Los polifenoles y los flavonoides presentes en el arándano agrio hacen que las arterias se vuelvan más flexibles, para que la presión arterial se mantenga baja. Una ventaja adicional: el arándano ayuda a que el cuerpo absorba mejor la aspirina.

Acabe con las bacterias en los alimentos

La salsa de arándanos puede darle a sus comidas algo más que buen sabor. También puede prevenir la intoxicación por alimentos. Esto se debe a que el arándano frena la contaminación de los alimentos al bloquear las bacterias más comunes, tales como *E. coli, Listeria y Salmonella,* que pueden contaminar las carnes, los pescados y los mariscos. Agregue un poco de orégano para una protección aún mayor. Los científicos constataron, en las pruebas que hicieron con carne de res y pescado, que ésta era una combinación antibacteriana potente.

Un aliado formidable en la batalla contra el cáncer

Esta fruta del bosque puede que llegue a ser un tratamiento natural ideal para el cáncer. Eso se debe a que el arándano contiene muchos compuestos químicos de origen vegetal que ayudan a combatir e incluso a tratar el cáncer.

"Hay tantos compuestos en los arándanos capaces de tener algún tipo de acción anticáncer que, tomados en su conjunto, ofrecen un potencial beneficio", dice la investigadora Catherine Neto, de la Universidad de Massachusetts–Dartmouth. "Referencias a esta actividad anticáncer son parte de la literatura médica desde hace mucho tiempo".

■ La quercetina es uno de los ingredientes anticancerígenos que se encuentran en el arándano. Este fitoquímico, también presente en la manzana y en la cebolla, hace que las células cancerosas se mueran antes de que puedan hacer mayores daños.

■ Otro peso pesado es el ácido ursólico presente en la cáscara del arándano, que evita que las células cancerosas crezcan sin control.

■ Un poderoso tercer protector son las llamadas proantocianidinas (PAC). Estas sustancias naturales impiden que las células cancerosas sigan creciendo y empiecen a migrar a otras partes del cuerpo. Esto puede evitar la propagación de los tumores.

Las PAC también hacen que las células del cáncer de ovario se vuelvan más sensibles a la quimioterapia a base de platino. Ésa es una gran ventaja porque las células cancerosas a veces se vuelven resistentes a los fármacos de la quimioterapia. Cuando los médicos se ven obligados a emplear dosis más elevadas de quimioterapia, las pacientes pueden sufrir serios efectos secundarios. Los investigadores comprobaron este beneficio utilizando el equivalente a sólo una taza de jugo de arándano.

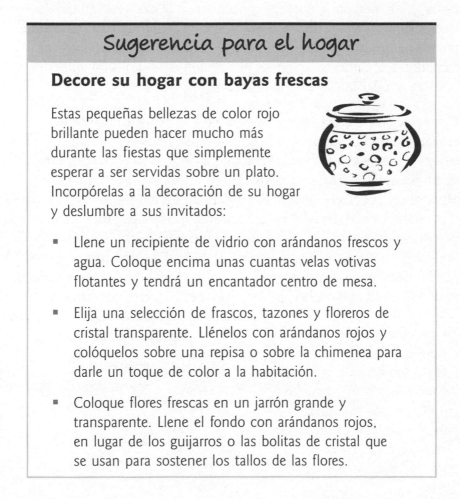

Sugerencia para el hogar

Decore su hogar con bayas frescas

Estas pequeñas bellezas de color rojo brillante pueden hacer mucho más durante las fiestas que simplemente esperar a ser servidas sobre un plato. Incorpórelas a la decoración de su hogar y deslumbre a sus invitados:

- Llene un recipiente de vidrio con arándanos frescos y agua. Coloque encima unas cuantas velas votivas flotantes y tendrá un encantador centro de mesa.

- Elija una selección de frascos, tazones y floreros de cristal transparente. Llénelos con arándanos rojos y colóquelos sobre una repisa o sobre la chimenea para darle un toque de color a la habitación.

- Coloque flores frescas en un jarrón grande y transparente. Llene el fondo con arándanos rojos, en lugar de los guijarros o las bolitas de cristal que se usan para sostener los tallos de las flores.

Crucíferas

Verduras que salvaguardan la vejiga

Las verduras crucíferas, tales como el brócoli, el repollo y la col rizada, contienen grandes cantidades de compuestos para combatir el cáncer, entre ellos los isotiocianatos (ITC). Gracias a ellos, algo tan sencillo como comer verduras crudas puede protegerle del cáncer de vejiga.

Entre 1,400 personas, quienes consumieron la mayor cantidad de isotiocianatos en sus dietas tuvieron una probabilidad 29 por ciento menor de desarrollar cáncer de vejiga. Los adultos mayores y los fumadores obtuvieron la mayor protección. Estudios con animales podrían ayudar a aclarar este misterio.

Los brotes de brócoli están cargados de ITC. Cuanto mayor era el consumo de ITC, menor era la probabilidad de que tuvieran cáncer de vejiga y menor era la rapidez con la que avanzaba el cáncer. Los científicos descubrieron que los ITC estimulaban las enzimas que protegen las células evitando su oxidación. La oxidación es un proceso que contribuye al desarrollo del cáncer. Los riñones procesan estos compuestos protectores para luego eliminarlos hacia la vejiga, donde permanecen hasta que la persona va al baño. Eso significa que los ITC permanecen mucho tiempo en contacto estrecho con el revestimiento de la vejiga, donde es más probable que el cáncer se desarrolle.

Es importante saber que las crucíferas crudas y las cocidas no ofrecen la misma protección. En otro estudio sólo las verduras crudas parecían reducir el riesgo de esta enfermedad y las personas necesitaban comer

Súper crucíferas

- ★ col rizada
- ★ repollo
- ★ brócoli
- ★ coliflor
- ★ rutabaga
- ★ *bok choy*
- ★ berza
- ★ repollitos de Bruselas
- ★ colirrábano
- ★ nabos
- ★ rabanitos
- ★ berros

tres o más porciones al mes para gozar de esta protección. La cocción puede destruir los isotiocianatos en las verduras crucíferas como la coliflor. Así que prepare una bandeja de verduras crudas para recibir a los amigos y tenga a mano unos cuantos ramilletes de brócoli fresco para cuando necesite un refrigerio rápido.

El brócoli combate el cáncer de piel

Un extracto hecho de brotes de brócoli protegió las células de la piel humana de los daños causados por los rayos UV (ultravioleta), el tipo de daño que resulta en quemaduras solares y cáncer de piel. El ingrediente secreto: sulforafano, un compuesto de origen vegetal presente en el brócoli. A diferencia de los protectores solares, esta crema de brócoli para la piel no bloquea ni absorbe los rayos ultravioleta.

La crema de brócoli estimula las defensas naturales del cuerpo, activando las enzimas que neutralizan el daño solar en las células de la piel. Además, esta crema es más duradera que los filtros solares, ya que protege la piel hasta por tres días. Los expertos aseguran que tampoco interfiere con la capacidad de la piel para producir vitamina D, como lo hacen los filtros solares. La crema aún no está a la venta.

Aumente las probabilidades de vencer el cáncer de mama

El brócoli y las demás crucíferas contienen abundantes compuestos anticancerígenos que pueden prevenir el cáncer o frenar su desarrollo.

El brócoli, el repollo, los berros, la col rizada, la coliflor y otras crucíferas son ricas en unos compuestos de origen vegetal llamados glucosinolatos. Las bacterias en el intestino los descomponen en otras sustancias como el sulforafano, el indol-3-carbinol y los isotiocianatos, entre otros. Estas sustancias, a su vez, provocan el "suicidio" de las células cancerosas, un proceso que se conoce como apoptosis. También contribuyen a cambiar la forma como el cuerpo utiliza el estrógeno, de modo que hay menos estrógeno para estimular el crecimiento del cáncer.

El sulforafano. Este antioxidante estimula una enzima que se encarga de eliminar toxinas peligrosas. El consumo de crucíferas ricas en este antioxidante ha sido asociado con un menor riesgo de sufrir cáncer. En el laboratorio, el sulforafano retardó el crecimiento de las células de cáncer de mama. Los expertos esperan que algún día pueda prevenir el cáncer de mama positivo al estrógeno.

Rallar finamente las crucíferas puede hacer que pierdan hasta 75 por ciento de sus compuestos anticancerígenos en apenas seis horas. Al hervirlas muchos de estos compuestos valiosos se filtran al agua de la cocción. Lo mejor es prepararlas al vapor, en el microondas o saltearlas.

El DIM. En el intestino, el indol-3-carbinol se descompone en diindolilmetano (DIM). Este poderoso compuesto destruye dos proteínas que contribuyen a la diseminación del cáncer de mama y de ovario. De hecho, el tratamiento de células cancerosas con DIM redujo su proliferación en un asombroso 80 por ciento. Los expertos creen que esto puede hacer que los tratamientos actuales, como la radiación y la quimioterapia, sean más eficaces, ya que el DIM podría detener la propagación del cáncer o por lo menos hacerla más lenta. Este compuesto también ayuda a estimular la función inmunitaria, lo que puede impedir el desarrollo del cáncer.

Los isotiocianatos. Nuevas investigaciones vinculan a las crucíferas con alto contenido de isotiocianatos (ITC), especialmente el repollo chino y los nabos blancos crudos, con un riesgo menor de cáncer de mama en las mujeres posmenopáusicas. Las mujeres más jóvenes también se beneficiaron, pero por una razón distinta. Las mujeres premenopáusicas con ciertos tipos de genes corrían un riesgo mucho mayor de cáncer de mama que otras mujeres. Sin embargo, cuando comían verduras crucíferas su riesgo disminuía significativamente.

Las mujeres que consumen mucha carne deben asegurarse de comer muchas verduras. Asar la carne a la parrilla, freírla en la sartén, ahumarla, prepararla a la brasa e, incluso, asarla en el horno produce HAP y HCA, dos carcinógenos asociados con el cáncer de mama. En un estudio, las mujeres que comieron más carne asada a la parrilla, preparada a la brasa o ahumada eran las más propensas a desarrollar cáncer de mama. Y si comían mucha carne, pero pocas frutas y verduras, su riesgo aumentaba aún más.

Si a usted le gusta la carne, consumir frutas y verduras, sobre todo aquéllas ricas en ITC como las crucíferas, puede contrarrestar parte del riesgo. El nabo blanco crudo es una excelente opción ya que contiene, increíblemente, 17 veces más ITC que el *bok choy,* otra crucífera. Le siguen los berros, con 16 veces más ITC que el *bok choy.*

Las crucíferas contra el cáncer de colon

Los repollitos de Bruselas, el brócoli, el repollo y la coliflor pueden protegerle del cáncer de colon. Contienen un compuesto natural de origen vegetal llamado glucobrasicina, que se descompone en el estómago en indol-3-carbinol (I3C). Esta sustancia se digiere y, a la larga, se transforma en diindolilmetano (DIM). Nuevas pruebas indican que el DIM es la clave del poder anticancerígeno de las crucíferas.

Los tumores se desarrollan por dos razones:
- Las células dañadas se multiplican sin control, formando tumores.
- Las células dañadas dejan de responder a las señales que el cuerpo les envía. Estas señales les indican a las células que deben morir.

Algunos compuestos, como el DIM, ayudan a las células dañadas a morir cuando deben hacerlo, evitando que sigan multiplicándose y que se vuelvan cancerosas. Es por eso que los expertos ahora creen que comer crucíferas, como el brócoli o los repollitos de Bruselas, puede prevenir el desarrollo del cáncer de colon e, incluso, retardar el crecimiento del cáncer existente. Esto, a su vez, podría hacer que los tratamientos tradicionales sean más eficaces. Lo mejor de todo, el DIM, a diferencia de los medicamentos, no causa efectos secundarios.

Cómo las consume también importa. La cantidad de protección que se obtiene de estas verduras depende, en parte, de cómo se preparen.

- Las crucíferas pueden perder entre 30 y 60 por ciento de sus compuestos anticancerígenos durante la cocción, pero métodos distintos arrojan resultados distintos. Un estudio encontró que cocinar la col roja a fuego lento o a una potencia media en el microondas aumentaba su potencia anticancerígena.

- Crudas son mejores. Las ratas que recibieron berros, repollo y brócoli crudos y frescos durante casi cuatro meses tenían menos marcadores de cáncer que las ratas que siguieron una dieta normal.

- En un estudio con animales, el jugo de verduras no tuvo impacto alguno sobre el cáncer. Tampoco lo tuvieron los suplementos elaborados con los compuestos protectores de estas verduras.

Moda nutritiva: la coliflor de colores

La coliflor no siempre es blanca y aburrida, ahora viene en colores vivos: morado, naranja y verde. Estas variaciones de color a veces se dan naturalmente, pero hay productores que se esfuerzan por producir estos colores de manera constante.

¿Por qué tanto alboroto? Las coliflores de color tienen un contenido más alto de ciertos nutrientes que las coliflores blancas. La coliflor morada, por ejemplo, está cargada de antocianinas, el mismo fitoquímico presente en las uvas rojas y el vino tinto. La coliflor naranja está repleta de betacaroteno, casi 25 veces más que la coliflor blanca, mientras que la coliflor verde tiene algo más de vitamina C y A.

El repollo común previene la artritis

Una humilde verdura tiene sorprendentes propiedades curativas para combatir los problemas infecciosos de la piel, la debilidad de los huesos y el dolor de la artritis. El modesto repollo, considerado el alimento de los pobres, hoy finalmente comienza a ser respetado.

Alivia el dolor de la artritis. El repollo y las demás verduras crucíferas contienen dos nutrientes que alivian el dolor de la osteoartritis y evitan que la enfermedad empeore:

- Vitamina C para la formación de cartílago saludable en las articulaciones. Las investigaciones indican que los antioxidantes, como la vitamina C, también evitan la pérdida de cartílago y retrasan el avance de la osteoartritis (OA). En un estudio, las personas que recibieron gran cantidad de vitamina C fueron menos propensas a padecer dolor de rodilla o a que la OA empeorara, mientras que en otro estudio, presentaban menos y más pequeñas lesiones de la médula ósea, que son los marcadores de artritis, dolor articular y empeoramiento de la OA.

- Vitamina K para regular el crecimiento del hueso y el cartílago. En un estudio, los adultos mayores que tenían niveles sanguíneos más altos de vitamina K presentaban menos signos de osteoartritis en la mano y en la rodilla. Se cree que muy poca vitamina K puede llevar a una reducción del cartílago y al crecimiento de espolones óseos, comunes en la artritis.

Fortalece los huesos. Además de formar cartílago, la vitamina C es un elemento clave de las proteínas del colágeno, que es uno de los componentes básicos de los huesos, ligamentos, tendones y dientes. Además, estimula la producción de osteoblastos o células óseas. En las mujeres posmenopáusicas, un consumo mayor de vitamina C se asocia a una mayor densidad ósea, que es un marcador de fortaleza en los huesos.

La vitamina K es esencial para formar osteocalcina, otra proteína esencial para los huesos. La deficiencia de vitamina K debilita los huesos. Los estudios vinculan las dietas bajas en K con un índice menor de masa corporal y con un riesgo mayor de sufrir una fractura de hueso. De otro lado, consumir más vitamina K evita la pérdida de calcio a través de la orina, reduce la cantidad de hueso que el cuerpo descompone y aumenta la masa ósea. En un estudio de 10 años de duración, la probabilidad de sufrir una fractura de cadera era 30 por ciento mayor en las mujeres que recibieron menos vitamina K, mientras que en otro estudio era 65 por ciento menor en los hombres y mujeres que recibieron más vitamina K.

Cura las afecciones de la piel. Ya en 1930, los científicos descubrieron que la vitamina C ayudaba a curar el herpes labial y otras lesiones causadas por el virus del herpes simple. Investigaciones posteriores demostraron que podía ayudar a curar un brote de herpes el doble de rápido que si se dejaba sin tratamiento, tal vez porque refuerza el sistema inmunitario y combate los virus.

Cuando se trata de la vitamina K, no hay nada mejor que el repollo hervido. Tan sólo media taza de repollo cocido cumple con el 100 por ciento del requerimiento diario de vitamina K (y con casi la mitad del requerimiento de vitamina C), con apenas 17 calorías. Pero si lo que busca es obtener más vitamina C, agregue col roja cruda a las ensaladas. Una taza de col picada proporciona el 85 por ciento de la vitamina C para un día y cerca del 40 por ciento de la vitamina K, con apenas 28 calorías.

Refuerce el sistema inmunitario con brócoli

El brócoli contiene dos poderosos compuestos químicos que pueden contribuir a la recuperación de un sistema inmunitario deteriorado.

El DIM. Cuando se sienta a la mesa frente a un plato de brócoli, repollo o col rizada, usted está preparando a su sistema inmunitario para defenderse de las infecciones. El diindolilmetano (DIM), uno de los compuestos que se forman al digerir estos alimentos, fortalece el sistema inmunitario. Ratones a los que se les dio DIM tenían:

- más citoquinas, que son proteínas que ayudan a regular las células inmunitarias.

- más macrófagos activos, que son células inmunitarias que ayudan a destruir bacterias y células tumorales.

- el doble de glóbulos blancos, que combaten las infecciones al rodear o al matar los organismos extraños que atacan el cuerpo.

Es más, los ratones alimentados con DIM eliminaron los virus invasores de sus cuerpos con mayor rapidez que los ratones normales, de modo que recuperaron su salud más rápido.

El sulforafano. Este compuesto crucífero también potencia el sistema inmunitario. En ratones, impulsó la actividad de las células agresoras naturales, ayudó a producir más citoquinas y linfocitos y estimuló otras partes del sistema inmunitario. Además, algunas crucíferas como el brócoli son fuentes excelentes de vitamina C, otro nutriente que combate los virus. Así que en lugar de recurrir a los suplementos para defenderse de las enfermedades, pruebe acompañar sus comidas con un poco de brócoli o de repollitos de Bruselas.

Sírvase más verduras para la salud de la próstata

Disfrutar de una porción de coliflor por lo menos una vez a la semana puede protegerle de las formas más mortales de cáncer de próstata, según nuevos hallazgos publicados en la revista *Journal of the National Cancer Institute*. Las crucíferas están cargadas de compuestos naturales, tales como los isotiocianatos, los indoles y el sulforafano, que ayudan a proteger el material genético de las células. El brócoli es particularmente rico en fenoles, sustancias de origen vegetal que fortalecen el sistema inmunitario y acaban con los compuestos perjudiciales que pueden provocar cambios cancerígenos en el cuerpo. Esto es lo que las verduras crucíferas pueden hacer por la próstata:

Combaten el cáncer agresivo. Investigadores dieron seguimiento a 29,000 hombres durante cuatro años. Los hombres que consumieron brócoli o coliflor más de una vez a la semana tuvieron la mitad de riesgo de padecer la forma más avanzada y agresiva de cáncer de próstata, que los hombres que comieron estas verduras menos de una vez al mes.

Reducen los tumores de próstata. En un estudio, el tamaño de los tumores de las ratas que comieron brócoli como parte de su dieta se redujo en un impresionante 42 por ciento. El consumo de tomate y brócoli juntos tuvo un efecto mucho mayor, reduciendo los tumores en 52 por ciento. Se cree que los anticancerígenos naturales en estos alimentos retrasan el crecimiento de los tumores prostáticos y destruyen las células tumorales existentes. Para obtener resultados similares, usted tendría que comer alrededor de una taza y media de brócoli crudo todos los días, más dos tazas y media de tomate fresco, una taza de salsa de tomate o media taza de pasta de tomate. "Los hombres mayores con cáncer de próstata de lento crecimiento que optan por la espera vigilante sobre la quimioterapia o la radiación, deberían considerar seriamente modificar su alimentación para incluir más tomate y brócoli", dice Kirstie Canene-Adams, coautora del estudio. Usted puede potenciar el poder anticancerígeno de sus alimentos con los siguientes consejos:

- Espolvoree un poco de *curry* sobre la coliflor. En un estudio con animales se comprobó que la combinación de un compuesto de las crucíferas llamado PEITC con curcumina, un compuesto del *curry,* frenó el desarrollo de los tumores prostáticos existentes y detuvo la aparición de nuevos. Una onza de berros puede contener suficiente PEITC para combatir el crecimiento del cáncer de próstata.

- Mastique bien las verduras o píquelas. Los PEITC y los demás isotiocianatos se forman al triturarse las células de la planta, por ejemplo, al picar las verduras. Así que asegúrese de masticar bien cuando coma brócoli, repollo, coliflor, berros y otras crucíferas para obtener la mayor protección prostática.

Curry en polvo

Especia dorada que estimula la actividad cerebral

Esos molestos radicales libres pueden acelerar el envejecimiento de varias maneras. Los radicales libres dañan las células constantemente provocando, desde la artritis hasta la pérdida de la memoria e, incluso, los problemas digestivos. Sin embargo, una especia que usted tal vez ya tenga en su cocina tiene poderes antioxidantes que ayudan a prevenir el daño de los radicales libres. Se trata del *curry* en polvo.

Mantenga el cerebro joven. Los investigadores observaron que la prevalencia de la enfermedad de Alzheimer en la India, donde el *curry* es muy popular, era cuatro veces menor que en Estados Unidos. Se preguntaron si la alimentación en ese país podría explicar la diferencia.

El *curry* en polvo obtiene su color amarillo de la curcumina, un compuesto presente en la cúrcuma. Estudios han demostrado que la curcumina bloquea ciertas proteínas que pueden causar inflamación en el cerebro y, por ello, nos defiende de la enfermedad de Alzheimer. La curcumina puede detener la formación de placas cerebrales comunes en la enfermedad de Alzheimer y hasta debilitar las placas que ya se han desarrollado. También refuerza las células inmunitarias que se mueven por el cuerpo absorbiendo residuos, incluidas las placas de proteínas que se forman en el cerebro cuando se tiene Alzheimer. Un estudio de la Universidad Nacional de Singapur encontró que las personas que consumen *curry* con más frecuencia tienden a obtener mejores resultados en pruebas de memoria. Usted puede beneficiarse utilizando una o dos cucharaditas de *curry* cuando cocina, siempre que sea posible.

La cúrcuma, la fuente de la curcumina, no es para todos. Puede actuar como un anticoagulante, causar cálculos renales o provocar malestares estomacales. Evite su consumo si tiene cólicos biliares o si toma un fármaco anticoagulante, como warfarina o heparina. Consulte con su médico.

Evite las inflamaciones. El poder antiinflamatorio y antioxidante de la cúrcuma puede ayudarle a poner fin al dolor y a la hinchazón de la artritis reumatoide. Algunos expertos han comparado el ingrediente activo de la cúrcuma con los medicamentos antiinflamatorios no esteroideos, como la aspirina y el ibuprofeno. La curcumina también puede aliviar los problemas digestivos causados por una inflamación sin control, como en la enfermedad de Crohn o en la colitis ulcerosa.

Disfrute del sabor de un potente anticancerígeno

¿No sería maravilloso si hubiera un solo alimento que fuera capaz de prevenir el cáncer en distintas partes del cuerpo? Pruebe una pizca de *curry*. La curcumina, un ingrediente activo de la cúrcuma en el *curry,* combate por lo menos cuatro tipos de cáncer:

- Las células del cáncer de próstata se "suicidan" (apoptosis) en la presencia de curcumina. En un estudio de laboratorio, la combinación de curcumina con un guerrero contra el cáncer conocido como TRAIL acabó con el 80 por ciento de las células cancerosas. Los expertos creen que la curcumina desactiva el gen que causa la formación de los tumores prostáticos.

- El extracto también provoca el suicidio de las células cancerosas del melanoma, uno de los tipos más mortales de cáncer de piel.

- La curcumina bloquea una hormona digestiva que causa el crecimiento de tumores en el colon. Esta hormona, llamada neurotensina, también permite la propagación del cáncer de colon.

"Alrededor de un tercio de todas las células del cáncer colorrectal tienen el receptor de neurotensina", dice el profesor B. Mark Evers, uno de los investigadores de la Rama Médica de la Universidad de Texas, de Galveston, que estudian la relación entre la curcumina y el cáncer de colon. "Por ello, el tratamiento sería similar al utilizado para combatir el cáncer de mama o de próstata, donde la terapia central consiste en bloquear las hormonas. Esperamos poder hacer lo mismo para los distintos tipos de cáncer gastrointestinal que responden a esta hormona".

- Para prevenir el cáncer pancreático, los médicos a veces recetan analgésicos como celecoxib (Celebrex). Se ha comprobado que tomar curcumina junto con un medicamento COX-2 ayuda a que éste sea más eficaz contra las células cancerosas. Eso significa que tal vez usted pueda reducir la dosis del medicamento, evitando posibles efectos secundarios, como daños digestivos o cardíacos.

La mayoría de las investigaciones sobre la curcumina y el cáncer se han realizado en laboratorios, no en personas. Se sigue estudiando si la curcumina puede llegar a ser el mejor aliado en la lucha contra el cáncer.

El secreto para hacerle frente a la diabetes

La curcumina, el ingrediente en el *curry* que le da su color amarillo, también puede ayudarle a controlar la diabetes tipo 2 de tres maneras:

Combate la presión arterial alta. Estar atento a lo se que come es clave para controlar el azúcar en la sangre. En pruebas de laboratorio, los ratones diabéticos que consumieron curcumina tuvieron menos episodios de azúcar en la sangre y adquirieron menos grasa abdominal. Los expertos creen que la curcumina influye en el funcionamiento celular haciendo que el azúcar en la sangre no se eleve demasiado.

Mantiene la agudeza visual. En los diabéticos, los episodios recurrentes de niveles altos de azúcar en la sangre pueden llevar a la retinopatía o ceguera causada por el daño a los pequeños vasos sanguíneos del ojo. Y niveles bajos de azúcar en la sangre pueden resultar en cataratas, que es la opacidad del cristalino del ojo. La curcumina puede ayudarle a evitar estos dos problemas de visión causados, en parte, por los peligrosos radicales libres.

Alivia la neuralgia. La neuropatía diabética (daño en los nervios debido a la presión arterial alta) puede causar dolor y hormigueo. Usted puede sentirla en las manos, los pies, las piernas, casi en cualquier parte del cuerpo. Es difícil de tratar, pero la curcumina puede ayudar. Las pruebas de laboratorio muestran que su poder antioxidante puede reducir el dolor al calmar las terminaciones nerviosas.

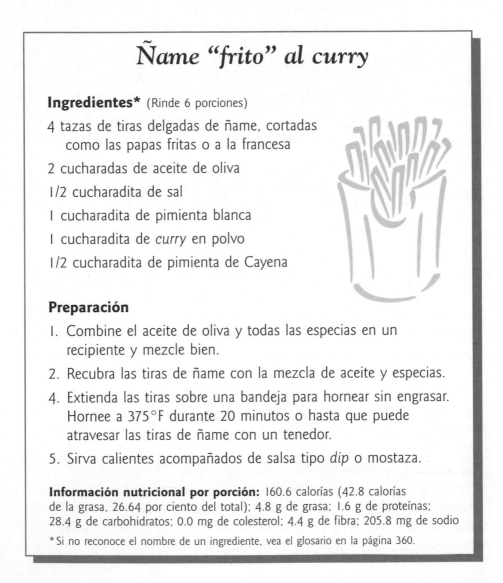

Ñame "frito" al curry

Ingredientes* (Rinde 6 porciones)

4 tazas de tiras delgadas de ñame, cortadas como las papas fritas o a la francesa

2 cucharadas de aceite de oliva

1/2 cucharadita de sal

1 cucharadita de pimienta blanca

1 cucharadita de *curry* en polvo

1/2 cucharadita de pimienta de Cayena

Preparación

1. Combine el aceite de oliva y todas las especias en un recipiente y mezcle bien.

2. Recubra las tiras de ñame con la mezcla de aceite y especias.

4. Extienda las tiras sobre una bandeja para hornear sin engrasar. Hornee a 375°F durante 20 minutos o hasta que puede atravesar las tiras de ñame con un tenedor.

5. Sirva calientes acompañados de salsa tipo *dip* o mostaza.

Información nutricional por porción: 160.6 calorías (42.8 calorías de la grasa, 26.64 por ciento del total); 4.8 g de grasa; 1.6 g de proteínas; 28.4 g de carbohidratos; 0.0 mg de colesterol; 4.4 g de fibra; 205.8 mg de sodio

*Si no reconoce el nombre de un ingrediente, vea el glosario en la página 360.

La curcumina alimenta el corazón

La cúrcuma se ha utilizado como medicina durante siglos, y los expertos aún siguen descubriendo nuevas maneras en las que puede contribuir a la salud del corazón.

Reduce el tamaño del corazón. La curcumina, el componente amarillo de la cúrcuma, puede ayudar a protegerle del agrandamiento del corazón, que puede ser causado por la presión arterial alta. Tener el corazón grande puede que suene bien, pero no es bueno para usted. "Ya sea usted joven o viejo, hombre o mujer, cuanto más grande es su corazón, mayor es su riesgo de sufrir un ataque cardíaco o una insuficiencia cardíaca en el futuro", dice el Dr. Peter Liu, cardiólogo del Centro Cardíaco Peter Munk, de los Institutos de Investigación sobre la Salud de Canadá. Los estudios de laboratorio muestran que la curcumina bloquea ciertas enzimas que pueden conducir al agrandamiento del corazón. Si usted ya tiene el corazón agrandado, la curcumina puede evitar que el daño progrese a una falla cardíaca.

Protege los vasos sanguíneos. La curcumina también puede prevenir las enfermedades cardíacas y combatir el colesterol alto fortaleciendo las paredes de los vasos sanguíneos, evitando que las células sanguíneas se aglutinen y frenando la formación de colesterol "malo" (LDL) excedente. Los expertos creen que la curcumina puede ser más eficaz que otros poderosos protectores de origen vegetal, como la quercetina presente en la manzana y en la cebolla.

Lácteos

Una manera exquisita de librarse de la diabetes

La diabetes puede ser más fácil de evitar de lo que usted cree. Nueve de cada diez casos de diabetes tipo 2 pueden ser atribuidos a hábitos y elecciones de vida, señalan los estudios. Eso significa que el poder para evitar la diabetes está en sus manos. ¿Por qué no empezar por consumir productos lácteos bajos en grasa? Según los investigadores estos alimentos ya han demostrado su valía contra la diabetes.

Aproveche el poder de las proteínas. En un estudio que siguió a más de 37,000 mujeres durante 10 años, la probabilidad de ser diagnosticadas con diabetes fue 20 por ciento menor en las que consumieron la mayor cantidad de productos lácteos bajos en grasa. Los investigadores de Harvard que condujeron el estudio creen que las proteínas de la leche pueden ayudar a prevenir niveles altos de azúcar en la sangre.

Recuerde, la insulina se encarga de mantener bajo el nivel de azúcar en la sangre, así que la diabetes tipo 2 ocurre cuando el cuerpo tiene problemas para producir insulina o las células tienen problemas para usarla. Afortunadamente, las proteínas de la leche en el yogur y otros productos lácteos son "insulinotrópicos". Eso significa que estimulan el cuerpo para que produzca y utilice más insulina. Pero no todos los productos lácteos pueden hacerlo. La grasa saturada en los productos lácteos con alto contenido de grasa puede borrar los efectos positivos de las proteínas de la leche, así que limítese a los productos lácteos bajos en grasa.

Defiéndase con calcio y con vitamina D. Las proteínas de la leche no son la única arma contra la diabetes en su arsenal lácteo. Según un estudio de la Universidad de Tufts, las personas que consumen entre tres y cinco porciones de lácteos al día son 15 por ciento menos propensas a desarrollar diabetes tipo 2 que las personas que sólo consumen una porción y media. Se cree que el calcio y la vitamina D son los nutrientes que combaten la diabetes. Es más, algunos estudios muestran que la deficiencia de vitamina D y calcio puede hacer que sea más difícil para el cuerpo utilizar la insulina para controlar el azúcar en la sangre.

Estos estudios no son la última palabra sobre la prevención de la diabetes, pero provienen de dos de los centros de investigación sobre nutrición más importantes de Estados Unidos. Así que trate de sustituir algunos de sus alimentos grasos favoritos con leche fría descremada, con una porción cremosa de yogur sin grasa o con una tajada de queso bajo en grasa. Unas pocas porciones de productos lácteos bajos en grasa al día pueden ayudarle a evitar la diabetes de por vida.

Queso tibetano para el corazón

El queso de yak del Tíbet es una alternativa al queso de vaca. Los yaks son bovinos de pelo largo que viven en las montañas del Himalaya. El queso elaborado de la leche de yak puede ser más saludable para usted por tres razones:

- Tiene niveles más altos de grasas poliinsaturadas saludables para el corazón que el queso de vaca.

- Tiene tres veces más ácidos grasos omega-3 y cuatro veces más ácido linoleico conjugado, dos grasas que pueden ayudar a combatir las enfermedades cardíacas.

- Tiene menos grasa total y menos grasa saturada que el queso común.

De sabor, el queso de yak se parece a un *cheddar* mediano, pero es caro y sólo se consigue en línea o en tiendas *gourmet*. Pero un queso tan prometedor probablemente no permanecerá tan caro y escaso durante mucho tiempo, de modo que siga buscándolo en sus tiendas locales.

El yogur acelera la quema de grasa

Aunque el yogur parezca un postre por su textura suave y sedosa, podría ayudarle a quemar grasa.

Según un estudio de la Universidad de Purdue, las mujeres jóvenes que consumieron en promedio 1,242 mg de calcio al día proveniente de alimentos lácteos redujeron su grasa corporal en un período de 18 meses, y aquéllas que obtuvieron menos calcio lácteo acumularon más grasa. Un estudio anterior de la Universidad de Tennessee había llegado a conclusiones similares. Las personas que consumieron tres porciones de 6 onzas de yogur perdieron 81 por ciento más grasa abdominal que aquéllas que consumieron menos yogur. Una buena noticia ya que la grasa abdominal puede elevar el riesgo de sufrir una enfermedad cardíaca, diabetes o un accidente cerebrovascular más que la grasa acumulada en otras zonas del cuerpo. El calcio podría ser el secreto del poder antigrasa del yogur. Cuando usted no obtiene suficiente calcio, el cuerpo puede tomarlo como señal de que usted está pasando hambre. Entonces acude a su "rescate" segregando una cantidad mayor de una hormona relacionada con el calcio, que hace que el cuerpo almacene más grasa. Pero cuando usted obtiene suficiente calcio, los niveles de esa hormona disminuyen y su cuerpo puede quemar toda esa grasa. Es probable que otros compuestos en los productos lácteos también ayuden a quemar grasa, por lo que es mejor consumir lácteos que tomar suplementos de calcio.

Compruébelo usted mismo: obtenga hasta 1,245 mg de calcio al día consumiendo tres envases individuales de yogur bajo en grasa o cuatro tazas de leche descremada. Sólo asegúrese de utilizar leche o yogur como sustituto de otros alimentos grasos en su dieta, y de consumir sólo las versiones bajas en grasa o sin grasa.

Coma queso para una sonrisa sin caries

Los alimentos lácteos como el queso, el yogur y la leche ofrecen una triple defensa contra las caries:

- Los alimentos lácteos son ricos en calcio y fósforo. Estos poderosos minerales ayudan a fortalecer el esmalte dental y el hueso alrededor de los dientes previniendo las caries.

- Cuando las bacterias en los dientes convierten el azúcar en ácidos, estos ácidos pueden corroer los dientes y causar caries. Apenas un bocado o dos de queso *Cheddar, Monterey Jack* o mozarela después de una comida o de una merienda puede elevar el valor pH en la boca, haciéndola menos ácida.

- El queso puede ayudar a aumentar la cantidad de saliva en la boca, lo que ayuda a eliminar estos ácidos nocivos.

Descubra la verdad sobre la leche y los huesos

Es posible que usted haya oído decir que el calcio no puede prevenir las fracturas incapacitantes de la osteoporosis, pero no se apresure a renunciar a la leche, al queso y al yogur.

Evalúe las estadísticas de los estudios. La Iniciativa de Salud de las Mujeres es un estudio amplio que, en un inicio, informó que las mujeres que consumen más calcio tienen las mismas probabilidades de sufrir una fractura que las que consumen poco calcio. Pero luego se descubrió que muchas de las participantes del estudio no habían estado tomando sus suplementos de calcio con regularidad. Entre las mujeres que sí tomaron los suplementos regularmente, el calcio redujo el riesgo de fractura de cadera en 29 por ciento, casi en un tercio. En otro estudio realizado con hombres y mujeres se encontró que aquéllos que recibían 1,200 mg de calcio diariamente tenían 72 por ciento menos probabilidades de sufrir una fractura. Sin embargo, el riesgo de fractura sólo disminuía cuando los participantes del estudio consumían la cantidad total de calcio. La protección desaparecía rápidamente una vez que dejaban de hacerlo.

Cuando el cuerpo no obtiene suficiente calcio, lo extrae de los huesos para mantener la función normal de los músculos y los nervios. Los huesos se debilitan y se vuelven más susceptibles de romperse. Los suplementos de calcio pueden ayudar, pero algunos expertos afirman que es mejor obtener el calcio de los alimentos. Además del calcio, otros nutrientes en los productos lácteos, como la vitamina D y las proteínas de suero, también podrían ayudar.

Reconozca quién está en riesgo. Muchos no saben que casi una de cada cinco personas con osteoporosis son hombres. Pero en nuevas investigaciones de la Universidad de Deakin, en Australia, se encontró que los hombres mayores que beben diariamente dos vasos de leche baja en grasa y especialmente enriquecida pierden 1.6 por ciento menos masa ósea que los hombres que no lo hacen. Puede que no parezca mucho, pero los científicos afirman que esto puede representar una diferencia significativa en el riesgo de sufrir una fractura incapacitante a largo plazo. La leche, especialmente la enriquecida, también redujo los niveles de una hormona que contribuye a la pérdida de hueso.

La leche del estudio proporcionaba 1,000 mg de calcio y 800 UI de vitamina D en sólo dos vasos. Usted no obtendrá esa cantidad en la leche de tienda. Para obtener esa cantidad de calcio usted necesita dos vasos de 8 onzas de leche descremada y un envase de yogur. Y para igualar la cantidad de vitamina D del estudio, usted necesita empezar por beber dos vasos de leche y consumir pescados grasos y alimentos enriquecidos con vitamina D. Pregúntele a su médico sobre otras formas de obtener la cantidad adecuada de esta vitamina esencial.

La clave para huesos más fuertes

Tenemos buenas noticias para las mujeres a las que no les gusta tomar pastillas. El calcio de los alimentos puede ser más seguro para el corazón y notablemente mejor para los huesos.

Las mujeres que toman suplementos de calcio son más propensas a tener un ataque cardíaco que las que no lo hacen, señala un nuevo estudio de la Universidad de Auckland. Otro estudio de la Universidad de Washington, en St. Louis, descubrió que las mujeres que obtienen 830 mg de calcio en sus alimentos tienen una mayor densidad de masa ósea que las mujeres que toman 1,000 mg en suplementos. Los investigadores precisan que el cuerpo puede absorber solamente el 35 por ciento del calcio de los suplementos, pero puede absorber mucho más del calcio de los alimentos. Es más, creen que los alimentos cargados de calcio pueden hacer que el cuerpo produzca más del tipo de estrógeno que fortalece los huesos.

Productos lácteos: la respuesta al cáncer de colon

De la tierra del sol de medianoche nos llegan prometedoras noticias sobre los lácteos y el cáncer de colon. Investigadores del Instituto

Karolinska, de Suecia, siguieron a más de 45,000 hombres durante seis años, tomando nota de lo que comían y de si desarrollaban cáncer de colon. Descubrieron que los hombres que consumían más porciones de alimentos lácteos eran los que menos probabilidades tenían de sufrir cáncer de colon. De hecho, los hombres que bebieron por lo menos un vaso y medio de leche al día redujeron radicalmente su riesgo en un tercio en comparación con los que bebieron dos vasos o menos a la semana. El calcio puede ayudar a prevenir el cáncer de colon por varias razones:

■ Se une a los ácidos biliares y a los ácidos grasos ionizados, impidiendo la irritación del revestimiento del colon, lo que podría causar cáncer.

■ El crecimiento celular excesivo también ha sido asociado con el cáncer, pero el calcio podría ayudar a evitar que las células del revestimiento del colon se multipliquen sin control.

■ El calcio puede ayudar a prevenir que los agentes causantes de cáncer ataquen el revestimiento del colon.

Pero eso no es todo. Los investigadores suecos dicen que el calcio por sí sólo no puede explicar todo el poder anticancerígeno de la leche. Estudios con animales sugieren que las proteínas de la leche, el ácido linoleico conjugado y unos compuestos llamados esfingolípidos también podrían ayudar a detener el cáncer antes de que comience. Asimismo, la vitamina D y el magnesio de la leche podrían ayudar a prevenir el cáncer de colon. Así que beba uno o dos vasos de leche al día. Todo este "equipo" de nutrientes podría protegerle del cáncer de colon.

Huevo

Ingrediente esencial de la dieta para el corazón

Al huevo se le ha culpado por mucho tiempo de las enfermedades cardíacas, de los derrames cerebrales y del colesterol alto. Hoy los expertos han descubierto tres buenas razones por las cuales el huevo puede ser parte de una dieta saludable para el corazón.

La verdad sobre los mitos que rodean al huevo. Los huevos adquirieron su mala fama cuando los expertos creían que los 200 mg de colesterol del huevo automáticamente se convertían en 200 mg de colesterol en la sangre. Pero un estudio de la

Para más información sobre los beneficios nutricionales del huevo, vea *Detenga la pérdida de visión* en el capítulo *Luteína y zeaxantina.*

Universidad del Estado de Michigan encontró que las personas que comían cuatro huevos o más a la semana tenían niveles de colesterol más bajos que las personas que comían un huevo o menos. ¿Cómo es eso posible? Los médicos ahora saben que sólo una pequeña parte del colesterol proviene de los alimentos. La mayor parte es producido por el hígado. Las grasas saturadas y las transgrasas en los alimentos son los verdaderos villanos, ya que hacen que el hígado produzca más colesterol de lo habitual. Por esa razón, la Asociación Estadounidense del Corazón (AHA, en inglés) recomienda limitar las grasas saturadas a sólo el 7 por ciento de las calorías en su dieta, es decir a unos 16 gramos de grasa saturada si usted consume 2,000 calorías al día.

La AHA también recomienda limitar el colesterol a 300 mg al día para los adultos sanos y a 200 mg para quienes padecen una enfermedad cardíaca, colesterol alto o diabetes. Esto significa que usted puede disfrutar de aproximadamente un huevo al día si limita o elimina las grasas saturadas, las transgrasas y el colesterol de otros alimentos.

Sorprendente verdad sobre el colesterol LDL. Los estudios señalan que un tercio de las personas son altamente sensibles al colesterol de los alimentos. Esto quiere decir que los alimentos que consumen les provocan un aumento mayor de lo normal en sus niveles de colesterol en la sangre. A estas personas se les conoce como "hiperrespondedoras".

Un estudio de la Universidad de Connecticut encontró que las personas "hiperrespondedoras" que comían tres huevos al día durante 30 días tenían mayores niveles de colesterol LDL y HDL, pero ese colesterol LDL adicional era mucho ruido y pocas nueces. Investigaciones recientes han concluido que, aun cuando las partículas pequeñas y densas de colesterol LDL son un factor de riesgo coronario, es menos probable que las partículas más grandes sean un peligro para el corazón. El colesterol LDL adicional de los "hiperrespondedores" que comieron huevo estaba conformado enteramente por estas partículas inocuas de mayor tamaño.

Guía para una alimentación saludable. Un famoso estudio realizado en Harvard con más de 37,000 hombres y 80,000 mujeres, encontró que quienes comían un huevo al día no eran más propensos a sufrir una enfermedad cardíaca o un derrame cerebral, o a morir a causa de una enfermedad cardíaca, que quienes rara vez comían huevo. Únicamente los diabéticos se mostraron más propensos a desarrollar una enfermedad del corazón por comer un huevo diario.

A pesar de estos hallazgos positivos, algunos estudios aún señalan que el huevo podría elevar el colesterol. Pero no se preocupe. Utilice esta guía para comer sano:

- Utilice sustitutos de huevo o evite el huevo en los días en que va a disfrutar de platos con alto contenido de colesterol y alto contenido de grasas saturadas, como las carnes.

- Coma un huevo en los días que va a consumir poco o nada de colesterol o grasas saturadas.

Muy pronto: el huevo hipoalergénico

Imagínese que sea seguro comer un huevo aun cuando usted normalmente es alérgico al huevo. Químicos de Alemania y Suiza aseguran haber desarrollado un proceso que produce huevos cien veces menos alergénicos que un huevo crudo común, pero sin cambiar su sabor o su textura. Así que muy pronto, usted no sólo podrá disfrutar del huevo, sino también de la mayonesa, los postres y más.

Resultados redondos en el jardín

El mismo huevo que usted come en
el desayuno también puede ser una
solución para sus plantas. Vea cómo:

- A las babosas no les agrada caminar
  sobre cáscaras de huevo. Esparza cáscaras de huevo
  trituradas alrededor de cualquier planta que desee
  proteger, para así crear una zona a prueba de babosas.

- Las cáscaras de huevo machacadas también son una
  excelente fuente de calcio, justo lo que necesita para
  prevenir la podredumbre o necrosis apical del tomate.
  También puede esparcirlas sobre la tierra de sus
  plantas de interiores.

- Otra manera de darle a sus plantas de interiores el
  calcio de la cáscara de huevo es guardando el agua en
  la que hirvió huevos. Déjela enfriar y úsela para regar
  las plantas. Verá lo bien que crecen.

El truco para bajar de peso

Las dietas para adelgazar que lo dejan con hambre son mala idea.
O lo consume el hambre y no puede pensar claramente o lo consume
la culpa por haber roto la dieta. Un pequeño cambio puede ayudarle a
sentirse satisfecho, a comer menos y a bajar de peso.

Según un estudio realizado por la Universidad de St. Louis, las
mujeres con sobrepeso que tomaron un desayuno con huevo,
consumieron menos calorías y carbohidratos a la hora del almuerzo
que las mujeres que tomaron un desayuno con *bagel*. Eso no es todo.
Durante el día y medio siguientes, las mujeres del desayuno con
huevo consumieron en total menos calorías, menos gramos de proteínas

y menos carbohidratos que las mujeres del desayuno con la rosca de pan. Aun cuando los dos tipos de desayuno tenían el mismo número de calorías, las mujeres del desayuno con huevo tardaron más en volver a sentir hambre. Esto se debe a que el huevo es más "llenador" que un *bagel* con queso crema.

Un estudio similar financiado por la Comisión Nacional del Huevo señala que esta táctica funciona mejor si se persiste en ella. Esta vez los participantes del estudio recibieron el desayuno con huevo o con *bagel* cinco días a la semana durante dos meses. También siguieron una dieta reducida en calorías. Al final, las personas que recibieron el desayuno con huevo perdieron más peso y reportaron mayores niveles de energía que los del desayuno con la rosca de pan. También redujeron las medidas de su cintura en hasta un 83 por ciento más.

Así que si a usted le es difícil bajar de peso o seguir una dieta, ¿por qué no probar comer un huevo en el desayuno? A los participantes en los estudios se les dio huevos revueltos, cocidos o escalfados. Pero no lo acompañe con tocino, salchicha u otros alimentos grasos, sino con un par de tostadas o con una mermelada baja en calorías. A usted le encantará comprobar lo fácil que es adelgazar.

Pescado

Ayude a su corazón prefiriendo el pescado

Su corazón trabaja duro para mantenerlo vivo. Lo menos que usted puede hacer es recompensar sus esfuerzos. Es ahí donde el pescado entra en escena. Si lo incorpora a su dieta puede añadir años a su vida. Estudios de población muestran que hay un vínculo entre el consumo de pescado y la disminución de muertes por enfermedad cardíaca. Apenas uno o dos platos de pescado a la semana pueden reducir el riesgo de morir de una enfermedad cardíaca en 50 por ciento. El pescado también reduce el riesgo de muerte cardíaca repentina.

La clave del éxito del pescado se encuentra en sus ácidos grasos omega-3, el ácido docosahexaenoico (DHA, en inglés) y el ácido eicosapentaenoico (EPA, en inglés). Estos ácidos grasos esenciales ayudan al corazón en una variedad de maneras. Por ejemplo:

- Reducen la agregación plaquetaria, un factor importante en la formación de los coágulos sanguíneos que pueden provocar un ataque cardíaco o un derrame cerebral.

- Disminuyen los triglicéridos, peligrosas grasas en la sangre que incrementan el riesgo de enfermedad cardíaca. Los omega-3 pueden reducir los niveles de triglicéridos, en por lo menos 30 por ciento, en personas con niveles de triglicéridos altos o normales.

- Ayudan a prevenir la arritmia o latido irregular del corazón, y bajan la presión arterial. Apenas 3 gramos de EPA y DHA pueden provocar una caída de 5 milímetros de mercurio (mm Hg) en la presión arterial sistólica y de 3 mm Hg en la presión arterial diastólica.

- Aumentan el tamaño de las partículas LDL, haciéndolas menos propensas a oxidarse y volverse peligrosas.

- Impiden el crecimiento de placa arterial, protegiéndolo contra el daño de los radicales libres y aumentando la eficacia de la insulina.

Otra prueba de la importancia de los omega-3 proviene de un estudio reciente que encontró que los niveles de DHA son menores en personas que experimentan un evento cardiovascular, como un ataque cardíaco o un derrame cerebral. Por otra parte, un estudio japonés registró que las personas que recibieron EPA redujeron en 19 por ciento los eventos coronarios. Por supuesto, los japoneses también comen más pescado que la mayoría de la gente.

Comer más pescado no es mala idea. La dieta mediterránea puede ayudar a reducir la mortalidad, según otro estudio. Una dieta que incluye más pescado y alimentos de origen vegetal, y menos carne roja y procesada, significa un riesgo menor de trombosis venosa profunda, una peligrosa afección que incluye coágulos dolorosos en las piernas o coágulos que bloquean el flujo de sangre a los pulmones.

Para tener el corazón contento, disfrute de pescado dos o tres veces a la semana como parte de una dieta saludable.

Un arma poderosa contra el derrame cerebral

En cuestión de segundos, un accidente cerebrovascular puede cambiar drásticamente su vida, o ponerle fin. Si usted aumenta el consumo de pescado, puede obtener protección las 24 horas.

Hay dos tipos básicos de accidentes cerebrovasculares, comúnmente conocidos como derrames cerebrales. Un accidente cerebrovascular isquémico ocurre cuando una obstrucción en una arteria corta el flujo de sangre y de oxígeno al cerebro. Y un accidente cerebrovascular hemorrágico ocurre cuando un vaso sanguíneo se rompe produciendo una hemorragia en el cerebro. Un estudio señala que comer pescado tan sólo entre una y tres veces al mes puede protegerle del accidente cerebrovascular isquémico. Otro estudio, en el que se hizo un seguimiento a más de 4,000 hombres y mujeres de edad avanzada durante 12 años, encontró que aquéllos que comían atún o pescado al horno o a la parrilla hasta cuatro veces a la semana tenían un riesgo de accidente cerebrovascular 27 por ciento menor que aquéllos que comían pescado menos de una vez al mes. Pero no se exceda. Algunos expertos afirman que comer demasiado pescado, unas cinco o seis porciones a la semana, puede aumentar el riesgo de sufrir un accidente cerebrovascular hemorrágico.

Se considera que la presión arterial alta es el factor número uno de los accidentes cerebrovasculares. Los ácidos grasos omega-3 que se encuentran en el pescado ayudan a bajar la presión arterial. También tienen poderes antiinflamatorios y anticoagulantes, lo que los convierte en poderosas armas contra los accidentes cerebrovasculares.

Según un estudio conducido en Alemania, niveles sanguíneos bajos de vitamina B12 representan un aumento del riesgo de accidente cerebro-vascular. Una manera de aumentar sus niveles de B12 es consumiendo más pescado. Algunas buenas fuentes son las ostras, las almejas, los cangrejos, el salmón, las sardinas, la trucha, el arenque, el abadejo, la platija, el lenguado, la langosta, el atún, el hipogloso y el pez espada.

Para reducir su riesgo de accidente cerebrovascular, siga una dieta baja en sodio y alta en potasio. Además de pescado, debe incluir muchas frutas, verduras, granos integrales y fibra de cereales.

¿Es seguro comer pescado?

Si usted ha dejado de comer pescado porque le preocupa la intoxicación por mercurio o los contaminantes, como el bifenilo policlorado (PCB, en inglés), le interesará conocer las conclusiones de estudios recientes. Resulta que cocinar el pescado y quitarle la piel reduce en promedio el 35 por ciento de los contaminantes en el salmón y el 50 por ciento en los peces de los Grandes Lagos, como la trucha, la lubina y el pez azul o anjova. Los investigadores probaron distintos métodos de cocción (hornear, hervir, cocinar en el microondas, freír en sartén) y todos resultaron en una pérdida sustancial de contaminantes, lo que los hace pensar que éstos fueron eliminados junto con la grasa derretida. Otra investigación encontró que bastaba con quitar la grasa del vientre y de la espalda del pescado para reducir el contenido de PCB en hasta 40 por ciento.

Si le preocupa el mercurio, utilice la útil calculadora que se encuentra en *www.gotmercury.org*. Simplemente introduzca su peso y el tipo y la cantidad de pescado que consume en una semana para ver si está dentro del rango seguro. Elija el atún enlatado *light* en lugar del atún albacora enlatado. Otras opciones con bajo contenido de mercurio son las almejas, la platija, el hipogloso, el abadejo, el salmón fresco o congelado, los camarones y la tilapia.

Pida pescado para regular la diabetes

Tener diabetes significa que es necesario hacer algunos cambios en la dieta. Uno de los cambios más inteligentes que usted puede hacer es aumentar la cantidad de pescado que consume. Con un alto contenido de ácidos grasos omega-3, el pescado puede ayudarle a controlar la diabetes. Esta enfermedad es poco común en Groenlandia y entre los esquimales de Alaska, poblaciones conocidas por consumir mucho pescado.

Los ácidos grasos omega-3 podrían reducir los triglicéridos entre 20 y 50 por ciento en las personas saludables, sobre todo en las personas con niveles altos de triglicéridos, incluidos los diabéticos. Además, pueden mejorar la sensibilidad a la insulina y el metabolismo de la glucosa e, incluso, ayudarle a prevenir graves complicaciones renales, oculares y de los nervios.

La Asociación Estadounidense para la Diabetes recomienda comer por lo menos dos porciones de pescado a la semana, debido a que los omega -3 tienen la capacidad de bajar los niveles de triglicéridos en las personas con diabetes tipo 2. Como ventaja adicional, el pescado puede tomar el lugar de los alimentos con alto contenido de la nociva grasa saturada, como las carnes rojas. Comer más pescado y menos carne roja fue una estrategia del "Programa de estilo de vida mediterráneo", un enfoque para el tratamiento de la diabetes que planteaba una serie de cambios dietéticos y de estilo de vida. Seguir este programa durante uno o dos años tuvo mejores resultados que el cuidado tradicional de la diabetes. Haga sitio para el pescado en su plan para el control de la diabetes y usted obtendrá abundantes beneficios.

El menú que mejora la agilidad mental

Tal vez usted olvida lo que estaba a punto de decir o pierde las llaves del auto, pero, contrariamente a la creencia popular, un cerebro más lento y la pérdida de memoria no son parte natural del envejecimiento. Si usted tiene miedo de perder sus recuerdos, sírvase un poco de pescado hoy mismo. El pescado puede ayudarle a mantener el cerebro lúcido y la memoria afilada.

Aproveche los beneficios del aceite de pescado. En un estudio realizado con más de 800 personas entre 65 y 94 años de edad, las personas que consumían pescado una o más veces a la semana tenían 60 por ciento menos riesgo de desarrollar la enfermedad de Alzheimer, en comparación con aquéllas que rara vez o nunca lo consumían. En otro estudio con personas que tenían una edad media de 76 años se midieron los niveles de ácido docosahexaenoico (DHA, en inglés), un tipo de ácido graso omega-3 que se encuentra en los pescados grasos. Los investigadores concluyeron que las personas con los niveles sanguíneos más altos de DHA tenían casi 40 por ciento menos probabilidades de desarrollar Alzheimer y eran 47 por ciento menos propensas a sufrir demencia de cualquier tipo.

Ésta es la razón por la cual el pescado podría ayudar. La enfermedad de Alzheimer ha sido asociada con factores inflamatorios en el cerebro, y el aceite de pescado reduce la inflamación. Las personas con Alzheimer también tienen niveles más bajos de DHA en el cerebro, por lo que comer más pescado puede ayudar a corregir esa deficiencia. Además, el DHA puede bloquear la acumulación en el cerebro de las proteínas asociadas con la enfermedad de Alzheimer.

Varios estudios demuestran que el pescado ofrece protección contra todas las formas de demencia, no sólo contra la temida enfermedad de Alzheimer. Comer pescado puede ayudar a hacer más lento el deterioro mental y mejorar el rendimiento en pruebas mentales. La clave está en modificar su dieta para obtener más omega-3 y menos omega-6. Un exceso de omega-6 tiende a promover la inflamación.

Incremente la vitamina B12. El pescado también le proporciona vitamina B12, lo que ayuda a evitar una deficiencia vitamínica común entre los adultos mayores que afecta los nervios y otros sistemas vitales. Si usted ya tiene problemas para pensar o para caminar, la deficiencia de vitamina B12 puede acelerar su deterioro mental.

¿Está obteniendo lo suficiente? Si usted tiene más de 70 años, puede que necesite dosis mucho más elevadas de vitamina B12. Un estudio concluyó que la dosis mínima para corregir una deficiencia leve de vitamina B12 es de 600 microgramos por día. Usted también puede obtener más vitamina B12 a través de la dieta. Algunas buenas fuentes son las ostras, las almejas, los cangrejos, el salmón, las sardinas, la trucha, el arenque, el abadejo, la platija, el lenguado, la langosta, el atún, el hipogloso y el pez espada.

A veces los alimentos y los suplementos no ayudan. Algunas personas, a medida que envejecen, no producen suficiente factor intrínseco, una sustancia en el estómago necesaria para absorber la vitamina B12. En ese caso, es posible que necesite inyecciones. Una simple prueba de sangre puede determinar si usted tiene una deficiencia de vitamina B12.

Mejore la memoria con mariscos

En un estudio realizado en China, quienes tenían los niveles más bajos de selenio también tenían los puntajes más bajos en las pruebas mentales. En Francia, un estudio encontró que las personas eran más propensas a sufrir deterioro mental conforme disminuían sus niveles de selenio. Y los investigadores de Penn State encontraron que el nivel de hierro influye en el rendimiento mental de las mujeres.

Por suerte los mariscos, en particular las almejas, contienen gran cantidad de selenio y de hierro. De hecho, 3 onzas de almejas brindan 41.3 microgramos de selenio, lo que equivale al 59 por ciento del requerimiento diario, y 23.77 miligramos de hierro, o el 132 por ciento del requerimiento diario.

Mariscos para alegrar el ánimo

Puede que no sea un evento traumático, como la pérdida de un ser querido, lo que desencadene la depresión. La dieta también puede desempeñar un papel clave. Ciertos hábitos de alimentación, como comer menos pescado o llenarse de grasas saturadas y azúcares, pueden contribuir a la depresión. Pero usted puede ayudarse a superarla.

Coma más pescado. Varios estudios indican que el pescado y los aceites que contienen protegen contra la depresión, en especial los ácidos grasos omega-3: el ácido docosahexaenoico (DHA, en inglés) y el ácido eicosapentaenoico (EPA, en inglés). En las poblaciones que comen mucho pescado, los índices de depresión son mucho más bajos. Las personas con niveles bajos de DHA también tienen niveles bajos de serotonina, el compuesto químico cerebral que hace que uno se sienta bien. La mayoría de los antidepresivos, incluido el Prozac, funcionan aumentando los niveles de serotonina, y el pescado hace lo mismo.

Obtenga el tipo adecuado de grasa. Debido a que la grasa constituye alrededor del 60 por ciento del cerebro humano, el tipo de grasa que usted come es importante. La mayoría de la gente consume una cantidad excesiva de ácidos grasos omega-6, el tipo que se encuentra en los aceites vegetales, y no suficiente omega-3, el tipo que ayuda a combatir las inflamaciones. Con frecuencia, la depresión y las enfermedades inflamatorias van de la mano. En un pequeño estudio de la Universidad Estatal de Ohio realizado con 43 adultos mayores, quienes tenían más ácidos grasos omega-6 que omega-3 en la sangre tenían un mayor riesgo de depresión y de enfermedades inflamatorias. Y un estudio reciente de la Universidad de Pittsburgh encontró que el consumo de grasas omega-3 puede disminuir la impulsividad, la depresión y hacer que la persona tenga un carácter más llevadero.

Para aumentar su ingesta de omega-3, las sardinas, el salmón, el arenque y la caballa son buenas opciones. Propóngase consumir dos porciones de pescado graso a la semana. Al mismo tiempo, reduzca su consumo de ácidos grasos omega-6, evitando los alimentos fritos y sustituyendo el aceite de soya o de maíz por los aceites más saludables de *canola* o de oliva.

Mejore la visión comiendo pescado

¿Le preocupa su visión? No pierda de vista el pescado. Es sabroso y puede proteger sus ojos de dolencias graves que afectan la visión.

Contenga las cataratas. Según un estudio de la Universidad de Tufts, comer pescado tres o más veces a la semana puede disminuir el riesgo de desarrollar cataratas en 11 por ciento, mientras que un mayor consumo de ácidos grasos omega-3 puede reducir el riesgo de la cirugía de cataratas en 12 por ciento. Estos resultados se deben al omega-3 en el pescado, por lo que el pescado graso y aceitoso es el mejor. Elija el salmón, el arenque, el atún o la caballa.

Luche contra la DMAE. El pescado graso también protege los ojos de la degeneración macular asociada con la edad (DMAE), la principal causa de ceguera en los adultos mayores. Cuando se sufre de degeneración macular, la parte central de la retina, conocida como la mácula, se daña. El consumo tanto de pescado como de omega-3 redujo el riesgo de degeneración macular, en un estudio conocido como *"U.S. Twin Study of Age-Related Macular Degeneration"*. Otro estudio pequeño encontró que comer dos o más porciones de pescado a la semana podría reducir, casi a la mitad, el riesgo de enfermedad ocular degenerativa.

Para más información sobre el aceite de pescado, vea el capítulo *Omega-3*.

La inflamación puede ser un factor en la degeneración macular, y es aquí donde interviene el omega-3, ya que podría favorecer un tejido ocular saludable y ayudar a regular las respuestas inflamatorias e inmunitarias en la retina. Un estudio reciente con ratones determinó que el omega-3 suprime la inflamación en la retina. También puede proteger contra la ceguera causada por el crecimiento anormal de los vasos sanguíneos, como en la retinopatía o en ciertos tipos de degeneración macular.

Mantenga la vista aguda. Usted puede tener buena vista a los noventa años comiendo más pescado y realizando algunos cambios sencillos en su estilo de vida. Además de agregar pescado a su dieta, procure dejar de fumar y bajar de peso. Los cigarrillos y la obesidad aumentan el riesgo de estas enfermedades que le roban la vista.

Calme el dolor articular con aceite de pescado

El aceite de pescado combate la inflamación por lo que es un remedio ideal para el dolor de la artritis reumatoide (AR). Con la AR el cuerpo se vuelve contra sí mismo. El sistema inmunitario, que normalmente lucha contra los virus y otros invasores, ataca las articulaciones. Los estudios muestran que los suplementos de omega-3 pueden tener un efecto moderado sobre los síntomas de la artritis reumatoide. Por lo menos 13 estudios han demostrado los efectos positivos del aceite de pescado. Hacer cambios en la dieta, como tomar suplementos de aceite de pescado, es una manera práctica y fácil de tomar el control de la AR.

Tenga presente que puede tomar tiempo, alrededor de dos o tres meses, para notar algún efecto. Los expertos recomiendan empezar con una dosis más alta y continuar con una dosis menor de mantenimiento. Cuando se combina el omega-3 con una dieta antiinflamatoria baja en ácido araquidónico, un tipo de ácido graso omega-6, los resultados son aún más pronunciados. Con menos articulaciones hinchadas y adoloridas, su calidad de vida mejorará.

Como beneficio adicional, el omega-3 puede ayudar a reducir el uso de medicamentos antiinflamatorios no esteroideos (AINE) y de medicamentos potencialmente tóxicos. Un estudio británico reciente encontró que 39 por ciento de las personas que tomaron aceite de hígado de bacalao, que es rico en omega-3, fueron capaces de recortar su dosis de AINE en más de 30 por ciento. Al sustituir los medicamentos por aceite de pescado, usted disminuye el riesgo de efectos secundarios peligrosos sin sacrificar su bienestar. Sólo asegúrese de informar a su médico acerca de cualquier suplemento que usted esté tomando.

Quemagrasa milagroso

El ejercicio hace maravillas en cualquier programa de reducción de peso. Pero los resultados son aún mejores con un poco de aceite de pescado antes del ejercicio. Según un estudio, las personas con sobrepeso que tomaron 6 gramos de aceite de pescado diariamente y corrieron o caminaron durante 45 minutos tres veces a la semana perdieron en promedio 3.3 libras en 12 semanas. Aquéllas que tomaron aceite de girasol tuvieron una pérdida de peso significativamente menor. Para estimular la actividad de las enzimas quemagrasa, tome 2 gramos de cápsulas de aceite de pescado dos horas antes de hacer ejercicio.

Solución natural para la inflamación intestinal

Todos sufrimos ocasionalmente algún malestar estomacal. Pero la enfermedad de Crohn o colitis ulcerosa es un problema mucho más serio. Los síntomas pueden incluir dolor rectal, cólicos, diarrea sanguinolenta, náuseas, pérdida de apetito, fiebre, espasmos dolorosos de estómago y pérdida de peso inexplicable. Colectivamente, estos trastornos digestivos se conocen como enfermedad inflamatoria intestinal (EII). Si bien la EII requiere atención médica y medicamentos, el pescado puede ser un remedio adicional y natural.

Enfermedad de Crohn. Investigadores notaron que los esquimales, grandes consumidores de pescado, rara vez sufrían de enfermedad inflamatoria intestinal. Eso los llevó a darse cuenta de la importancia del aceite de pescado. El ácido eicosapentaenoico (EPA) y el ácido docosahexaenoico (DHA) se consideran ácidos grasos esenciales, el tipo que su cuerpo necesita, pero no puede producir. Usted sólo puede obtenerlos a través de la alimentación.

La falta de ácidos grasos esenciales podría ser un factor importante en la enfermedad inflamatoria intestinal. En un estudio, más del 25 por ciento de las personas con trastornos intestinales crónicos, principalmente con enfermedad de Crohn, carecían de ácidos grasos esenciales. En la enfermedad de Crohn, como en muchas enfermedades inflamatorias, el sistema inmunitario se vuelve contra sí mismo. Los suplementos de aceite de pescado no sólo corrigen la deficiencia de ácidos grasos esenciales, también añaden protección antiinflamatoria.

Como era de esperarse, algunos estudios señalan que los suplementos de aceite de pescado reducen significativamente las recaídas. Los mejores resultados se obtuvieron con el omega-3 en la forma de ácidos grasos libres con cubierta entérica, el tipo que su cuerpo absorbe mejor. En un estudio que lo utilizó, el 59 por ciento de las personas en el grupo de aceite de pescado permanecieron en remisión después de un año, en comparación con sólo el 26 por ciento en el grupo placebo.

Colitis ulcerosa. El aceite de pescado también es prometedor a la hora de combatir esta grave enfermedad. Dos estudios demostraron beneficios, y otro mostró una disminución en la necesidad de corticosteroides. La dosis es importante. Los estudios que utilizaron la dosis más baja del aceite de pescado no mostraron ventaja alguna. Es demasiado pronto para decir con certeza si el aceite de pescado puede ayudar, pero vale la pena preguntarle a su médico acerca de los suplementos de aceite de pescado. Una solución más sabrosa es comer más pescado.

Consejos para elegir los suplementos

¿No soporta el pescado? Aun así usted puede aprovechar los beneficios de los ácidos grasos omega-3. Simplemente opte por suplementos de aceite de pescado. Para mejores resultados, elija aceite de salmón o de atún en lugar de aceite de hígado de bacalao. Obtendrá más omega-3, además de un menor riesgo de toxicidad por vitamina A. Asegúrese de obtener un gramo de DHA y EPA combinados y evitar las marcas que agregan aceite de limón. Guarde las botellas abiertas de suplementos en el refrigerador, un truco que reduce los eructos a pescado. Puede que necesite grandes dosis para igualar los resultados conseguidos en los estudios clínicos, pero todo ayuda. Usted también puede encontrar alimentos enriquecidos con omega-3, como el yogur y el jugo de naranja. Pero a veces, como sucede con los huevos, puede que no valgan el costo adicional.

Remedio para el asma está en el mar

Si usted tiene asma es posible que a veces sienta como si estuviera respirando a través de agallas. En vez de luchar por respirar como un pez fuera del agua, intente agregar más pescado a su dieta.

Algunos estudios señalan que comer pescado ayuda a mejorar la función pulmonar y reduce la prevalencia de asma. Eso se debe a los ácidos grasos omega-3 que se encuentran en el pescado. El asma implica una inflamación crónica de las vías respiratorias, por lo que los efectos antiinflamatorios del omega-3 pueden ayudar. La clave está en ajustar la proporción de ácidos grasos omega-6 y omega-3 en su dieta, de modo que los ácidos grasos omega-6, aquéllos que promueven la inflamación, no se descontrolen ni dominen a los omega-3.

En un estudio que se realizó con atletas de élite que sufrían de bronco constricción inducida por el ejercicio, los suplementos de aceite de pescado ayudaron a reducir el estrechamiento de las vías respiratorias y a limitar el uso de medicamentos. Pero no todos los estudios sobre el uso de suplementos de omega-3 han mostrado mejoría en los síntomas del asma. Sin embargo, un alentador estudio holandés encontró que comer pescado reduce el riesgo de asma en los niños en 66 por ciento.

El pescado no sólo protege del asma a los pulmones, también ayuda a prevenir la enfermedad pulmonar obstructiva crónica (EPOC), una combinación mortal de enfisema y bronquitis. Un estudio encontró que consumir mucho pescado, además de frutas, verduras y cereales integrales, puede reducir a la mitad el riesgo de la EPOC. Por otro lado, quienes consumieron grandes cantidades de cereales refinados, carnes curadas, carnes rojas, postres y papas fritas tenían cuatro veces más probabilidades de desarrollar EPOC.

Coma pescado con regularidad y usted podrá respirará mucho mejor.

Tenga un cuerpo a prueba de enfermedades

Comer pescado varias veces a la semana le ayudará a combatir desde un resfriado leve hasta enfermedades más graves, como la esclerosis múltiple (EM) y el cáncer.

Fortalezca su sistema inmunitario. ¿Está harto de la secreción nasal, los estornudos y la congestión? No deposite toda su confianza en las medicinas contra el resfriado. Fortalezca su sistema inmunitario con pescado. Usted puede evitar los resfriados consumiendo pescado de agua fría, como el salmón, la caballa y el arenque. Ricos en ácidos grasos omega-3, estos pescados detienen la inflamación, lo que aumenta el flujo de aire y protege a los pulmones de resfriados e infecciones respiratorias. Dos porciones de pescado graso a la semana deberían ayudarle a mantenerse saludable. Sin embargo, otros tipos de alimentos marinos también ofrecen protección. Los crustáceos, como las ostras, las langostas, los cangrejos y las almejas, contienen selenio. Este oligoelemento ayuda a los glóbulos blancos de la sangre a producir citoquinas, las proteínas que ayudan a protegerle del virus de la gripe.

Usted también puede obtener protección antiinflamatoria con los suplementos de omega-3 y de otras fuentes de omega-3, como el aceite de la linaza o las nueces.

Trate la EM con aceite de pescado. Entre los síntomas de la esclerosis múltiple (EM), una enfermedad inflamatoria crónica que afecta al sistema nervioso central, se encuentran la visión doble, la debilidad muscular, la fatiga, el dolor y la depresión. La EM también presenta altos niveles de inflamación en la sangre, causada por unas proteínas llamadas metaloproteinasas de matriz tipo 9 (MMP-9, en inglés). Un pequeño estudio reciente observó que los ácidos grasos omega-3, el tipo que se encuentra en el pescado, reducen los niveles de MMP-9 en 58 por ciento en las personas con EM. Otros estudios muestran que las personas con EM que toman cápsulas de aceite de pescado ven su discapacidad progresar más lentamente y sufren menos recaídas. Si bien la EM no tiene cura, el pescado puede proporcionar cierto alivio de esta debilitante enfermedad.

Sírvase salmón para proteger la próstata. Investigadores suecos constataron que los hombres que consumían pescado graso, como el salmón, una o más veces a la semana reducían su riesgo de sufrir cáncer de próstata en 43 por ciento, en comparación con quienes nunca lo consumían. El beneficio depende de las variaciones en el gen COX-2, que desempeña un papel clave en el metabolismo de los ácidos grasos y en la inflamación. Para los hombres que tienen una forma diferente de este gen, comer pescado graso, como el salmón, una o más veces a la semana resultó en un riesgo 72 por ciento menor. Aquéllos con la forma más común del gen no mostraron ningún vínculo entre el consumo de pescado y el riesgo de cáncer de próstata. Puesto que usted desconoce qué forma del gen COX-2 tiene, es recomendable optar por lo seguro y comer más pescado graso.

Semilla de lino

La semilla 'salvacorazones'

La semilla de lino, también conocida como linaza, es un alimento milagroso. Contiene nutrientes que recubren las arterias como si fueran un aerosol antiadherente, permitiendo que la sangre fluya sin obstáculos. Además, reduce el colesterol, la presión arterial alta y el riesgo de enfermedades cardíacas.

Controla el colesterol. Esta diminuta semilla puede acabar con el colesterol que obstruye sus arterias. La semilla de lino reduce los niveles de colesterol total y colesterol "malo" (LDL), sin afectar los niveles del colesterol "bueno" (HDL). Al igual que la avena, la semilla de lino es una buena fuente de fibra soluble, el tipo de fibra que ayuda a bajar el colesterol. El mucílago, el tipo de fibra soluble que se encuentra en la semilla de lino, hace más lento el paso de los alimentos por el estómago y por el intestino delgado, de modo que las partículas de HDL tienen más tiempo para recoger el colesterol y llevarlo al hígado para su conversión en bilis, antes de su eliminación. La semilla de lino también contiene sustancias químicas parecidas al estrógeno, llamadas lignanos, las cuales podrían tener propiedades reductoras del colesterol. Parece que los lignanos actúan sobre las enzimas que intervienen en el metabolismo del colesterol. Investigadores encontraron que consumir entre dos y seis cucharadas de linaza molida al día por tan sólo cuatro semanas redujo el colesterol total en 9 por ciento y el colesterol LDL en hasta 18 por ciento en adultos jóvenes saludables, en personas con niveles de colesterol moderadamente elevados y en mujeres posmenopáusicas.

Pone fin a la presión alta. Algunos estudios muestran que un aumento de ácido alfa-linolénico (ALA, en inglés), el tipo de ácido graso omega-3 que se encuentra en la semilla de lino, resulta en una disminución de la presión arterial. Una dieta rica en fibra también puede bajar la presión alta. Una cucharada de semillas de lino molidas proporciona 1.8 gramos de ALA y 2.2 gramos de fibra, que incluye las formas soluble e insoluble de la fibra.

Detiene los males cardíacos. Además de combatir el colesterol alto y la presión arterial alta, la semilla de lino ataca otros factores de riesgo cardíaco. Combate la inflamación, elemento clave en las enfermedades del corazón, al bloquear las citoquinas y los eicosanoides proinflamatorios, así como el factor de activación de plaquetas. Los estudios también muestran que el ALA reduce la coagulación sanguínea, que contribuye a los ataques cardíacos y a los derrames cerebrales, y previene las arritmias.

Cuando agregue alimentos ricos en fibra como la semilla de lino a su dieta, asegúrese de hacerlo gradualmente. Demasiada fibra, demasiado rápido puede provocar gases, hinchazón y cólicos estomacales. También debe beber mucha agua.

Apenas una o dos cucharadas de semilla de lino al día pueden asegurarle la salud. Usted puede agregar semillas de lino tostadas y molidas al cereal para desayuno, al yogur, al requesón y a las ensaladas. Mezcle semillas de lino en la masa para panqueques o *waffles*, o úselas para hacer panes, *muffins* o galletas. Usted también puede incorporarlas en los pasteles de carne, los guisos y las hamburguesas. Incluso puede sustituir la grasa de una receta con semillas de lino: use tres cucharadas de lino molido por cada cucharada de manteca, mantequilla, margarina o aceite.

Es sorprendente la cantidad de productos que ahora incluyen semillas de lino por sus muchos beneficios para la salud: barras energéticas, salchichas, pan, yogur y hasta helados.

La semilla de lino alivia los sofocos

En un estudio realizado por la Clínica Mayo, mujeres con molestos sofocos o bochornos recibieron 40 gramos de semillas de lino trituradas al día. La frecuencia de los sofocos disminuyó en 50 por ciento a lo largo de seis semanas. Es más, las mujeres reportaron mejoras en el estado de ánimo, en el dolor articular o muscular, en los escalofríos y en la sudoración.

La semilla de lino funciona porque es un fitoestrógeno, es decir, es una fuente de estrógeno de origen vegetal. Aunque la semilla de lino puede no ayudar a todos, es una alternativa más segura que la terapia de sustitución de hormonas o los tratamientos con medicamentos que tienen efectos secundarios no deseados.

Pasos sencillos para proteger la próstata

En Estados Unidos uno de cada seis hombres desarrollará cáncer de próstata y miles morirán de esta enfermedad cada año. Por suerte, mantener la salud de la próstata puede ser tan fácil como agregar semillas de lino a su dieta. Un estudio reciente financiado por los Institutos Nacionales de Salud y dirigido por investigadores de la Universidad de Duke, encontró que tomar suplementos de semilla de lino antes de una cirugía de cáncer de próstata hizo que fuera más lento el crecimiento de tumores. Los hombres en el estudio recibieron 30 gramos de semillas de lino al día durante unos 30 días antes de su cirugía. Las semillas de lino fueron molidas en forma de polvo y se incorporaron a los alimentos y a las bebidas. El crecimiento de los tumores fue más lento en los hombres que tomaron las semillas de lino, sin importar si siguieron una dieta baja en grasa o no.

Las semillas de lino tienen dos ingredientes clave que las convierte en exitosas guerreras contra el cáncer: los ácidos grasos omega-3 y los lignanos. Los investigadores creen que el omega-3 retarda la propagación de las células cancerosas al cambiar la manera en que las células se aglutinan o se adhieren a otras células sanas. También creen que los lignanos, compuestos relacionados con la fibra que actúan como antioxidantes, cortan el suministro de sangre del tumor y limitan su crecimiento.

Los científicos se han propuesto estudiar si la semilla de lino puede prevenir la recurrencia del cáncer de próstata o incluso ayudar a evitar el cáncer de próstata en hombres sanos.

Dos fabulosos tratamientos para la cabeza

La semilla de lino es una maravilla en más de un sentido. Y si usted no lo cree, basta con ver la forma como ayuda a la cabeza, por dentro y por fuera.

Para más información sobre los beneficios del omega-3, vea el capítulo *Omega-3*.

Mitiga las migrañas. El consumo de ciertos alimentos puede provocar migrañas, y agregar semillas de lino a su dieta puede calmarlas. Eso se debe a que los ácidos grasos omega-3 en la semilla de lino podrían aliviar la inflamación de los vasos sanguíneos en el cerebro. También pueden proteger los nervios. Los estudios han demostrado que los suplementos de aceite de pescado, también ricos en ácidos grasos omega-3, ayudarían a limitar la intensidad y la frecuencia de las migrañas. La semilla de lino es una manera más sabrosa de obtener el mismo alivio. Todo lo que usted necesita es una cucharada diaria de semillas de lino molidas.

Embellece el cabello. Ricas en ácidos grasos omega-3, las semillas de lino proporcionan los nutrientes que los folículos pilosos requieren. Para tener un cabello radiante, saludable y libre de caspa, procure consumir entre cuatro y seis cucharadas de semillas de lino molidas al día. Agréguelas al yogur, al cereal para desayuno o a las ensaladas. El aceite de linaza también puede ayudarle a mantener saludables el cabello y el cuero cabelludo.

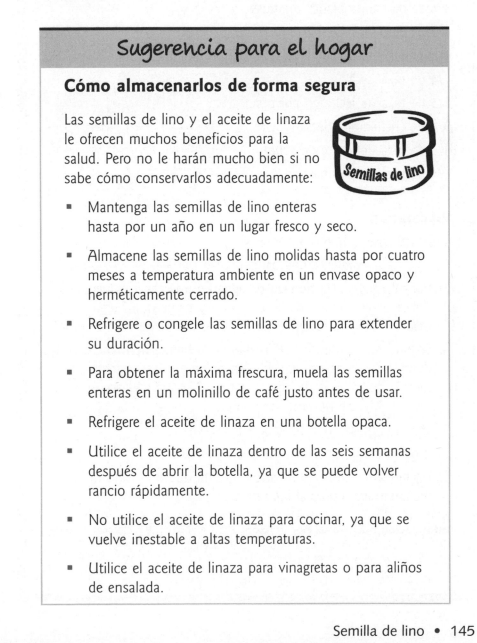

Sugerencia para el hogar

Cómo almacenarlos de forma segura

Las semillas de lino y el aceite de linaza le ofrecen muchos beneficios para la salud. Pero no le harán mucho bien si no sabe cómo conservarlos adecuadamente:

- Mantenga las semillas de lino enteras hasta por un año en un lugar fresco y seco.

- Almacene las semillas de lino molidas hasta por cuatro meses a temperatura ambiente en un envase opaco y herméticamente cerrado.

- Refrigere o congele las semillas de lino para extender su duración.

- Para obtener la máxima frescura, muela las semillas enteras en un molinillo de café justo antes de usar.

- Refrigere el aceite de linaza en una botella opaca.

- Utilice el aceite de linaza dentro de las seis semanas después de abrir la botella, ya que se puede volver rancio rápidamente.

- No utilice el aceite de linaza para cocinar, ya que se vuelve inestable a altas temperaturas.

- Utilice el aceite de linaza para vinagretas o para aliños de ensalada.

Pan de maíz con semilla de lino

Ingredientes* (Rinde 9 porciones)

1 1/3 tazas de agua

2 cucharadas de semillas de lino molidas

1 taza de harina blanca multiuso

1 taza de harina de maíz

4 cucharaditas de polvo de hornear

1/4 de taza de azúcar

1/3 de taza de leche en polvo sin grasa

3/4 de cucharadita de sal

1/4 de taza de aceite de *canola*

1/4 de taza de pecanas picadas

Preparación

1. Precaliente el horno a 425°F.

2. Engrase ligeramente una bandeja para hornear de 8x8 pulgadas.

3. Ponga a hervir 1/3 de taza de agua en una cacerola pequeña. Agregue las semillas de lino molidas y revuelva a fuego mediano-alto hasta que espese. Retire del fuego y deje enfriar.

4. En otro recipiente, mezcle la harina, la harina de maíz, el polvo de hornear, el azúcar, la leche en polvo y la sal. Agregue la mezcla de semillas de lino, una taza de agua y el aceite de *canola*. Mezcle hasta lograr una consistencia uniforme.

5. Vierta la masa en la bandeja engrasada.

6. Esparza las pecanas picadas sobre la masa.

7. Hornee entre 20 y 25 minutos o hasta que un palillo de dientes salga limpio al insertarse al centro.

Información nutricional por porción: 225.1 calorías (88.7 calorías de la grasa, 39.40 por ciento del total); 9.9 g de grasa; 4.8 g de proteínas; 30.6 g de carbohidratos; 0.9 mg de colesterol; 2.3 g de fibra; 451.1 mg de sodio

*Si no reconoce el nombre de un ingrediente, vea el glosario en la página 360.

Ajo

Una planta asombrosa que ayuda al corazón

El ajo no sólo le da sabor a las comidas, es también una manera natural de disminuir el colesterol, reducir la presión arterial y prevenir las enfermedades cardiovasculares. Podríamos decir que se trata de una planta salvavidas. Vea lo que puede hacer por su corazón:

Ataca la ateroesclerosis. En pruebas de laboratorio, el ajo ha bloqueado las enzimas clave que intervienen en la síntesis del colesterol. También ha bloqueado la oxidación de la lipoproteína de baja densidad (LDL), conocida como colesterol "malo". Si usted puede evitar la oxidación de la LDL, ésta no constituirá una amenaza para sus arterias.

Los resultados prometedores en las pruebas de laboratorio no siempre se materializan en la vida real. Pero muchos estudios demuestran que el ajo reduce el colesterol, especialmente en las personas con colesterol alto que tomaron extracto de ajo envejecido o ajo en polvo. Un examen de varios estudios favorables determinó que el ajo reduce el colesterol LDL en promedio 11.4 por ciento y el colesterol total y los triglicéridos en promedio 9.9 por ciento. En un estudio realizado en Irán, las tabletas de ajo también incrementaron la HDL o colesterol "bueno" en 15.7 por ciento. El ajo también redujo dramáticamente el colesterol total en 12.1 por ciento y el colesterol LDL en 17.3 por ciento. Sin embargo, no todos los estudios encuentran en el ajo estos efectos reductores del colesterol. Un estudio financiado por el gobierno encontró que el consumo de ajo, ya sea crudo o en forma de píldoras, no tiene efecto significativo sobre el colesterol LDL. Los investigadores señalan que eso no niega que el ajo pueda tener otras propiedades saludables para el corazón.

Baja la presión arterial. El ajo también puede tener un efecto positivo en la presión arterial. En seis estudios el ajo redujo la presión arterial, sin embargo otros estudios no encontraron tal beneficio. Aun si el ajo no redujese directamente la presión arterial, sí puede servir como un sabroso sustituto a la sal en sus comidas. Y reducir el consumo de sodio es una forma de mantener la presión arterial bajo control.

Combate las afecciones cardíacas. Gracias a su poder antioxidante, el ajo puede ayudar a reducir el estrés oxidativo, que puede conducir a enfermedades del corazón. Ha habido casos en los que el ajo ha aliviado la angina inestable y ha aumentado la elasticidad de los vasos sanguíneos.

Estudios recientes demuestran que el ajo también puede retrasar la progresión de la calcificación de las arterias coronarias, o el endurecimiento de las arterias, en personas que toman estatinas. El ajo también puede controlar los niveles de homocisteína. Altos niveles de este aminoácido pueden predecir enfermedades del corazón. Cuando usted agrega más ajo a su dieta, está protegiendo a su corazón en una variedad de formas.

Deshaga los coágulos con ajo

Los coágulos de sangre podrán provocar ataques cardíacos y derrames cerebrales, pero no son rivales para el ajo. Los compuestos organosulfurados del ajo, incluida la alicina, evitan que las plaquetas se aglutinen y formen coágulos. Estudios que han utilizado varias formas de ajo, entre ellas el ajo en polvo, el aceite de ajo y el extracto de ajo envejecido, han encontrado que el ajo es efectivo tanto para personas sanas como para aquéllas con afecciones cardíacas.

El ajo crudo funciona mejor, ya que el calor puede destruir los compuestos anticoagulantes del ajo. Pero un estudio reciente encontró que aplastar el ajo antes de cocinarlo, hace que el ajo conserve mejor sus propiedades. Si usted toma warfarina u otros diluyentes de la sangre, es recomendable que limite su consumo de ajo.

El ajo reduce radicalmente el riesgo de cáncer

Una dieta rica en fibra proveniente de frutas, verduras y cereales integrales y baja en carnes rojas y alimentos procesados, puede ayudar a prevenir el cáncer de colon. Los chequeos médicos regulares también son importantes. Pero si lo que está buscando es lograr cierta ventaja para derrotar a esta temible enfermedad, considere al ajo como su mejor aliado. Esta planta aromática inhibe el crecimiento del cáncer y reduce el riesgo de padecerlo. Investigadores en Italia encontraron que las personas que comían más ajo disminuían en 26 por ciento el riesgo de padecer cáncer de colon comparadas con aquéllas que comían menos. Incluso un consumo moderado de ajo hizo una diferencia.

Este estudio no es el único. Otro estudio realizado en Japón encontró que el ajo detiene la propagación de las lesiones precancerosas en el colon. Y una revisión de todos los estudios de los últimos 10 años encontró "evidencia científica consistente" de que el ajo reduce el riesgo de padecer cáncer de colon. Comer más ajo puede también disminuir drásticamente el riesgo de desarrollar otros tipos de cáncer, entre ellos: el cáncer de boca, el cáncer de garganta y el cáncer de riñón.

El ajo obtiene sus poderes anticancerígenos principalmente de sus compuestos organosulfurados, los cuales inhiben el crecimiento tumoral. Además de estos compuestos, el selenio que contiene el ajo también es un factor determinante en la lucha contra el cáncer. La cantidad de selenio que contienen los ajos depende del suelo en el que se cultivan. Según un estudio, el ajo enriquecido con selenio combate el cáncer mucho mejor que el ajo corriente.

Para obtener los beneficios anticancerígenos del ajo, muchos expertos recomiendan comer entre dos y cuatro dientes de ajo fresco y picado al día. Usted también puede consumir ajo en forma de suplemento. Procure tomar entre 600 mg y 1,200 mg de extracto de ajo envejecido o dos tabletas de ajo liofilizado de 200 mg tres veces al día. Asegúrese de que las tabletas estén estandarizadas al 1.3 ó al 0.6 por ciento de alicina. Otra sugerencia útil: no cocine el ajo inmediatamente después de pelarlo. Déjelo reposar durante unos 15 minutos, luego cocínelo ligeramente. Esto ayudará a preservar sus propiedades anticancerígenas.

El poder antibacteriano del ajo

El ajo no sólo hace que su comida sea más sabrosa,
también hace que sea más segura. Esto se debe a que el ajo
puede destruir a las bacterias que causan las intoxicaciones
alimentarias. Desde hace mucho tiempo que se conocen las
propiedades antibacterianas del ajo, pero un estudio reciente
de la Universidad Estatal de Nuevo México encontró
que el ajo cocido también ayuda. El estudio observó
las propiedades del ajo contra las bacterias comunes
transmitidas por los alimentos, como la *Salmonella*, la
Listeria y la *Shigella*. Se añadió extractos de ajo crudo y
cocido a bacterias cultivadas en laboratorio, tanto en placas
de Petri como en un caldo nutritivo. Si bien el ajo crudo
eliminó cerca del doble de bacterias en las placas de Petri
y unas 10 veces más en el caldo, el ajo cocido también
conservó algo de sus poderes antibacterianos.

El bulbo fortalece el sistema inmunitario

Coma más ajo y se resfriará menos. Según un estudio británico este
"superalimento" puede combatir las infecciones y mantener el sistema
inmunitario en su mejor forma. En el estudio, 146 personas tomaron
ya sea un suplemento de ajo o un placebo durante 12 semanas entre
noviembre y febrero, la época de los resfriados. Durante ese tiempo,
aquéllos que tomaron ajo se mostraron menos propensos a contraer
un catarro. Y aun si se resfriaban, el resfriado no duraba tanto y era
menos probable que se volvieran a resfriar, lo que indica que el ajo
fortalece el sistema inmunitario. El ajo incluso ayudó a reducir la
gravedad de los síntomas, como los estornudos, la tos y el goteo nasal.
Y lo mejor de todo, una cápsula diaria fue suficiente.

Usted también puede consumir el ajo de la manera tradicional, a través
de los alimentos. La sopa de pollo es un antiguo remedio popular que,
según los científicos, realmente funciona. Al menos parte de su éxito

proviene del ajo, que, además de contar con poderes antimicrobianos, alivia la congestión. La alicina es el compuesto que da al ajo sus poderes contra los resfriados. Los estudios muestran que el ajo también ayuda a contrarrestar la fatiga que produce el resfriado. Funciona asimismo para la fatiga física y el cansancio en general.

Defiéndase de la diabetes con ajo

A medida que la diabetes se vuelve más común, los cambios dietéticos se hacen aún más importantes. Cuando se trata de prevenir o manejar esta enfermedad, cada pequeño detalle ayuda. Si le preocupa la diabetes, coma ajos. El ajo podría reducir el azúcar en la sangre, el colesterol y los triglicéridos, todos factores clave en la diabetes.

Un estudio reciente realizado con ratas en Kuwait encontró que altas dosis de ajo redujeron significativamente la glucosa o azúcar en la sangre. El ajo también redujo el colesterol entre 11 y 14 por ciento y los triglicéridos, la peligrosa grasa en la sangre, en 38 por ciento. En el estudio, el ajo crudo fue más efectivo que el cocido, sobre todo para bajar el azúcar en la sangre. Estos prometedores resultados podrían también ser aplicables a las personas.

La alicina es el compuesto sulfurado que garantiza el éxito del ajo. Los expertos creen que la alicina compite con la insulina en el hígado. Eso da lugar a un aumento de la insulina libre para mantener a raya a la glucosa. Los compuestos sulfurados del ajo pueden también estimular directa o indirectamente la secreción de insulina en el páncreas. De modo que agregar más ajo a su dieta puede ayudarle a evitar la diabetes y las enfermedades cardíacas. Trate de consumir 4 gramos de ajo fresco, o alrededor de cuatro dientes, o bien 8 miligramos de aceite esencial, todos los días.

Sorprendente manera de tratar las IVU

Es probable que usted ya sepa que beber jugo de arándano rojo ayuda a tratar o prevenir las infecciones de las vías urinarias (IVU). Pero el ajo no se queda atrás. Al igual que el jugo de arándano rojo, el ajo destruye las bacterias en el tracto urinario. Gracias a su poder antibiótico, el ajo ataca a los organismos que suelen causar las infecciones de las vías urinarias (IVU), entre ellos el *E. coli*, la especie *Proteus*, la *Klebsiella* y las especies estafilocócicas y estreptocócicas.

Haga espacio para más ajo en su dieta. Dos o tres dientes de ajo fresco y picado al día son suficientes. Usted también puede probar los suplementos de ajo. Sólo asegúrese de que el componente del olor no se haya eliminado, ya que ése es precisamente el que le da al ajo su acción antibacteriana. Las cápsulas de ajo con cubierta entérica combinadas con clorofila ayudan a reducir el olor sin que esto reduzca sus propiedades.

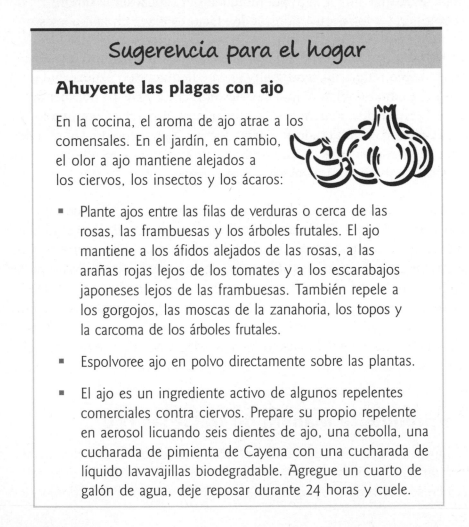

Sugerencia para el hogar

Ahuyente las plagas con ajo

En la cocina, el aroma de ajo atrae a los comensales. En el jardín, en cambio, el olor a ajo mantiene alejados a los ciervos, los insectos y los ácaros:

- Plante ajos entre las filas de verduras o cerca de las rosas, las frambuesas y los árboles frutales. El ajo mantiene a los áfidos alejados de las rosas, a las arañas rojas lejos de los tomates y a los escarabajos japoneses lejos de las frambuesas. También repele a los gorgojos, las moscas de la zanahoria, los topos y la carcoma de los árboles frutales.

- Espolvoree ajo en polvo directamente sobre las plantas.

- El ajo es un ingrediente activo de algunos repelentes comerciales contra ciervos. Prepare su propio repelente en aerosol licuando seis dientes de ajo, una cebolla, una cucharada de pimienta de Cayena con una cucharada de líquido lavavajillas biodegradable. Agregue un cuarto de galón de agua, deje reposar durante 24 horas y cuele.

Jengibre

El remedio para las náuseas y el mareo al viajar

Si cuando viaja en coche, usted siente malestar estomacal, el corazón se le acelera, suda y tiene dificultades para respirar, tal vez esté experimentando lo que se conoce como cinetosis o mareo por movimiento.

Los huesecillos y los tubos llenos de líquido del oído interno informan al cerebro su posición en el espacio, pero a veces los sentidos pueden hacerle una mala jugada. El mareo causado por movimiento ocurre cuando los ojos y los oídos envían al cerebro mensajes distintos. Esto puede suceder durante un viaje, ya sea en coche, tren, barco o avión, o cuando expone su cuerpo a emociones fuertes, como ver una película en IMAX o subirse al *Tilt-A-Whirl,* un juego clásico en los parques de atracciones donde los 'carros' giran y se inclinan.

Usted puede aliviar el mareo con un antiguo remedio: el jengibre. La parte de la planta del jengibre que consumimos y que se suele llamar la "raíz", no es realmente una raíz. Es el rizoma o tallo subterráneo de la planta del jengibre. Su agradable aroma proviene de los gingeroles, que son los fitoquímicos o sustancias químicas naturales de la planta que le proporcionan al jengibre el poder para calmar las náuseas. De hecho, un estudio encontró que el jengibre funciona mejor que el dimenhidrinato (Dramamine) para combatir el mareo por movimiento.

El jengibre le ayuda a sentirse mejor de tres maneras:
- alivia las náuseas al bloquear los receptores químicos en el estómago
- dilata los vasos sanguíneos para crear un efecto de calor
- funciona como un antioxidante combatiendo los radicales libres

El jengibre también puede ser eficaz contra otros tipos de náusea. Las personas que reciben tratamiento de quimioterapia para el cáncer a menudo sienten náuseas y las investigaciones muestran que consumir jengibre puede ayudar. Otro estudio encontró que tomar tan sólo un gramo de jengibre, lo que es apenas la mitad de una cucharadita, ayudó a evitar las náuseas y los vómitos que a menudo ocurren tras una cirugía.

La infusión de jengibre también es efectiva contra las náuseas. Utilice media taza de jengibre fresco cortado en rodajas y seis tazas de agua. Déjela hervir a fuego lento durante 20 minutos y endúlcela con miel si lo desea. El jengibre puede causar molestias digestivas, como acidez estomacal, diarrea e irritación de la boca, pero es inusual.

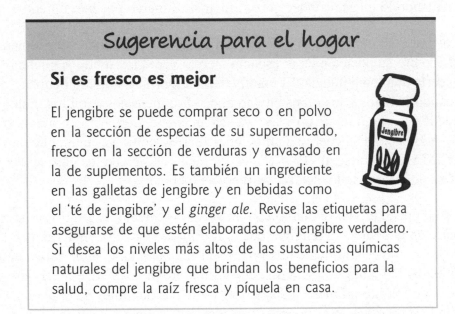

Sugerencia para el hogar

Si es fresco es mejor

El jengibre se puede comprar seco o en polvo en la sección de especias de su supermercado, fresco en la sección de verduras y envasado en la de suplementos. Es también un ingrediente en las galletas de jengibre y en bebidas como el 'té de jengibre' y el *ginger ale*. Revise las etiquetas para asegurarse de que estén elaboradas con jengibre verdadero. Si desea los niveles más altos de las sustancias químicas naturales del jengibre que brindan los beneficios para la salud, compre la raíz fresca y píquela en casa.

Reduzca la inflamación dañina con jengibre

En el mundo se producen casi 100,000 toneladas de jengibre al año. Aunque se utiliza principalmente como especia culinaria, esta popular planta tiene poderes curativos increíbles.

El jengibre ataca el dolor de la artritis. Con una pizca de jengibre en lugar de un analgésico diario, usted puede hasta olvidar que tiene artritis. Los expertos creen que las sustancias naturales del jengibre llamadas gingeroles reducen la inflamación al atacar a los radicales libres antes de que éstos puedan dañar las articulaciones. El jengibre también evita que las células de las articulaciones secreten citoquinas y quimioquinas, dos compuestos químicos naturales asociados a la inflamación. Un estudio encontró que los gingeroles actúan de manera similar a los inhibidores de la enzima natural llamada ciclooxigenasa-2 (COX-2), como el celecoxib (Celebrex). Al frenar a la COX-2, el jengibre calma el dolor y la hinchazón de la artritis. Las personas con dolor artrítico de rodilla experimentaron alivio al tomar unas dos cucharaditas de jengibre fresco y picado, dos veces al día.

> El jengibre en forma de suplemento actúa como un anticoagulante y podría aumentar el efecto de los medicamentos adelgazadores de la sangre, como la warfarina (Coumadin). Hable con su médico antes de combinarlos.

El jengibre también puede aliviar el dolor y la inflamación cuando se frota directamente en las articulaciones adoloridas. Usted puede comprar cremas tópicas de jengibre, como la *ZingiberRx Joint and Muscle Cream*.

Condimente su defensa contra el cáncer. Los fitoquímicos del jengibre también pueden dar batalla a algunos tipos de cáncer. Esto se debe a su capacidad para combatir la inflamación. Los antioxidantes del jengibre ayudan a hacerle frente al cáncer de ovario, enfermedad mortal que afecta a más de 20,000 mujeres cada año. Los antioxidantes realizan su trabajo de dos maneras:

- hacen que las células cancerosas se autodestruyan, proceso conocido como apoptosis
- alientan a las células cancerosas a 'digerirse' o atacarse a sí mismas, lo que se conoce como autofagia

Los tratamientos repetidos de quimioterapia pueden hacer que las células de cáncer se vuelvan resistentes a la apoptosis. El jengibre promueve tanto la autofagia como la apoptosis, convirtiéndolo en una poderosa arma contra las células cancerosas del ovario. De hecho, en un estudio el jengibre eliminó las células cancerosas de forma más eficiente que los fármacos utilizados habitualmente en la quimioterapia.

Salsa de jengibre y piña

Ingredientes* (Rinde 6 porciones)

1 lata (30 oz) de piña en trozos, escurrida

2 cucharadas de azúcar

2 cucharaditas de jengibre fresco, pelado y picado finamente

3/4 de taza de agua

2 cucharaditas de jugo de limón

1 cucharadita de vinagre blanco destilado

Sal y pimienta al gusto

Preparación

1. Mezcle los trozos de piña, el azúcar, el jengibre picado y el agua en una cacerola.

2. Deje que la mezcla rompa a hervir a fuego mediano-alto. Baje el fuego y deje hervir suavemente, revolviendo con frecuencia, hasta que la piña esté blanda. Agregue más agua si es necesario. Cocine entre 20 y 30 minutos.

3. Retire del fuego y agregue el jugo de limón, el vinagre y sal y pimienta al gusto. Refrigere hasta el momento de servir.

Información nutricional por porción: 102.4 calorías (1.4 calorías de la grasa, 1.41 por ciento del total); 0.2 g de grasa; 0.7 g de proteínas; 26.5 g de carbohidratos; 0.0 mg de colesterol; 1.9 g de fibra; 8.6 mg de sodio

*Si no reconoce el nombre de un ingrediente, vea el glosario en la página 360.

Goji

Esta antigua 'superfruta' china protege su visión

En China la baya de *goji* (pronunciado "goyi") se consume desde
hace siglos para gozar de una vida más larga y saludable. Es una
baya pequeña de color rojo brillante también llamada licio chino
(*wolfberry,* en inglés). Hay quienes afirman que su sabor es un cruce
entre una cereza y un arándano rojo. Es tan novedosa en Estados
Unidos que poco se conoce acerca de sus virtudes para la salud. De
hecho, el Departamento de Agricultura de Estados Unidos aún no ha
analizado el contenido nutricional de la baya de *goji*. Sin embargo, los
investigadores han empezado a estudiar la concentración de nutrientes
del *goji* y han encontrado un número impresionante de antioxidantes,
como la zeaxantina, el betacaroteno, la vitamina C y el cinc.

Es precisamente ese nivel tan alto de antioxidantes lo que hace que el
goji sea un excelente protector de la visión. He aquí cómo funciona:

■ Las cataratas, esas áreas nubladas en el cristalino del ojo que
bloquean la visión, son uno de los problemas de visión más
comunes en las personas mayores de 50 años. Pueden estar
relacionadas con la cantidad de vitamina C que se ingiere. La
vitamina C ayuda a proteger los ojos contra los daños de los
radicales libres. Investigadores en Japón encontraron que las
personas de mediana edad con una dieta rica en vitamina C
tenían un riesgo menor de desarrollar cataratas que aquéllas que
consumían menos de esta importante vitamina. Las bayas secas de
goji tienen aproximadamente el mismo nivel de vitamina C que
los limones frescos, de modo que usted puede obtener la mitad de
su requerimiento diario de vitamina C con sólo 2 onzas de *goji*.

■ La degeneración macular asociada con la edad (DMAE) es otro
problema común de los ojos cuando envejecemos. La DMAE
ocurre cuando hay daño en la mácula, que es la parte central de la

retina en la parte posterior del ojo. Es como tener un punto negro en el centro de la pantalla que debe reflejar las imágenes transmitidas por el cristalino del ojo. La retina es especialmente propensa a sufrir los daños de los radicales libres debido a que está expuesta a la luz y al oxígeno. Los antioxidantes, específicamente el betacaroteno, el cinc, la vitamina C y la vitamina E, pueden detener esos daños. Las bayas de *goji* contienen al menos tres de estos cuatro antioxidantes.

Sugerencia para el hogar

Dónde comprar estas poderosas bayas

No se moleste en buscar bayas frescas en la sección de verduras de su supermercado. La mayoría es secada tras la cosecha, ya que la fruta es bastante frágil. Si desea probarlas, busque paquetes de bayas secas de *goji* o *wolfberries,* que se verán como pasas de color rojo brillante. Usted también encontrará las bayas secas como ingrediente en algunas granolas, barras de energía e infusiones de hierbas. O bien pruebe el jugo de *goji,* aunque algunas marcas son bastante caras: hasta $35 por una botella de litro. Las bayas de *goji* son también un componente de la nueva bebida energética *180 Red.*

Manténgase joven con el poder 'goji'

Los beneficios del jugo de *goji* se anuncian con bombos y platillos. Se afirma que se trata del alimento más nutritivo del mundo, que fortalece los músculos y que funciona como un Viagra natural. Es probable que haya exageraciones en muchas de estas afirmaciones. Pero según estudios recientes, la minúscula baya de *goji* sí puede hacer que usted se sienta más joven física y mentalmente.

Cárguese de energía. Un grupo de investigadores realizó pruebas para ver cómo los polisacáridos del *goji* ayudan a los músculos a recuperarse del ejercicio intenso y agotador. Encontraron que los ratones expuestos a un programa de ejercicio vigoroso durante 30 días se beneficiaron de estos carbohidratos especiales. Estos compuestos ayudaron a las enzimas antioxidantes en sus músculos a contrarrestar la tensión causada por el uso excesivo. Eso hace que el *goji* sea un excelente alimento para ayudarle a sentirse mejor después del ejercicio.

Otros científicos estudiaron si el jugo de *goji* puede ayudar a las personas a sentirse mejor física y mentalmente. Durante dos semanas, los participantes del estudio bebieron cerca de media taza de jugo de *goji* al día. La mayoría sintieron más energía, durmieron mejor, estaban mentalmente más alertas y, en general, se sentían más contentos. También experimentaron mejor rendimiento deportivo y regularidad digestiva.

Retrase el envejecimiento. Estos resultados hacen que la baya de *goji* sea presentada como la fuente de la juventud y, de hecho, tiene esa reputación. Una región de China donde el *goji* ha sido cultivado y consumido durante 2,000 años es conocida por la longevidad de su población: tiene 16 veces más personas mayores de 100 años que el resto de China. También existe la leyenda de Li Qing Yuen, un hombre chino que se cree llegó a vivir 252 años, simplemente comiendo *goji* todos los días.

El *goji* será una baya buena, pero no para todos. Hable con su médico si está tomando un anticoagulante. También debe evitar esta baya si usted está recibiendo una terapia de radiación. Y tenga cuidado si es alérgico a las solanáceas, como la berenjena o el tomate.

¿Qué es exactamente lo que hace que las bayas de *goji* sean tan especiales? Tienen gran cantidad de antioxidantes, incluida mucha zeaxantina y tanta vitamina C como la misma cantidad de limón fresco. Se cree que son los polisacáridos especiales del *goji* los que retardan los efectos del envejecimiento en los ojos, en el cerebro y en muchas otras células del cuerpo. Por último, se dice que el *goji* estimula la glándula pituitaria y la hace secretar la hormona humana del crecimiento, que según algunas personas, retarda los signos del envejecimiento. Así que consuma bayas de *goji* cuando necesite un poco de energía extra.

Cuadrados crocantes de avena

Ingredientes* (Rinde 24 porciones)

1/2 taza de margarina

3/4 de taza colmada de azúcar morena

1 cucharadita de extracto de vainilla

1/2 cucharadita de polvo de hornear

2 tazas de copos de avena

1/2 taza de pasas de uva

1/2 taza de bayas de *goji* secas y picadas

Preparación

1. Precaliente el horno a 350°F. Engrase una bandeja para hornear de 9x13 pulgadas.

2. En una sartén grande, derrita la margarina y el azúcar morena.

3. Retire del calor e incorpore los ingredientes restantes. Revuelva bien.

4. Esparza la mezcla sobre la bandeja y hornee durante 15 a 20 minutos. Deje enfriar. Corte en cuadrados.

Información nutricional por porción: 96.5 calorías (38.2 calorías de la grasa, 39.58 por ciento del total); 4.2 g de grasa; 1.2 g de proteínas; 14.0 g de carbohidratos; 0.0 mg de colesterol; 0.8 g de fibra; 80.6 mg de sodio

*Si no reconoce el nombre de un ingrediente, vea el glosario en la página 360.

Té verde

Cancele las caries de raíz

Bebiendo unas cuantas tazas de té verde usted podría evitar las facturas y el taladro del dentista. Parece demasiado bueno para ser verdad, pero lo cierto es que los científicos afirman que el té verde da caza a las bacterias que causan las caries dentales. Los primeros "provocadores" de caries son las bacterias, como el *Streptococcus mutans (S. mutans)* y el *Streptococcus sobrinus,* que se encuentran naturalmente en la boca. La buena noticia es que los estudios muestran que las catequinas del té pueden inhibir esas bacterias e incluso aniquilarlas. A los *S. mutans* supervivientes y a sus compinches les gustaría adherirse a sus dientes. Para ello necesitan la ayuda de la enzima glucosiltransferasa, pero las catequinas del té verde también inhiben esa enzima.

Si las bacterias encuentran una manera de adherirse a los dientes, pasan a formar parte de una película llamada sarro dental. Ahí es cuando comienzan a producir el ácido que carcome los dientes y causa las caries. Las bacterias necesitan azúcar para lograr que eso suceda. Ese azúcar proviene mayormente de los dulces y a eso se debe que los dentistas aconsejen no comer tantos. Pero incluso si renuncia al azúcar, una enzima llamada amilasa puede convertir los alimentos ricos en almidones en azúcar que los *S. mutans* pueden utilizar. Por suerte, los compuestos del té verde también inhiben la amilasa.

Estudios indican que quienes beben té verde sin azúcar desarrollan menos caries y cuando las tienen, éstas son menos severas. Si combina la acción de este enemigo de las caries con el cepillado, el hilo dental y una alimentación inteligente, es posible que no vuelva a tener otra carie.

La bebida que baja la glucosa en la sangre

Al igual que en las casas señoriales británicas de los años veinte, muchas células tienen una especie de "mayordomo personal". La diabetes se desarrolla, entre otras razones, cuando este "mayordomo personal" desaparece y no hace el trabajo que le corresponde. Pero con unas cuantas tazas de té verde usted puede ubicarlo y traerlo de vuelta para que le ayude a defenderse de la diabetes y de sus complicaciones.

Tomemos las células de grasa como ejemplo. Éstas producen una proteína llamada GLUT-4 que recibe a los visitantes en la "puerta" y decide si los deja pasar o no. La insulina y la glucosa sanguínea son visitantes frecuentes debido a que las células necesitan glucosa para obtener energía, y la insulina les ayuda a conseguirla. Normalmente la GLUT-4 invita a pasar a la glucosa. Eso ayuda a reducir la cantidad de glucosa en la sangre haciendo menos probable que sufra diabetes y asimismo menos probable que sus síntomas empeoren si ya es diabético.

Los estudios con animales indican que una dieta con alto contenido de grasas o azúcares puede impedir que las células produzcan GLUT-4, lo que significa que la glucosa no tendrá quién le abra la puerta. Sin un lugar a dónde ir, la glucosa se acumula en el torrente sanguíneo. Científicos de Taiwán descubrieron que a los animales que se les daba té verde junto con la comida tenían niveles de glucosa sanguínea más bajos que los que bebían agua. También encontraron muestras de que el té verde eleva el número de proteínas GLUT-4 disponibles y ayuda a que la glucosa ingrese a las células.

No piense que eso es todo lo que el té verde puede hacer por usted. Si usted ya es diabético, el riesgo de sufrir complicaciones, como las cataratas, aumenta automáticamente. Un estudio realizado con animales en la Universidad de Scranton concluyó que el té verde puede ayudar. Los investigadores descubrieron que beber cuatro o cinco tazas de té verde reduce el azúcar en la sangre, lo que ayuda a inhibir el proceso de formación de cataratas.

Los expertos dicen que se necesita investigar más antes de poder recomendar con toda confianza el té verde para tratar la diabetes. Pero, ¿por qué no disfrutar un poco de té verde cada día? Usted podría prevenir o hasta revertir la diabetes con esta popular bebida. Comience gradualmente para ver cómo le afecta la cafeína que contiene. Si le mantiene despierto durante la noche o le pone nervioso, reduzca la cantidad o pruebe el té verde descafeinado.

Un sorbo salvavidas para la piel

El té verde no es un simple guardaespaldas entre usted y el cáncer de piel, es todo un escuadrón de guardaespaldas. Si los científicos tienen razón, los polifenoles del té verde pueden ayudar a la piel a defenderse con un arsenal de armas contra el daño solar que puede causar el cáncer de piel. Un estudio de la Universidad de Alabama, de Birmingham, encontró que los animales resistieron mejor la radiación ultravioleta B después de beber agua con polifenoles de té verde. Éstos son algunos ejemplos de cómo los polifenoles les brindaron protección:

- Tuvieron menos tumores y los que tuvieron fueron más pequeños.

- Produjeron menos compuestos vinculados al crecimiento y a la propagación del cáncer.

- Produjeron menos de dos compuestos que ayudan a que los tumores desarrollen vasos sanguíneos. Estos vasos sanguíneos no sólo traen alimento hacia los tumores sino que también pueden ayudarles a crecer.

- Produjeron más células que actúan como pesticidas contra las células tumorales.

No crea que el té solamente puede ayudar a los animales. Un estudio de la Escuela de Medicina de Dartmouth, de New Hampshire, encontró que las personas que bebieron dos o más tazas de té verde o negro al día durante por lo menos un mes, disminuyeron el riesgo de dos tipos de cáncer de piel, el carcinoma de células escamosas y el carcinoma basocelular, entre un 20 y 30 por ciento. Para una mayor protección, agregue una rodaja de limón a su té. Los estudios indican que el limón potencia los beneficios curativos del té.

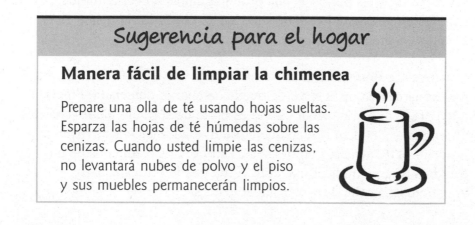

Sugerencia para el hogar

Manera fácil de limpiar la chimenea

Prepare una olla de té usando hojas sueltas. Esparza las hojas de té húmedas sobre las cenizas. Cuando usted limpie las cenizas, no levantará nubes de polvo y el piso y sus muebles permanecerán limpios.

La receta para la buena memoria

Para la mayoría de las personas que viven en Japón, la probabilidad de sufrir demencia es menor que para los europeos y los estadounidenses. En Japón también se consumen grandes cantidades de té verde. Los científicos creen que estos dos hechos pueden estar relacionados. Investigadores de la Universidad de Tohoku, de Japón, examinaron los resultados de las pruebas de estado mental de 1,000 personas mayores de 70 años. Estas pruebas evaluaban capacidades mentales, como la memoria, la atención y la capacidad de seguir instrucciones. La disminución de estas capacidades suele ser uno de los primeros síntomas de demencia.

También se les preguntó a los participantes del estudio qué bebidas consumían y con qué frecuencia. Los que disfrutaban de por lo menos dos tazas de té verde al día presentaban el riesgo más bajo de perder la memoria y la capacidad de pensar. Pero incluso aquéllos que bebían solamente entre cuatro y seis tazas a la semana tenían menos probabilidades de dar muestras de una disminución de sus capacidades mentales que aquéllos que bebían té tres veces a la semana o menos.

Los investigadores de Tohoku creen que son las catequinas del té verde, especialmente las llamadas epigalocatequina-3-galata (EGCG), las que protegen el cerebro. Los expertos pensaban antes que la capacidad antioxidante de la EGCG defendía al cerebro del Alzheimer, pero los investigadores de Japón creen que la EGCG puede hacer más que eso. Ellos señalan que uno de los síntomas de la enfermedad de Alzheimer es la formación de placas en el cerebro. El componente principal de estas placas es una proteína llamada beta-amiloide, que daña el tejido fino del cerebro. La EGCG puede introducirse en el cerebro y ayudar a protegerlo contra la beta-amiloide y sus efectos.

Los investigadores de Japón advierten que este estudio no demuestra necesariamente que el té verde puede detener la demencia. Precisan que para la mayoría, beber este té es parte de sus actividades sociales y también se ha demostrado que las actividades sociales ayudan a prevenir la demencia. Pero no se desanime. Los resultados de otros estudios parecen indicar que el té verde puede brindarle otros beneficios más allá de su capacidad para saciar la sed. Por ejemplo:

- A ratones propensos a sufrir problemas de memoria y deterioro del cerebro se les dio a beber agua, té verde o té *oolong* durante cuatro meses. Los ratones que bebieron té demostraron mejoras significativas en la memoria y la salud cerebral, afirman los investigadores de la Universidad de Princeton.

- En pruebas de laboratorio realizadas en la Universidad de Newcastle upon Tyne, de Inglaterra, se encontró que el extracto de té verde inhibe las actividades de tres enzimas vinculadas a la enfermedad de Alzheimer. Si bien los extractos son por lo general más potentes que el té común, el investigador principal del estudio indica que es factible que el té verde común también ayude a mejorar la memoria.

Mientras que los científicos continúan estudiando el potencial del té verde, ¿por qué no lo pone usted a prueba? Disfrute de una taza en el desayuno o comparta una tetera con los amigos en el almuerzo. Puede que su cerebro se lo agradezca en los años venideros.

Incremente la acción de los antibióticos

El té verde convirtió en víctimas indefensas a un 20 por ciento de las superbacterias resistentes a los fármacos, informan investigadores de la Universidad de Alejandría, de Egipto. Las mismas bacterias que se habían burlado de los antibióticos fueron aniquiladas fácilmente gracias a una combinación de antibióticos y té verde. Y eso no es todo.

Los científicos enfrentaron a equipos de té verde y de antibióticos contra 28 diferentes microbios causantes de enfermedades. Con todos los antibióticos, el té verde incrementó el poder antibacteriano de los medicamentos y destruyó la resistencia de las bacterias a los antibióticos. Así que la próxima vez que su médico le recete un antibiótico, pruebe tomarlo con té verde. Podría quedar gratamente sorprendido con los resultados.

Póngase verde para prevenir la inflamación

Un compuesto que se encuentra en el relajante té verde podría ser la clave para reducir la inflamación, el daño en las articulaciones y mucho más. Puede que las catequinas del té verde no sean el tratamiento común para la artritis reumatoide (AR) o las infecciones de las vías urinarias hoy en día, pero las investigaciones indican que podrían desempeñar un papel importante en el futuro.

- Un estudio de laboratorio realizado por el Sistema de Salud de la Universidad de Michigan encontró que una catequina del té llamada EGCG inhibió dos compuestos conocidos por el daño articular que producen en la artritis reumatoide (AR). La EGCG también bloqueó la producción de una sustancia parecida a una hormona que contribuye a desencadenar la dolorosa inflamación de las articulaciones en la AR.

- Expertos de la Escuela de Medicina de la Universidad de Pittsburgh creen que el té verde ayuda a proteger contra las infecciones de la vejiga. Ellos encontraron que las células de la vejiga expuestas a las catequinas del té tenían menos probabilidades de inflamarse y morir después de ser expuestas al peróxido de hidrógeno, el cual daña las células. Esto podría significar que el té verde ayuda a proteger a la vejiga de la inflamación y de las lesiones que pueden causar las infecciones y otros problemas de la vejiga.

Lo último sobre el cáncer de próstata y el té

No crea en todo lo que lee. Un estudio realizado en el año 2006 encontró que beber té verde no disminuía el riesgo de padecer cáncer de próstata, sin embargo, un estudio más reciente está en desacuerdo. He aquí lo que usted necesita saber:

El estudio original del 2006 parecía a prueba de balas. Este estudio conducido en Japón con 19,000 personas encontró que los hombres que bebían cinco tazas de té al día no tenían un riesgo menor de padecer cáncer de próstata comparados con los hombres que bebían una sola taza. Pero un estudio más reciente del Centro Nacional de Cáncer de Japón hizo el seguimiento de 49,000 hombres durante 10 años o más. Ese estudio encontró que si bien el té verde no previene todos los tipos de cáncer de próstata, sí puede reducir las probabilidades de sufrir un cáncer de próstata avanzado o con riesgo de muerte. Es más, cuanto más té bebían los hombres, menor era su riesgo.

Los investigadores creen que uno de los polifenoles del té, un antioxidante llamado EGCG, puede luchar contra el cáncer de próstata de varias formas. Por ejemplo, la EGCG puede desencadenar la muerte de las células cancerosas o hacer más lento su crecimiento. También puede ser que combata el cáncer de próstata avanzado inhibiendo un compuesto peligroso. La investigación ha vinculado este compuesto al cáncer agresivo de próstata y a la metástasis del cáncer en quienes ya padecen la enfermedad.

Potencie los beneficios del té para la salud

Acompañe el té con una rodaja de limón y obtenga cuatro veces más compuestos que fomentan su salud. Un estudio de la Universidad de Purdue encontró que cuando se bebe el té solo, se obtiene únicamente el 20 por ciento de los polifenoles llamados catequinas, que son los compuestos más saludables del té. Pero si le agrega un chorrito de jugo de limón una vez que la infusión está lista, ese número salta a 80 por ciento. ¿Por qué? La acidez adicional estabiliza las catequinas de modo que el cuerpo tiene tiempo de absorber una mayor cantidad. Según los investigadores, el jugo de limón demostró ser el mejor preservante de catequinas. Los jugos de naranja, lima y toronja son buenas segundas opciones.

Recuerde lavar bien los cítricos para eliminar los pesticidas y evitar otros problemas. Y tenga cuidado con las rodajas de limón en restaurantes. Las investigaciones muestran que pueden estar contaminadas con microbios potencialmente peligrosos.

Dip *de queso crema y té verde*

Ingredientes* (Rinde 4 porciones)

1 taza de té verde preparado
con tres bolsitas de té

1 taza de queso crema
bajo en grasa

2 cucharadas de albahaca
fresca, finamente picada

Preparación

1. Ponga una taza de agua a calentar hasta que rompa a hervir
   y deje enfriar durante un minuto.

2. Vierta el agua caliente sobre las tres bolsitas de té verde y
   deje remojar de 3 a 5 minutos.

3. Escurra las bolsitas de té y retírelas del agua.

4. Deje enfriar el té verde a temperatura ambiente o tápelo y
   enfríe en el refrigerador.

5. Pase el queso crema y la albahaca a una licuadora y licúe a
   velocidad media-alta hasta lograr una consistencia uniforme.
   Poco a poco agregue el té preparado hasta que la mezcla
   adquiera la consistencia deseada.

6. Refrigere, cubierto, durante una hora por lo menos. Sirva
   para untar sobre galletas saladas o como *dip* para verduras,
   totopos o bocadillos.

Información nutricional por porción: 139.6 calorías (95.1 calorías
de la grasa, 68.16 por ciento del total); 10.6 g de grasa; 6.4 g de proteínas;
4.4 g de carbohidratos; 33.6 mg de colesterol; 0.1 g de fibra; 179.4 mg de sodio

*Si no reconoce el nombre de un ingrediente, vea el glosario en la página 360.

Miel

Descubra la maravilla curativa de la miel

"Come miel, hijo mío, que es buena", fue el consejo del rey Salomón hace miles de años. Los investigadores de hoy están comprobando lo sabio que fue el rey Salomón.

Despídase de la tos. Un estudio con niños y adolescentes enfermos entre 2 y 18 años de edad descubrió que aquéllos que tomaron miel antes de acostarse tosieron menos y durmieron mejor que los que tomaron un jarabe para la tos sin receta. Los investigadores eligieron la miel de trigo sarraceno porque la miel oscura tiene más antioxidantes que la miel clara. La miel también podría ser efectiva porque es emoliente y actúa como un tranquilizante, que, al cubrir las áreas irritadas, alivia la inflamación. Ese poder calmante puede ser la razón por la cual la miel es buena tanto para el dolor de garganta como para calmar la tos.

Este dulce remedio no es sólo para los niños, así que pruébelo la próxima vez que se enferme. Silencie la tos con una mezcla de dos cucharaditas de miel en una taza de jugo tibio de piña. Unas cuantas cucharaditas de jugo de limón y miel en agua tibia o en té caliente también brindan un reconfortante alivio. Sólo recuerde que nunca hay que darle miel a niños menores de un año. Los médicos dicen que podría ponerlos en riesgo de contraer botulismo.

Ponga su digestión en movimiento. La miel también es un antiguo remedio utilizado por los griegos contra el estreñimiento. Los científicos concuerdan en que realmente funciona.

Un pequeño estudio realizado en Grecia encontró que era más probable que las personas tuvieran el estómago suelto en las 10 horas posteriores a haber tomado 1 1/2 cucharadas de miel. Los investigadores creen que los responsables pueden ser los azúcares de la miel. Como muchos otros alimentos, la miel contiene fructosa y glucosa. Ésa es una buena noticia ya que el cuerpo necesita glucosa para poder absorber la fructosa. Sin embargo, algunas personas no pueden absorber toda la fructosa de la miel y los científicos creen que la fructosa que no se absorbe viaja al colon donde las bacterias la fermentan. Esto produce sustancias que podrían ayudar a acelerar los procesos del intestino para que usted regrese a la normalidad.

Si bien puede que este remedio no funcione para todos, merece la pena intentarlo. Revuelva entre una y tres cucharadas de miel en un vaso de agua tibia y beba. Este remedio de miel es mucho más agradable que los laxantes y podría brindarle el mismo alivio.

Descubra una causa oculta de los malestares estomacales

Usted come una tostada con miel y tiene hinchazón, gases, dolor de estómago e, incluso, diarrea. Si esto es un problema habitual, es posible que sufra de intolerancia a la fructosa dietética. Esta mala absorción de la fructosa ocurre cuando al cuerpo le cuesta digerir la fructosa, un tipo de azúcar que se encuentra en muchos alimentos. La glucosa puede ayudar al cuerpo a digerir la fructosa, pero solamente si el alimento contiene por lo menos tanta glucosa como fructosa. La miel contiene más fructosa que glucosa, lo que es particularmente difícil para las personas con este problema digestivo.

Si usted cree que tiene intolerancia a la fructosa dietética, pídale a su médico que le haga una prueba. Usted deberá evitar la miel, la manzana, la pera, el jugo de manzana y cualquier alimento endulzado con jarabe de maíz de alta fructosa (*high fructose corn syrup*, en inglés), como las bebidas no alcohólicas. La fructosa también se oculta en muchos otros alimentos y bebidas, así que su mejor opción es hablar con un médico o con un dietista para planificar una dieta que le permita sentirse mejor.

Lo mejor para superar el insomnio

¿No logra conciliar el sueño o simplemente duerme muy mal? ¿Tiene tanto cansancio que siente celos de la Bella Durmiente? Si usted sufre de insomnio la miel podría ser su boleto al planeta de los sueños, ya que tiene dos armas secretas sorprendentemente efectivas:

La glucosa. Cuando este azúcar ingresa al cuerpo, provoca una reacción en cadena que estimula la producción de la sustancia química del sueño, el triptófano, en el cerebro. El triptófano se convierte en serotonina y luego en melatonina. Ambos compuestos le ayudan a relajarse y a quedarse dormido.

La fructosa. La fructosa y la glucosa de la miel juntas ayudan a que el hígado produzca glucógeno. El glucógeno es vital para el cerebro. De hecho, si el cerebro detecta una escasez de glucógeno, inmediatamente provoca la secreción de las hormonas del estrés, tales como el cortisol y la adrenalina. Esto hace que sea difícil para usted permanecer dormido o gozar de un sueño profundo. Pero una dosis nocturna de miel puede proveer la suficiente fructosa y glucosa para ayudar a que el hígado produzca glucógeno toda la noche.

Si usted desea probar esta cura de miel, tome una cucharada o dos una hora antes de irse a dormir. Puede ser todo lo que necesita para poner fin a sus problemas de sueño.

Cómo sanar el cuerpo por dentro y por fuera

Un nuevo vendaje para heridas saturado con miel de Manuka es tan efectivo que el ejército de Estados Unidos lo utilizó en Irak para tratar las quemaduras. Este vendaje, llamado *MediHoney* y utilizado en Nueva Zelanda, Australia y Gran Bretaña para tratar las heridas, también puede ayudar a prevenir las infecciones causadas por las bacterias resistentes a los antibióticos. Lo mejor de todo es que el *MediHoney* ya está a la venta en Estados Unidos.

Los expertos sostienen que todos los tipos de miel tienen algún poder curativo, pero la de Manuka contiene un poderoso enemigo de las bacterias que las otras mieles no tienen. Pero ésa no es toda la historia. Cuando se comparó la miel de Manuka con otro tipo de miel, ésta resultó más efectiva contra algunas de las bacterias más terribles como el *E. coli* y el *Staphylococcus aureus* resistente a los antibióticos. Sin embargo, ambas detuvieron el crecimiento de siete tipos de bacterias infecciosas, aun cuando los investigadores utilizaron una solución que contenía tan sólo 11 por ciento de miel.

Quizás la miel funciona tan bien porque acelera la cicatrización de las heridas de cinco maneras diferentes:

- combate la infección absorbiendo la humedad que las bacterias necesitan para vivir

- provee un entorno cargado de azúcar en el cual a las bacterias les es difícil crecer

- ayuda a reducir la inflamación

- genera el peróxido de hidrógeno necesario para servir de antiséptico leve, pero no demasiado como para matar las células

- extrae líquido de la herida para ayudar a que la zona dañada se limpie a sí misma

Los profesionales de la medicina recomiendan encarecidamente no usar la miel de la despensa para tratar cortes y quemaduras. La miel comprada en el supermercado no es tan efectiva como la miel utilizada en los estudios médicos. Eso se debe a que la miel del supermercado ha sido tratada térmicamente, un proceso que diezma su capacidad para combatir gérmenes nocivos.

La miel cruda de las colmenas del apicultor no ha sido sometida a un tratamiento térmico, así que conserva sus propiedades. Sin embargo, a veces la miel cruda no ha sido filtrada y puede contener impurezas.

La miel puede ayudar a combatir el mal aliento. Para preparar su propio enjuague bucal mezcle una pizca de canela con una cucharadita de miel en agua caliente. Deje enfriar y úselo para hacer gárgaras todas las mañanas.

Esa miel no es un producto estéril que se pueda colocar sobre una herida. Así que si desea probar la miel, busque un apicultor que ofrezca miel cruda filtrada. Si no puede encontrar uno, pregunte en su farmacia local o llame a Derma Sciences, Inc., la compañía que fabrica *MediHoney,* al 800-445-7627.

Sugerencia para el hogar

El secreto de belleza de las reinas

La miel ha sido un secreto de belleza de reinas como Cleopatra, del antiguo Egipto, y la Reina Ana de Inglaterra. Y no es de extrañar. Según la Junta Nacional de la Miel, esta dulce sustancia es un humectante natural y ayuda a que la piel retenga la humedad. Los poderes antibacterianos y antiinflamatorios de la miel también ayudan a proteger la piel. Así que pruebe esta receta:

Mezcle 1/4 de taza de avena con media taza de agua en un recipiente alto, apto para el microondas. Cueza durante dos minutos en el microondas, pero vigile cuidadosamente que la avena no hierva y se derrame fuera del plato. Deje enfriar la mezcla hasta que esté tibia. Luego agregue 1/4 de taza de miel a la avena cocida y mezcle bien. Úsela como una mascarilla hidratante y deje reposar sobre la cara durante 12 minutos. Enjuague con agua fresca, pero no muy fría, y empiece a disfrutar los resultados.

Haga un cambio que su corazón agradecerá

Una nueva y prometedora investigación de la Universidad de Illinois parece indicar que usar miel en vez de azúcar puede ayudar a prevenir un ataque al corazón. Los investigadores probaron varios tipos de miel para descubrir cuáles podían influir en el colesterol LDL o colesterol "malo". Pero no intentaban reducir el colesterol, lo que querían era evitar que se oxidara. ¿Por qué? La oxidación del colesterol LDL conduce a la formación de la placa que obstruye las arterias. Dado que la acumulación de placa arterial puede contribuir a los ataques cardíacos, usted definitivamente querrá detener el proceso de formación de placa antes de que se inicie. Y es aquí donde interviene la miel. Un estudio de laboratorio encontró que la cantidad de colesterol LDL que se oxidaba disminuía cuando se agregaba miel oscura a las muestras de sangre. Las mieles más claras no eran tan eficaces.

Futuras investigaciones determinarán si cuando se ingiere la miel ésta funciona del mismo modo que en las pruebas de laboratorio. Pero entretanto, ¿por qué no sustituir el azúcar de mesa por miel oscura, como la de trigo sarraceno? Le estará dando a su corazón y a sus arterias una dosis adicional de protección.

Resuelva sus problemas de polen

Puede que parezca absurdo pensar en la rinitis alérgica estacional, también conocida como fiebre del heno, en pleno invierno. Pero algunos amantes de la miel aseguran que ése es el mejor momento para contraatacarla. Ellos recomiendan una cucharada de miel al día para reducir y hasta eliminar los síntomas de las alergias primaverales.

A pesar de que los estudios no han producido prueba alguna de que esto funcione, muchas personas aseguran haber obtenido alivio. El truco es utilizar el tipo correcto de miel. Así que si quisiera probar la miel contra la rinitis alérgica, asegúrese de evitar estos dos errores:

■ No utilice miel de la tienda. La miel puede aliviar las alergias solamente si contiene el mismo polen local que provoca sus estornudos y goteos nasales. Es probable que la miel de la tienda no provenga de fuentes locales y, por lo general, el polen ha sido filtrado. En cambio, es más probable que la miel de un apicultor local contenga polen. Aún mejor, lo más probable es que este polen no le hará estornudar ya que pasará a través de su sistema digestivo y no de su nariz. Sin embargo, la exposición regular diaria a ese polen a través de la miel puede ayudar a su sistema inmune a desarrollar tolerancia al polen. De ese modo, ese polen tal vez ya no le provoque síntomas de alergia la próxima vez que lo respire.

■ No espere hasta sentir los primeros síntomas de la alergia. Hay quienes afirman que esta dulce cura no será efectiva a menos que le de tiempo. Por lo tanto empiece a tomar miel al comienzo del invierno para darle a su sistema inmunitario varios meses para adaptarse. Su nariz se lo agradecerá cuando llegue la primavera.

La miel es por lo general inofensiva, pero algunas personas son alérgicas a ella. Si usted experimenta cualquier síntoma inusual después de consumir miel, deje de tomarla.

Protección natural contra la intoxicación por alimentos

Si le preocupa la seguridad alimentaria, le tenemos buenas noticias. Los investigadores de la Universidad Estatal de Kansas han descubierto que tratar los alimentos con una mezcla de extracto de té y miel oscura de flores silvestres diezma las bacterias de la intoxicación alimentaria que acechan en los alimentos. Por ejemplo, tratar una rebanada de pechuga de pavo con extracto de té de jazmín y miel oscura de flores silvestres reduce la cantidad de microbios peligrosos de *Listeria* en la carne. Cuando se combina con miel oscura de flores silvestres, el extracto de té verde tiene un efecto similar. Y estos extractos de té con miel mantienen las poblaciones bacterianas a raya hasta por 14 días en algunos tipos de *hot dog*.

Los investigadores esperan poder inventar un "limpiador de superficie" que los fabricantes de alimentos puedan utilizar para limpiar sus productos. Eso ayudaría a prevenir la intoxicación por carnes y verduras listas para comer, sin contaminar los alimentos con productos químicos tóxicos.

Inulina

Tres maneras de proteger el colon

La inulina es un tipo fibra con la que usted puede no estar
familiarizado, aunque es un compuesto de la cebolla y el ajo. Hoy la
inulina está siendo reconocida ya que puede ayudar a que el sistema
digestivo trabaje mejor y, posiblemente, prevenir el cáncer de colon.

La inulina es una fibra soluble natural y también un azúcar. Pertenece
a una clase de compuestos vegetales llamados fructanos, que almacenan
la energía como fructosa y no como glucosa. La inulina funciona como
un prebiótico, es decir, como
un alimento para las bacterias
benéficas que viven de manera
natural en el sistema digestivo.
Su fuente más común es la
raíz de la achicoria, que se
utiliza desde hace mucho
tiempo como sustituto del café.

Fuentes naturales de inulina	
★ achicoria	★ poro
★ cebolla	★ ajo
★ banana	★ espárrago
★ trigo	★ tupinambo

La inulina cumple tres importantes funciones para mejorar la digestión:

- Acaba con el estreñimiento. Los médicos recomiendan consumir
  una mezcla de fibras solubles e insolubles para mantener la
  regularidad intestinal, entre 20 y 30 gramos al día para los adultos
  mayores. Al igual que las demás fibras solubles, la inulina forma
  un gel en el intestino, para atrapar y eliminar las sustancias grasas.

- Combate las enfermedades como la colitis ulcerosa. Se trata de
  un tipo de enfermedad inflamatoria intestinal que causa dolor,
  diarrea y sangre en las deposiciones debido al daño en los tejidos
  del colon. La inulina parece ayudar disminuyendo la inflamación
  e incrementando el poder de las bacterias benéficas que viven en
  el colon.

■ Mantiene el colon libre de cáncer. Estudios de laboratorio han demostrado que la inulina frena el desarrollo de zonas precancerosas en el colon. Los expertos creen que la inulina provoca cambios en las enzimas digestivas para ayudar a que las bacterias intestinales "amigables", como las bifidobacterias, crezcan y florezcan. Estos cambios también ayudan a eliminar a las bacterias más peligrosas, expulsándolas del colon en las deposiciones.

Quédese con lo bueno, elimine lo malo y todo su sistema digestivo estará feliz y saludable.

Un azúcar simple que es ideal para los diabéticos

La dulce fibra soluble de la inulina pudiera ser justo lo que usted necesita para controlar el azúcar en la sangre. Esta fibra podría incluso considerarse un alimento milagroso para las personas con diabetes.

Controle el azúcar en la sangre. Las personas con diabetes tipo 2 necesitan equilibrar la glucosa sanguínea, que puede llegar a elevarse demasiado después de las comidas. A diferencia de otros azúcares, la inulina no eleva la glucosa en la sangre debido a que no se descompone en el estómago ni en el intestino delgado sino que pasa directamente al colon. Los investigadores encontraron que las personas que consumieron inulina experimentaron un aumento menor del azúcar en la sangre, ya sea que tuvieran diabetes o no. Es probable que el cambio se deba a la forma en que la inulina retarda la absorción de los carbohidratos.

Controle el colesterol y los triglicéridos. La inulina, al igual que otras fibras solubles como el betaglucano de la avena, mantiene el nivel del colesterol bajo. Eso se debe a que la inulina cambia la población bacteriana intestinal, lo que a su vez afecta la producción de colesterol.

La inulina puede ayudar al cuerpo a absorber importantes minerales, como el calcio y el magnesio. Las investigaciones muestran que la inulina permite absorber una cantidad mayor de estos minerales de los alimentos que usted consume. Ésa es una ventaja si usted tiene osteoporosis y necesita mucho calcio.

Algunos estudios indican que la inulina puede funcionar mejor en personas con diabetes tipo 2 que en personas sanas. La inulina también ayuda a reducir los triglicéridos, otra forma de grasa en la sangre que se debe mantener bajo control.

Controle su peso. La inulina tiene una hermana gemela entre las moléculas de azúcar: la oligofructosa. La inulina y la oligofructosa parecen ayudar a la gente a comer menos y a bajar de peso. Puede ser que estos azúcares le llenen más rápido, o puede ser que cambien sus bacterias digestivas para ayudarle a perder peso. Otra teoría es que la inulina modifica las hormonas del hambre que su cuerpo produce y por eso usted no siente tanta hambre.

Aunque aún no sepamos de qué forma ayuda a controlar el azúcar en la sangre, el colesterol y el peso, lo que sí sabemos hoy es que la inulina es una buena adición a la dieta para la diabetes.

Sugerencia para el hogar

No olvide la fibra en su lista de compras

¿Desea más inulina que la que puede obtener comiendo cebollas y otras verduras? Usted puede adquirirla en forma de polvo o suplemento. *Fibersure* y otras marcas tienen una mezcla incolora de inulina que puede ser agregada a los alimentos y a las recetas para hornear, que supuestamente mantiene el sabor sin dejar una sensación arenosa. Y muchos fabricantes de alimentos agregan inulina a las barras de granola, a las barras de desayuno, al yogur y a otros alimentos, para mejorar el gusto y la textura sin agregar calorías. En algunos paquete se menciona que el alimento contiene prebióticos o nutrición para las bacterias benéficas en el intestino. Busque inulina en la etiqueta de algunos tipos de yogur, como el de *Yoplait* y *Stonyfield Farm,* de las barras de nutrición *Luna* y *PowerBar* y de otros alimentos.

Verduras de hoja verde

Cuatro escudos contra las afecciones cardíacas

Vuelva a los fundamentos de una buena nutrición y coma lo que usted sabe que debe comer: espinacas y sus numerosas primas de hoja verde. La categoría de verduras de hoja verde no se limita a la lechuga *iceberg*. Las menos comunes, las de hojas de color verde oscuro, son los miembros más nutritivos de la pandilla: la berza, la col rizada, la acedera y la espinaca, entre otras. Únase a estas poderosas hortalizas y ayude a su corazón de cuatro maneras:

Favorezca el folato. Esta importante vitamina B —llamada folato si se obtiene de alimentos como la espinaca y el perejil y ácido fólico si se obtiene en forma de suplementos—, puede reducir en un 30 por ciento el riesgo de sufrir un derrame cerebral. Varios estudios han demostrado que las personas que toman ácido fólico, tienen niveles más bajos de homocisteína, un marcador de riesgo cardiovascular. Los expertos siguen debatiendo el siguiente problema que recuerda al del huevo y la gallina: ¿es la homocisteína la causa o sólo un síntoma de problemas cardíacos? De cualquier manera, es un hecho que el número de accidentes cerebrovasculares ha disminuido desde 1998, fecha en que el gobierno de Estados Unidos impuso que se agregara ácido fólico al pan y a los cereales.

Cuente con la K. Una taza de col rizada fresca tiene más de seis veces la vitamina K que usted necesita en un día. Muchos adultos mayores no reciben suficiente de esta vitamina liposoluble, que es

Las mejores hojas verdes

- ★ arúgula
- ★ berza
- ★ col rizada
- ★ berro
- ★ espinaca
- ★ bok choy
- ★ acelga
- ★ hojas de mostaza
- ★ lechuga romana
- ★ hojas de nabo

importante para que la sangre coagule cuando usted se corta o se rasguña. Niveles insuficientes de esta vitamina pueden aumentar el riesgo de endurecimiento de las arterias.

Opte por los "oides". Es decir, los flavonoides y los carotenoides. Las hortalizas de hoja verde están repletas de estos tipos de nutrientes que ayudan a proteger el corazón. Un amplio estudio encontró que el riesgo de una persona de desarrollar enfermedades cardiovasculares se reducía en 11 por ciento por cada porción diaria de espinaca u otras hojas verdes.

Sírvase minerales. Es importante vigilar nuestro consumo de sodio o sal, para controlar la presión arterial. Pero algunos expertos creen que es más importante aún consumir suficientes cantidades de otros minerales, como el magnesio, el potasio y el calcio, ya que estos otros electrolitos equilibran el exceso de sal. Sírvase espinacas, col rizada y algas comestibles para obtener una magnífica mezcla de minerales.

Mantenga su memoria como nueva

No crea que volverse olvidadizo es una consecuencia natural del envejecimiento. No lo es. Usted puede mantener la agilidad mental a medida que envejece incluyendo esta arma secreta en su dieta. Le damos una pista: es verde, crujiente y le gustan los aliños.

Así es. Una rica ensalada verde es la mejor amiga de su memoria. Investigadores de la Universidad de Columbia encontraron que el folato, una importante vitamina B que abunda en las espinacas y las berzas, puede disminuir el riesgo de desarrollar la enfermedad de Alzheimer. Las personas a las que les fue mejor en este estudio en términos de memoria, obtuvieron folato directamente de los alimentos y ácido fólico, la forma sintética de la vitamina, de los suplementos. Los investigadores creen que niveles bajos de folato llevan a niveles altos de homocisteína, un aminoácido que puede impedir que el ADN repare las células nerviosas dañadas. Las células dañadas del cerebro son más propensas a la acumulación de placas, un signo del Alzheimer.

Algunas investigaciones indican que tanto el folato como la vitamina B12 son necesarios para tener un cerebro realmente juvenil. Se recomienda consumir cerca de 7 onzas (200 g) de espinacas u hojas de nabo frescas, ó 4 onzas (113 g) de poro, para obtener la dosis diaria recomendada de folato: 400 microgramos. Agregue un par de onzas de atún a la ensalada y obtendrá también la cantidad suficiente de vitamina B12.

El folato le ayuda de otras importantes maneras:

- Un estudio realizado en los Países Bajos encontró que los suplementos de ácido fólico hacían más lenta la pérdida de la audición durante el envejecimiento en hombres y mujeres.

- Obtener suficiente folato, vitamina E y calcio en la dieta puede proteger a las mujeres de la vaginosis bacteriana, un tipo de infección vaginal. En cambio, consumir una dieta rica en grasas puede elevar el riesgo de esta dolencia.

No se exceda con el ácido fólico

Las verduras de hoja verde son una excelente fuente de folato, una vitamina B que ayuda al sistema nervioso, protege el corazón y es necesaria para el ADN en las células. Sin embargo, las primeras investigaciones muestran que consumir demasiado de esta vitamina puede estimular el crecimiento de tumores cancerosos en el colon, la próstata y las mamas.

El peligro puede presentarse si usted está recibiendo todo el requerimiento diario de ácido fólico —los 400 microgramos (mcg) que se encuentran en algunos multivitamínicos—, y además consume barras nutritivas y panes enriquecidos con ácido fólico adicional. Lo aconsejable es obtener el folato de manera natural directamente de las verduras. Son una mejor opción que los suplementos. Comer una taza de espinacas, berzas u hojas de nabo cocidas le proporciona una ración inocua de alrededor de 170 a 270 mcg.

Sugerencia para el hogar

Coma localmente y cuide su salud con sabor

En Estados Unidos, un producto agrícola típico se desplaza casi 1,500 millas antes de ser consumido. Eso está cambiando. Puede que usted haya oído hablar del movimiento "coma localmente", que  propone consumir alimentos que se cultivan o producen localmente, de preferencia en un radio de 100 millas. Según los "locávoros" o personas que prefieren consumir productos locales, las ventajas son las siguientes:

- Los productos son más frescos, más sabrosos y hasta pueden contener más nutrientes.

- El riesgo de contaminación es menor. Un largo viaje desde otro Estado o país aumenta las posibilidades de que las bacterias puedan contaminar los alimentos.

- El medio ambiente se beneficia, ya que se utiliza menos energía para transportar y almacenar los alimentos.

- Posibles ahorros debido a la reducción de los costos de transporte. Un estudio encontró que los alimentos cultivados localmente costaban un promedio de $3.80 por libra, mientras que los alimentos provenientes de proveedores nacionales costaban $4.30 por libra.

- Usted apoya a los agricultores locales, quienes a su vez ayudan a estimular la economía de su localidad.

Ahora los grandes supermercados, como *Wal-Mart, A&P* y *Hannaford Brothers,* están buscando productos cultivados localmente para sus tiendas. Eso significa que usted puede ahorrar aún más dinero ya que puede realizar todas sus compras de alimentos en un mismo lugar.

Verduras verde oscuro para verse joven

Las verduras de hoja verde oscuro, como la acelga, la col rizada, la berza, la espinaca y las hojas de nabo, son excelentes fuentes de vitamina K. Esta vitamina liposoluble, necesaria para ayudar a que la sangre coagule, también es buena para las articulaciones y los vasos sanguíneos.

Los adultos mayores que no obtienen suficiente vitamina K tienen más problemas de osteoartritis (OA) en las manos y en las rodillas. Un estudio encontró más espolones óseos y pérdida de cartílago entre las personas con niveles más bajos de esta vitamina en la sangre. Y eso no es todo. La vitamina K presente en las hortalizas de hoja verde también puede protegerle de las venas varicosas, esas venas feas y abultadas que aparecen en las piernas a causa de la mala postura al sentarse, de estar demasiado tiempo de pie o simplemente debido al paso de los años. Los investigadores hallaron que la vitamina K activa una proteína que mantiene sus venas saludables.

Cinco al día, fórmula para derrotar el cáncer

Una ensalada grande en el almuerzo y una porción de verduras en la cena pueden protegerle contra el cáncer al ayudarle a cumplir con la recomendación de la Sociedad Estadounidense contra el Cáncer de cinco porciones de frutas y verduras al día.

Busque las vitaminas B. Una amplia evaluación de varios proyectos de investigación encontró que las personas delgadas que consumen gran cantidad de folato, vitamina B6 y vitamina B12 tienen un menor riesgo de desarrollar cáncer de páncreas. Este cáncer mortal es difícil de tratar y los expertos aún están intentando descubrir exactamente qué lo causa. El estudio demostró que, para ser protectoras, estas vitaminas B tenían que provenir de los alimentos, no de los suplementos.

De manera similar, un estudio realizado en Suecia encontró que el folato, abundante en las verduras de hoja verde, puede proteger contra el cáncer de mama. Se observó, durante casi 10 años, a cerca de 12,000 mujeres que ya habían pasado la menopausia. Las que consumieron más folato tenían un riesgo menor de desarrollar cáncer de mama.

Aproveche los antioxidantes. Investigadores en Australia obtuvieron resultados similares cuando examinaron el carcinoma de células escamosas, un tipo de cáncer de piel. Encontraron que las personas que tienden a comer muchas frutas y verduras, en especial las de hoja verde, tienen un riesgo menor de padecer cáncer de piel que aquéllas que comen más carne y alimentos de alto contenido de grasa. Los antioxidantes presentes en las frutas y las verduras, como la vitamina C, la vitamina E y la luteína, también brindan protección al detener el daño oxidativo en las células.

Prefiera el verde oscuro. Prepare una ensalada con las hojas de color verde oscuro para obtener más nutrientes contra el cáncer. La achicoria y la lechuga romana proporcionan grandes cantidades de vitamina A y C, mientras que las espinacas frescas son una gran fuente de hierro, vitamina A y folato. Las hojas pálidas de la lechuga *iceberg,* en cambio, contienen mucho menos de estas vitaminas y minerales.

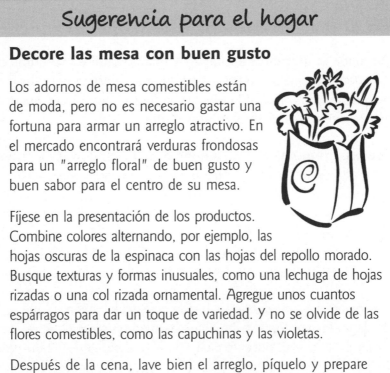

Sugerencia para el hogar

Decore las mesa con buen gusto

Los adornos de mesa comestibles están de moda, pero no es necesario gastar una fortuna para armar un arreglo atractivo. En el mercado encontrará verduras frondosas para un "arreglo floral" de buen gusto y buen sabor para el centro de su mesa.

Fíjese en la presentación de los productos. Combine colores alternando, por ejemplo, las hojas oscuras de la espinaca con las hojas del repollo morado. Busque texturas y formas inusuales, como una lechuga de hojas rizadas o una col rizada ornamental. Agregue unos cuantos espárragos para dar un toque de variedad. Y no se olvide de las flores comestibles, como las capuchinas y las violetas.

Después de la cena, lave bien el arreglo, píquelo y prepare una deliciosa ensalada.

Elecciones saludables para su ensalada

No todos los ingredientes en las barras de ensalada son igualmente saludables. Sepa cuáles son más nutritivos además de contener menos calorías

Mala elección	Sustituto saludable	¿Cuál es la diferencia?
lechuga *iceberg*	espinaca, lechuga romana	las de color verde más oscuro tienen más vitaminas
pimientos verdes	pimientos de color rojo, amarillo o naranja	los pimientos coloridos tienen más vitamina C
corazones de alcachofa	brócoli, zanahorias	menos calorías
tomates secados al sol	tomates frescos	menos calorías y más volumen que le llenará
palitos de apio	espárragos crudos o blanqueados	más folato
rábanos	champiñones blancos	buena fuente de minerales y de vitaminas B
ensaladas estilo *deli*, como las de papa o de repollo *(cole slaw)*	zanahoria, repollo u otras verduras crudas ralladas	más vitaminas, menos grasa y menos calorías
pasas de uva, arándanos rojos secos	melocotones, peras o arándanos azules frescos	menos calorías y más volumen que le llenará
croutons	chips horneados	menos grasa, menos calorías
migas de galleta	semillas de lino molidas	buena fuente de ácidos grasos omega 3 y de fibra
aderezo cremoso estilo *Ranch* o vinagreta de queso azul	aliño a base de aceite y vinagre, con mucho vinagre	menos grasa, menos calorías
aliño para ensalada sin grasa	aliño para ensalada con grasa reducida	un poco de grasa le ayuda a absorber los nutrientes
aliño para ensalada con aceite de maíz	aliño para ensalada con aceite de oliva o de *canola*	las grasas monoinsaturadas ayudan a absorber las vitaminas antioxidantes
queso *Cheddar* o azul	*mozzarella*, queso de cabra	menos grasa
pedazos de tocino	frutos secos, aceitunas	las grasas monoinsaturadas de origen vegetal son más saludables

Si no reconoce el nombre de un ingrediente, vea el glosario en la página 360.

La triple defensa contra el cáncer

Las verduras de color verde profundo están a la venta todo el año y son una maravilla para el colon. Además, son su arma de triple fuerza contra el cáncer de colon.

- La fibra de la hoja verde puede ayudarle a alcanzar su objetivo de obtener entre 25 y 30 gramos de fibra al día. No todos los expertos están de acuerdo, pero la fibra puede ayudar a mantener la digestión regular, lo que elimina las toxinas que causan el cáncer.

- Las vitaminas y los fitoquímicos, como el folato y los isotiocianatos, abundan en las hortalizas de hoja verde oscuro como la espinaca, la berza y las hojas de mostaza. Las vitaminas antioxidantes, en particular, pueden mantener las células a salvo de los daños de los radicales libres que pueden conducir al cáncer.

- Es más fácil controlar el peso cuando se consume alimentos que tienen mucho volumen, pero pocas calorías, como las verduras de hoja verde. No olvide que las personas obesas tienen un mayor riesgo de desarrollar cáncer de colon. Un estudio encontró que los hombres que comen más frutas y verduras, esto es, dos o más porciones al día, tienen un riesgo 18 por ciento menor de sufrir cáncer de colon que los hombres que comen menos porciones. Las verduras de hoja verde son las que mayor protección ofrecen.

Los protectores verdes de la próstata

A más ensalada en el plato, más joven será la próstata. El agrandamiento de la próstata es común en los hombres mayores y puede que se deba a una condición llamada hiperplasia prostática benigna (HPB). Es una molestia que presenta problemas como la micción frecuente, dificultades para orinar e infecciones del tracto urinario.

Un conocido estudio encontró que los hombres que consumen muchas verduras y frutas, especialmente aquéllas que tienen gran cantidad de vitamina C, betacaroteno y luteína, tienen un riesgo menor de desarrollar HPB. Los expertos creen que estos antioxidantes bloquean la inflamación y el estrés oxidativo que se produce con la HPB. La col rizada, la espinaca y las hojas de nabo son fabulosas opciones de hoja verde que contienen estos tres nutrientes protectores. Es más, estudios de laboratorio parecen indicar que ciertos carotenoides, que son los nutrientes presentes en las hortalizas de hoja verde, podrían retardar el crecimiento de células cancerosas en la próstata.

Luteína y zeaxantina

Detenga la pérdida de visión

Proteja sus ojos a cualquier edad y evite la pérdida de la visión disfrutando de las verduras de hoja verde. Estas verduras ayudan a prevenir la degeneración macular asociada con la edad (DMAE) y la ceguera, y a mejorar su visión sin anteojos, lentes de contacto, cirugía o medicamentos de ningún tipo.

El secreto, claro está, son dos pigmentos naturales llamados luteína y zeaxantina. No sólo sirven para dar color a las hortalizas verdes, también fortalecen los ojos protegiéndolos de la degeneración macular. De hecho, un estudio reciente encontró que las personas que obtenían más luteína y zeaxantina en sus dietas tenían menos probabilidades de sufrir de DMAE "húmeda" o exudativa, el tipo de degeneración macular que puede robarle la visión en apenas unas semanas. Pero eso no es todo lo que prometen.

Un estudio realizado con 90 personas que padecían DMAE "seca" o atrófica reveló que aquéllas que tomaron 10 mg diarios de luteína tuvieron una visión marcadamente más nítida al cabo de un año. Los expertos piensan que la luteína y la zeaxantina pueden actuar en el ojo como un filtro solar contra las longitudes de onda más cortas de la luz solar. Estas longitudes de onda corta pueden contribuir a la DMAE.

Los participantes del estudio tomaron suplementos, pero usted puede obtener hasta 10 mg de luteína de los alimentos. De hecho, usted obtendrá casi toda esa cantidad si hierve media taza de hojas congeladas de nabo para la cena. Usted también obtendrá por lo menos 10 mg con media taza de espinaca, col rizada o berza congelada.

Si usted prefiere más variedad, considere la posibilidad de obtener parte de su luteína en el desayuno. Aunque un huevo duro tiene menos de 1 mg de luteína, las investigaciones indican que el cuerpo puede absorber la luteína de la

> ### Fuentes naturales de luteína y zeaxantina
>
> | | |
> |---|---|
> | ★ huevo | ★ espinaca |
> | ★ col rizada | ★ maíz |
> | ★ brócoli | ★ calabacín |
> | ★ berza | ★ lechuga romana |
> | ★ chícharos | ★ repollitos de Bruselas |

yema del huevo más fácilmente que de las hortalizas de hoja verde. Es más, un estudio muestra que tal vez el huevo no eleve el colesterol y los triglicéridos como una vez se pensó. Usted también puede probar otras fuentes de luteína y zeaxantina como los pimientos de color naranja, las calabazas de verano y de invierno, el maíz, el brócoli, las hojas de mostaza y el kiwi.

El camino para conquistar las cataratas

Es probable que usted no piense en las espinacas y las verduras de hoja verde como "un festín para la vista", pero éstas contienen una deliciosa sorpresa para sus ojos. La luteína y la zeaxantina son nutrientes asombrosos que pueden ayudarle a evitar las cataratas y la cirugía e, incluso, prevenir la ceguera.

Tal vez todo esto le parezca demasiado bueno para ser cierto, pero investigaciones de Harvard parecen indicar que realmente funcionan. Un estudio de 10 años con más de 35,000 mujeres encontró que la probabilidad de desarrollar cataratas era 18 por ciento menor en aquéllas que consumieron más luteína y zeaxantina, aproximadamente 6 miligramos, que en aquéllas que consumieron menos. Los científicos creen que estos nutrientes pueden ayudar a frustrar el proceso que contribuye a la formación de cataratas.

Lo que sucede es lo siguiente. El cuerpo produce regularmente radicales libres, que son moléculas inestables que pueden dañar las células. Son como cuadrillas de ladrones y vándalos que andan sueltas por el cuerpo. Como si eso no fuera lo suficientemente malo, otros peligros, como la luz ultravioleta del sol, pueden hacer que los ojos produzcan radicales libres adicionales. Con el tiempo, estas hordas de radicales libres hacen que el cristalino del ojo cambie en formas que conducen a la formación de cataratas. La luteína y la zeaxantina pueden ingresar en el cristalino del ojo y atacar a los radicales libres allí donde se encuentran. Y debido a que la luteína y la zeaxantina son antioxidantes, pueden además neutralizar a estos radicales libres.

Para aprovechar estos nutrientes, tenga en cuenta lo siguiente:

- Las mejores fuentes de luteína son las espinacas, las hojas verdes de diente de león, la col rizada, las hojas de nabo, las hojas de mostaza y la berza.

- El cuerpo puede absorber mejor la luteína y la zeaxantina si los acompaña con algo de grasa. Los investigadores de Harvard también encontraron que la vitamina E puede ayudarle a evitar cataratas. Así que para obtener la mayoría de los beneficios, consuma los alimentos ricos en luteína combinados con alimentos ricos en vitamina E y que contengan grasas saludables, como los aceites vegetales y las almendras.

Frustre un futuro ataque al corazón

Los ataques al corazón parecen ocurrir súbitamente, pero en realidad son la culminación de un proceso que toma años. Por suerte, los mismos alimentos ricos en luteína que protegen los ojos también ayudan a proteger el corazón. Según un estudio de la Universidad del Sur de California, las personas de mediana edad que obtuvieron más luteína en sus dietas durante un período de más de 18 meses, experimentaron menos o ninguna constricción de las arterias. Esto es importante porque los ataques cardíacos ocurren cuando una arteria no puede llevar la sangre rica en oxígeno al músculo del corazón debido a que se ha estrechado hasta el punto de haberse obstruido por completo.

Los bloqueos de las arterias, que toman años en formarse, se originan por la acción de los llamados radicales libres. Los radicales libres son moléculas inestables que se forman cuando el cuerpo procesa oxígeno. A menos que sean detenidos por antioxidantes, como la luteína, estas moléculas pueden causar daños irreversibles.

Lamentablemente, cada batalla que usted pierde puede acercarlo a un ataque al corazón. Cuando los radicales libres atacan el colesterol LDL, lo convierten en LDL oxidado. El colesterol LDL oxidado se adhiere a las paredes arteriales y forma un revestimiento de placas. Cada vez que se oxida más LDL, se forma más placa. Con los años, esa placa se acumula como la mugre dentro de una tubería y las arterias se van estrechando más y más, hasta que se produce un bloqueo y un ataque al corazón. La luteína actúa impidiendo que la LDL se oxide. Por lo tanto, incluya todos los días en sus comidas alimentos ricos en luteína, como las verduras de hoja verde. Puede que disminuya el riesgo de sufrir un ataque al corazón cada vez que lo haga.

Magnesio

Un mineral maravilloso para controlar la glucosa

Su cuerpo necesita magnesio para ayudar a los músculos y a los nervios a trabajar, para mantener el corazón sano y para fortalecer los huesos y el sistema inmunitario. Si usted es mayor de 55 años, es muy probable que no obtenga suficiente magnesio. Alrededor del 90 por ciento de los adultos padecen esta deficiencia y las personas mayores son las que corren mayor riesgo. Los adultos mayores no sólo obtienen menos magnesio en sus dietas, sino que además sus cuerpos lo absorben menos de los alimentos y lo excretan más en la orina. Peor aún, las personas mayores son más propensas a consumir medicamentos que interfieren con la absorción del magnesio de los alimentos. Esto los enfrenta a un mayor riesgo de deficiencia. Y ésa es una mala noticia para los diabéticos.

La diabetes cambia la forma en la que el cuerpo utiliza la energía de los alimentos. Dado que el magnesio ayuda al cuerpo a utilizar los carbohidratos y afecta los niveles de insulina, este mineral es importante para ayudar a regular el azúcar

Fuentes naturales de magnesio	
★ espinaca	★ hojas de nabo
★ hipogloso	★ berza
★ moluscos	★ semillas de calabaza
★ cacahuates	★ semillas de sésamo
★ almendras	★ frijoles negros

en la sangre. Si usted no obtiene suficiente magnesio, las enzimas que participan en el metabolismo del azúcar en la sangre podrían no funcionar adecuadamente y usted podría desarrollar resistencia a la insulina.

De hecho, varios estudios han establecido una conexión entre el magnesio de la dieta y la probabilidad de desarrollar diabetes. Un resumen de las investigaciones sobre este tema concluyó que las personas que obtienen más magnesio tienen un riesgo 23 por ciento menor de desarrollar diabetes tipo 2 que aquéllas que lo obtienen en menor cantidad. Algunos expertos recomiendan que las personas con diabetes tipo 2 tomen suplementos de magnesio para ayudar a controlar el azúcar en la sangre. Para saber si ésta es una buena idea para usted, consulte con su médico.

El camino hacia la presión baja y el corazón sano

El magnesio, junto con el calcio y el potasio, son electrolitos importantes que ayudan a regular la presión arterial. Algunos expertos creen que obtener una cantidad suficiente de estos minerales es incluso más importante que reducir la ingesta de sal en la batalla contra la presión arterial alta.

Es más, muchos científicos piensan que la deficiencia de magnesio puede marcar la diferencia entre simplemente tener factores de riesgo de enfermedades cardíacas y llegar a desarrollar una afección del corazón. La falta de magnesio puede causar una peligrosa reacción en cadena dentro de las células y los vasos sanguíneos que puede resultar en el estrechamiento de las arterias, la formación de coágulos de sangre y la acumulación de colesterol en el torrente sanguíneo.

Debido a que el magnesio también actúa como anticoagulante sanguíneo, los niveles de este mineral deben ser examinados si usted toma ciertos medicamentos, como, por ejemplo, un diurético.

Existe un plan de alimentación rico en nutrientes que ayuda a reducir la presión arterial y a incrementar la ingesta de antioxidantes para mantener el colesterol bajo control y prevenir enfermedades del corazón. Se llama la dieta DASH (*Dietary Approaches to Stop Hypertension,* en inglés). Esta dieta incluye porciones de frutas, verduras y legumbres, muchas de las cuales tienen un alto contenido de magnesio y otros minerales provechosos. La dieta DASH busca limitar la sal, las grasas saturadas y las carnes, al mismo tiempo que incrementa la ingesta de cereales integrales y grasas monoinsaturadas, como el aceite de oliva. Aún hay poca evidencia de que los suplementos de magnesio ayuden al corazón, así que siga esta asombrosa dieta que le proporciona grandes cantidades de este poderoso mineral de manera natural.

Sugerencia para el hogar

Limpie la cristalería con facilidad

Los frijoles ricos en magnesio son también ayudantes prácticos de la limpieza. Utilícelos para restregar el interior de los floreros de cristal delgados. Llene el florero hasta la mitad con agua y un poco de lejía o cloro. A continuación, agregue un puñado de chícharos o frijoles secos al florero. Agite la mezcla y deje que los frijoles se encarguen de limpiar las manchas.

Aniquile las células cancerosas del colon

Cuando siente molestias estomacales, puede tomar leche de magnesio, dado que funciona como laxante, para la regularidad intestinal, y como antiácido, para calmar el estómago. El magnesio en la leche de magnesia y en los alimentos también puede prevenir el cáncer de colon.

Esta forma mortal de cáncer, que es más común entre las personas mayores, puede estar asociada con el consumo excesivo de carne y deficiente de frutas y verduras ricas en magnesio, como las hortalizas de hoja verde, los frijoles y los frutos secos. De hecho, las investigaciones muestran que las personas que obtienen más magnesio en la dieta tienen un riesgo menor de desarrollar cáncer de colon. El reputado Estudio de la Salud de la Mujer realizado en Iowa observó a un grupo de mujeres de mediana edad durante 17 años. Aquéllas que consumieron la mayor cantidad de magnesio, sobre todo en los alimentos pero también en forma de suplementos, tuvieron el riesgo más bajo de desarrollar cáncer de colon.

Los investigadores no pueden explicar la conexión a ciencia cierta, pero creen que el magnesio o bien disminuye el estrés oxidativo o bien lucha contra los radicales libres que causan daño celular. El magnesio también puede detener el crecimiento de nuevas células, posiblemente cancerosas, en las paredes del colon. Además, la fibra de los alimentos ricos en magnesio también puede ofrecer protección.

Un baño relajante para más magnesio

Muchas personas no obtienen la cantidad diaria recomendada de magnesio: 420 mg para el hombre y 320 mg para la mujer. Usted puede incrementar su consumo prefiriendo los alimentos ricos en magnesio, como las verduras verdes, los frijoles, los frutos secos y las semillas. También puede obtener magnesio a través de suplementos, pero no exagere. Demasiado puede causar diarrea y calambres abdominales. El exceso de magnesio es especialmente peligroso si usted sufre de problemas de riñón, porque sus riñones tienen que trabajar muy duro para eliminarlo.

Otra forma de elevar su nivel de magnesio de forma natural y que no haga daño es darse un baño en sales de Epsom (sulfato de magnesio). Un estudio encontró que un baño diario de 12 minutos en sales de Epsom durante una semana puede resultar en un incremento de magnesio. Agregue 2 1/2 tazas de sales de Epsom a la bañera entre dos y tres veces a la semana.

Magnífica manera de mejorar la salud

El magnesio es un verdadero "curalotodo", que contribuye a la salud de los huesos, los músculos y los nervios.

Aquiete la inquietud. El magnesio ayuda a combatir la causa secreta de la fatiga y los espasmos musculares, una afección que se conoce como síndrome de las piernas inquietas (SPI). Quienes sufren de SPI sienten la necesidad de mover los pies o las piernas repetidamente, justo cuando desean descansar o quedarse dormidas.

La deficiencia de magnesio es sólo parte del problema, ya que el magnesio trabaja junto con el calcio para controlar la forma en que los nervios ordenan a los músculos que se contraigan. Sin suficiente magnesio, los músculos se confunden y pueden tener espasmos o calambres. Un pequeño estudio encontró que las personas con SPI que tomaron suplementos de magnesio todas las noches tuvieron menos problemas en las piernas durante la noche y durmieron mejor.

Fortalezca los huesos. La mayor parte del magnesio en el cuerpo se almacena en los huesos, junto con el calcio y el fósforo. Pero si usted desarrolla osteoporosis, los huesos pueden debilitarse por la falta de minerales. El magnesio ayuda a los huesos a retener el calcio para mantener la fortaleza ósea conforme usted envejece.

Ahuyente los dolores de cabeza. Usted necesita suficiente magnesio para evitar las migrañas si es propenso a estos fuertes dolores de cabeza. La falta de este mineral provoca una cadena de eventos en el cerebro, que termina en una contracción de los vasos sanguíneos y el dolor de migraña. El magnesio también puede evitar las migrañas relacionadas con la menstruación.

Proteja sus oídos. Consuma suficiente magnesio, además de las vitaminas A, C y E, y estará ayudando a prevenir la pérdida de audición relacionada al ruido. Eso es lo que los investigadores comprobaron cuando ensayaron diferentes combinaciones de nutrientes en pruebas de laboratorio. El magnesio por sí solo no fue de mucha ayuda, pero la combinación de nutrientes sí funcionó.

Incluya en su dieta alimentos que tengan un alto contenido de magnesio. Comience con un *muffin* o panecillo de salvado de avena o un tazón de salvado de avena cocido en el desayuno, siga con un sándwich con crema de cacahuate en el almuerzo y luego disfrute de un filete de hipogloso y frijoles negros en la cena. Remátelo con un postre que incluya nueces y almendras, y usted estará en camino a una mejor salud.

Mangostán

Fruta tropical que promete la máxima protección

El mangostán, también conocido como mangostino (*mangosteen,* en inglés) nada tiene que ver con el mango, aunque ambas son frutas tropicales que pueden ser exóticas en su supermercado local. El mangostán crece principalmente en el sudeste asiático, donde también es utilizado para tratar las heridas, la diarrea, el dolor y la inflamación.

Las xantonas, compuestos químicos vegetales presentes en el mangostán, son la razón de que se le considere una "superfruta". Los expertos están intentando determinar cómo es que estos fitoquímicos contribuyen a la buena salud. Lo que se sabe es lo siguiente:

■ Combaten la inflamación. Investigaciones de laboratorio con ratones encontraron que las dos xantonas más importantes presentes en la parte exterior carnosa de la fruta ayudan a controlar las inflamaciones. Lo logran actuando de forma similar a los inhibidores de la COX-2 o los medicamentos para el dolor, como Celebrex.

■ Combaten las bacterias y los hongos. ¿Ha oído hablar del estafilococo *aureus* resistente a la meticilina (MRSA, en inglés)? Es un tipo de bacteria que se ha vuelto resistente a los antibióticos habituales que los médicos prescriben para detener las infecciones. Las primeras investigaciones muestran que las xantonas del mangostán trabajan conjuntamente con determinados antibióticos para eliminar a los MRSA. Esto es una buena noticia para los adultos mayores, los atletas o para cualquier persona que esté expuesta a este mortal invasor.

■ Combaten el cáncer. Las xantonas del mangostán son poderosos antioxidantes, similares a las vitaminas A y C, que patrullan el cuerpo para eliminar a los peligrosos radicales libres. También hacen que las células cancerosas del cáncer de colon y de la leucemia se "suiciden".

La publicidad de algunos fabricantes de jugo de mangostán ha sido exagerada pues las investigaciones sobre los beneficios para la salud del mangostán están aún en sus etapas iniciales. De hecho, la Administración de Alimentos y Fármacos (FDA, por su sigla en inglés) le exigió a una empresa que dejara de hacer afirmaciones sobre los efectos medicinales de sus productos. Sin embargo, usted puede disfrutar del mangostán, sabiendo que la bondad natural de esta maravilla tropical es justo lo que su cuerpo necesita para alcanzar su máxima salud.

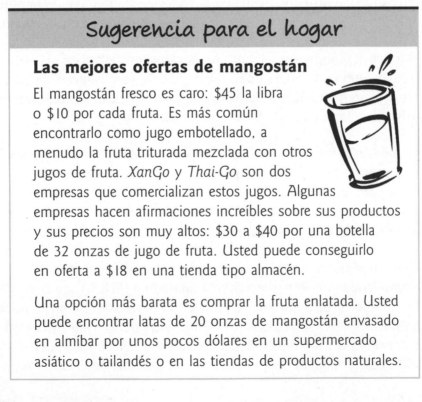

Sugerencia para el hogar

Las mejores ofertas de mangostán

El mangostán fresco es caro: $45 la libra o $10 por cada fruta. Es más común encontrarlo como jugo embotellado, a menudo la fruta triturada mezclada con otros jugos de fruta. *XanGo* y *Thai-Go* son dos empresas que comercializan estos jugos. Algunas empresas hacen afirmaciones increíbles sobre sus productos y sus precios son muy altos: $30 a $40 por una botella de 32 onzas de jugo de fruta. Usted puede conseguirlo en oferta a $18 en una tienda tipo almacén.

Una opción más barata es comprar la fruta enlatada. Usted puede encontrar latas de 20 onzas de mangostán envasado en almíbar por unos pocos dólares en un supermercado asiático o tailandés o en las tiendas de productos naturales.

Cómo comer el mangostán

Esta fruta pequeña parece una berenjena redonda con una gorra de color verde vivo.

- Si la fruta es fresca, recién recogida del árbol, puede apretarla hasta que se parta la piel exterior. Si la piel se ha secado y endurecido, usted necesitará un cuchillo.

- Haga un corte superficial alrededor del centro de la fruta. Gire la cáscara y abra la fruta con cuidado.

- En el interior verá los segmentos blancos resbaladizos. Sáquelos con la ayuda de una cuchara.

- Hay una semilla dentro de la mayoría de los segmentos. Es amarga, así que no la coma.

- Guarde el mangostán abierto en una bolsa de plástico en el refrigerador para evitar que se reseque.

La 'superfuta' que lo mantiene súper fresco

El mangostán también contribuye al cuidado personal. Esta fruta exótica ha inspirado perfumes naturales y está siendo utilizada como ingrediente en productos para mantener el cuerpo limpio, fresco y con buen aspecto.

- El jugo de mangostán puede usarse como un enjuague bucal para tratar el mal aliento. Un estudio realizado con 60 personas que tenían problemas en las encías —una de las pocas investigaciones sobre el mangostán realizada con personas hasta el momento—, encontró que utilizar el jugo de mangostán como enjuague bucal dos veces al día durante dos semanas mejoró el mal aliento. Usted puede comprar el enjuague bucal de mangostán que se fabrica en Tailandia sólo por Internet, aunque es posible que muy pronto esté más ampliamente disponible.

- El extracto de mangostán detiene el enrojecimiento y la inflamación bacteriana cuando se sufre de acné. Así que si los brotes en la piel son un problema, el mangostán puede ser la solución para ayudar a mantenerlos bajo control y evitar cicatrices.

- La enorme cantidad de antioxidantes presentes en el mangostán instó a los investigadores a examinar si podría mantener la piel joven. Un estudio encontró que una crema con extractos de granada, mangostán y té funcionó de maravilla en la reparación de los daños solares en la piel de las mujeres que la usaron.

Disfrute esta pequeña fruta y, a la vez, utilícela para verse y sentirse regia como una reina.

Frutos secos

Confíe en estos buenos amigos del corazón

Puede que usted haya oído que las almendras son el único fruto seco que es bueno para el corazón, pero eso no es totalmente cierto. Hay por lo menos otros cinco que también ayudan a prevenir los ataques al corazón.

Pistachos. Las personas que comieron 3 onzas (85 g) de pistachos al día redujeron su colesterol "malo" (LDL) en más de 11 por ciento en sólo un mes, según un pequeño estudio de la Universidad Estatal de Pensilvania. Y apenas 1 1/2 onzas (42 g) de pistachos al día bastaron para reducir el colesterol LDL oxidado, el tipo que suele provocar placa arterial, obstrucción arterial y ataques al corazón. Los científicos que llevaron a cabo el estudio creen que la luteína, un compuesto fitoquímico, y el gamma tocoferol, una forma de vitamina E, presentes en el pistacho ayudan a evitar que la LDL se oxide.

Macadamias. Además de la oxidación del colesterol LDL, la inflamación en las arterias es también un factor clave para un futuro ataque al corazón.

Pero un estudio realizado con 17 hombres con colesterol alto halló que quienes agregaban 1 1/2 (42 g) onzas de macadamias a sus dietas reducían los signos de inflamación y oxidación en las arterias.

Nueces. Los voluntarios que comieron cerca de media onza (14 g) de nueces todos los días durante dos meses, comparados con las personas que no lo hicieron, disminuyeron en 17 por ciento sus niveles de triglicéridos y aumentaron en 9 por ciento sus niveles de colesterol "bueno" HDL, según un estudio de la Universidad de Shiraz, de Irán.

Avellanas. En sólo dos meses, 15 hombres con el colesterol alto bajaron sus triglicéridos en 30 por ciento y aumentaron su colesterol HDL en 12 por ciento, dicen los científicos de la Universidad de Hacettepe, de Turquía. Ellos también redujeron otros factores de riesgo cardiovascular. ¿El secreto? Una dieta baja en grasa y colesterol y alta en carbohidratos, que incluía alrededor de 1 1/2 onzas (42 g) de avellanas al día.

Cacahuates. Aunque técnicamente son una legumbre y no un fruto seco, estos sabrosos bocados son amables con el corazón. Los hombres que comieron alrededor de media taza de cacahuates al día redujeron sus triglicéridos totales en 20 por ciento en apenas ocho semanas. También redujeron su colesterol total, según un pequeño estudio del Instituto de Investigación de los Alimentos, de Ghana.

Ninguno de estos estudios fue lo suficientemente grande como para constituir una prueba irrefutable y algunos de ellos fueron financiados por organizaciones, como la Comisión del Pistacho de California o el Grupo para la Promoción de la Avellana. Está claro que es necesario continuar con las investigaciones. Por ahora, considere estos otros beneficios de los frutos secos para un corazón saludable:

- Los frutos secos contienen fitoesteroles. Estos compuestos evitan que el intestino absorba el colesterol y lo envíe al torrente sanguíneo. Es más, la fibra, las grasas monoinsaturadas y las grasas poliinsaturadas de los frutos secos ayudan a reducir el colesterol.

- El cobre presente en los frutos secos puede ayudar a proteger el corazón de los efectos del estrés y puede ayudar a prevenir su agrandamiento.

- Los frutos secos contienen arginina, un aminoácido que ayuda a prevenir la oxidación del colesterol LDL en las arterias.

- Los frutos secos le proporcionan minerales que ayudan a controlar la presión arterial.

Atención: la adición de frutos secos a una dieta que ya es alta en grasas puede llevar al sobrepeso, lo que puede afectar el corazón. Utilice los frutos secos para sustituir los alimentos menos sanos de su dieta, como las papas fritas, los caramelos, las carnes y otros alimentos altos en grasas saturadas o de calorías vacías. Un puñado o dos de frutos secos al día podría hacer toda la diferencia.

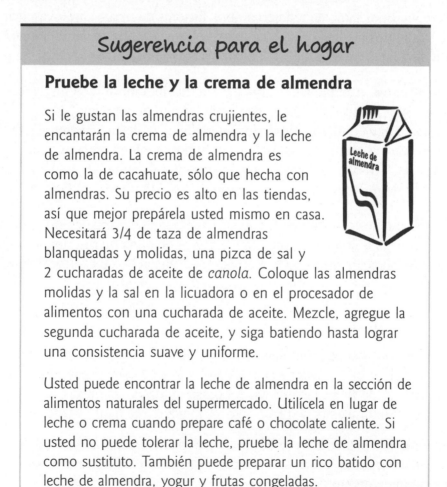

Sugerencia para el hogar

Pruebe la leche y la crema de almendra

Si le gustan las almendras crujientes, le encantarán la crema de almendra y la leche de almendra. La crema de almendra es como la de cacahuate, sólo que hecha con almendras. Su precio es alto en las tiendas, así que mejor prepárela usted mismo en casa. Necesitará 3/4 de taza de almendras blanqueadas y molidas, una pizca de sal y 2 cucharadas de aceite de *canola*. Coloque las almendras molidas y la sal en la licuadora o en el procesador de alimentos con una cucharada de aceite. Mezcle, agregue la segunda cucharada de aceite, y siga batiendo hasta lograr una consistencia suave y uniforme.

Usted puede encontrar la leche de almendra en la sección de alimentos naturales del supermercado. Utilícela en lugar de leche o crema cuando prepare café o chocolate caliente. Si usted no puede tolerar la leche, pruebe la leche de almendra como sustituto. También puede preparar un rico batido con leche de almendra, yogur y frutas congeladas.

La grasa que le ayudará a superar la diabetes

Mantener bajos los niveles de glucosa sanguínea no es fácil. Pero ahora usted tiene un aliado crujiente para ayudarle a controlar los picos de azúcar en la sangre después de las comidas: los frutos secos. Según un pequeño estudio de la Universidad de Toronto, las personas produjeron menos insulina los días que comieron almendras en lugar de un *muffin* integral. Esto es importante porque un aumento en la producción de insulina puede ser una señal de que usted está desarrollando resistencia a la insulina y, posiblemente, diabetes.

Normalmente, el cuerpo puede disminuir el azúcar en la sangre transportando esa azúcar a las células del hígado y de los músculos. Pero así como se necesita un pase de visitante para ingresar a un club, el azúcar en la sangre necesita de la insulina para entrar en las células. Lamentablemente, en algunas personas, las células pierden su capacidad para aceptar el azúcar sanguínea. Cuando eso sucede, el cuerpo entra en pánico y produce más insulina para superar esta "resistencia a la insulina". Ese torrente de insulina logra que el azúcar en la sangre penetre en las células, pero con el tiempo, las células productoras de insulina comienzan a desgastarse por el exceso de trabajo. Entonces la insulina comienza a disminuir gradualmente y el azúcar en la sangre comienza a elevarse. Los frutos secos pueden ayudar tanto a sus niveles de insulina como a sus niveles de azúcar en la sangre.

El índice glucémico (IG) es la velocidad a la que se eleva el azúcar en la sangre después de comer un alimento. Comer pan blanco con 3 onzas (85 g) de almendras reduce el IG total del pan a la mitad, según científicos de la Universidad de Toronto. Se cree que comer almendras junto con las comidas mantiene bajo control el aumento del azúcar en la sangre posterior a la comida. Asimismo, disfrutar de las almendras como una merienda a lo largo del día puede controlar la producción de insulina durante todo el día.

Aunque estos dos estudios canadienses utilizaron almendras, otros estudios sugieren que hasta los cacahuates ayudan. Un pequeño estudio de la Universidad Estatal de Arizona encontró que los cacahuates pueden ayudar a disminuir los picos de azúcar en la sangre que siguen a las comidas que tienen un alto índice glucémico (IG). Es más, las mujeres que comieron un puñado de frutos secos cinco o más veces a la semana tuvieron un riesgo 27 por ciento menor de desarrollar diabetes que aquéllas que los evitaron, según el famoso estudio de la Salud de las Enfermeras. El secreto puede estar en la grasa saludable monoinsaturada de los frutos secos. Disfrútelos y estará reduciendo el IG de sus comidas.

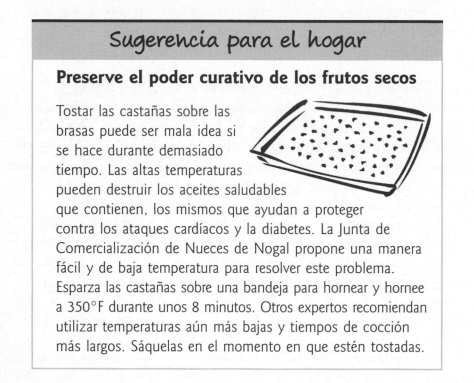

Sugerencia para el hogar

Preserve el poder curativo de los frutos secos

Tostar las castañas sobre las brasas puede ser mala idea si se hace durante demasiado tiempo. Las altas temperaturas pueden destruir los aceites saludables que contienen, los mismos que ayudan a proteger contra los ataques cardíacos y la diabetes. La Junta de Comercialización de Nueces de Nogal propone una manera fácil y de baja temperatura para resolver este problema. Esparza las castañas sobre una bandeja para hornear y hornee a 350°F durante unos 8 minutos. Otros expertos recomiendan utilizar temperaturas aún más bajas y tiempos de cocción más largos. Sáquelas en el momento en que estén tostadas.

La verdad sobre los frutos secos y el sobrepeso

Que los frutos secos engordan más que la torta es un viejo mito. De hecho, los frutos secos hasta pueden ayudarle a evitar que suba de peso.

Las personas que comen frutos secos por lo menos dos veces por semana tienen menos probabilidades de engordar que las personas que nunca los comen, indica un estudio de la Universidad de Navarra, de España. De hecho, los amantes de los frutos secos tuvieron una probabilidad 30 por ciento menor de subir 11 libras o más durante un estudio de 28 meses. Es más, las personas que comieron frutos secos con más frecuencia subieron menos de peso.

Créalo o no, el alto contenido de proteínas y grasas de los frutos secos ayudaría a evitar el aumento de peso. Las grasas saludables insaturadas se pueden asociar con la proteína para acelerar la quema de calorías. Y la fibra de los frutos secos también puede ayudar a absorber menos grasa. Para obtener el mayor beneficio, agregue frutos secos a una dieta de alimentos con bajo contenido de grasa y alto contenido de fibra.

Avena

El cereal completo que cuida el corazón

Las etiquetas de salud cardíaca que vienen en las cajas de avena no son simplemente decorativas. La capacidad de este cereal para ofrecer protección contra las enfermedades del corazón está demostrada.

Controla el colesterol. Un metaanálisis de ocho estudios mostró que la avena reduce tanto el colesterol "malo" (LDL) como el colesterol total. Más importante aún, el colesterol LDL cayó en promedio 5 por ciento. Puede que no parezca mucho, pero incluso este pequeño cambio podría reducir entre 5 y 15 por ciento el riesgo de sufrir un mal cardíaco. Esto se debe a que cada caída de 1 por ciento en el colesterol LDL disminuye entre 1 y 3 por ciento las probabilidades de desarrollar una enfermedad del corazón.

La fibra soluble de la avena, conocida como betaglucano, es más eficaz para reducir el colesterol que la fibra insoluble de otros cereales, como el trigo. Se necesitan cerca de 15 gramos de fibra de avena al día para ver un cambio significativo en los niveles de colesterol, pero no todos tienen que ser consumidos en forma de hojuelas de avena. Busque panes hechos con harina de avena, por ejemplo. Lea las etiquetas y elija los productos de avena con la mayor cantidad de fibra por porción.

Defiende las arterias. Algunas partículas de colesterol LDL son peores que otras. Las partículas pequeñas y densas de LDL son más susceptibles a oxidarse, un proceso que lleva al estrechamiento de las arterias, que las partículas más grandes y menos densas. Nuevas pruebas indican que la avena es especialmente buena para reducir el número de partículas pequeñas y densas de LDL. En un estudio realizado a dos grupos de hombres con sobrepeso, un grupo recibió cereal de salvado de avena y el otro cereal de trigo integral. Esto es lo que sucedió:

En el grupo que comió	Las LDL pequeñas y densas	Las LDL grandes y menos densas	El nivel total de LDL
avena	disminuyeron 16%	aumentaron 13%	disminuyó 5%
trigo	aumentaron 59%	disminuyeron 15%	aumentó 14%

Recuerde, el objetivo es reducir el nivel de las partículas pequeñas y densas de LDL y el nivel total de LDL tanto como sea posible. Es evidente que la avena le gana al trigo de lejos. Considere la posibilidad de cambiar ese tazón de *Wheaties* por uno de avena cocida a fuego lento.

Combate la presión arterial alta. El consumo de alimentos que contenían fibra de avena redujo tanto la presión sistólica como la diastólica en las personas obesas. La presión arterial alta puede estar relacionada con problemas de insulina. Alimentos como la avena ayudan a matar dos pájaros de un solo tiro: equilibran los niveles de insulina y mantienen la presión arterial bajo control.

Previene la obstrucción de los vasos sanguíneos. La humilde avena tiene un arma secreta: las avenantramidas (AV). Cuando los vasos sanguíneos se dañan, las células inmunitarias acuden rápidamente a repararlos. Luego se produce el crecimiento del músculo liso en los vasos sanguíneos, lugar en el que no debe crecer, y, por último, la formación de placa que obstruye las arterias. Las pruebas de laboratorio muestran que las AV frenan este proceso, al impedir que las células inmunitarias se adhieran a los vasos sanguíneos y al prevenir la proliferación del músculo liso vascular.

Evita las enfermedades cardíacas. Los cereales integrales contienen una red de nutrientes, tales como la fibra, las vitaminas, los minerales y los fitoquímicos, que trabajan juntos para combatir las enfermedades cardíacas. De hecho, el consumo diario de tres o más porciones de cereales integrales, como la avena, está asociado a un riesgo menor de desarrollar una enfermedad del corazón. También disminuye la diabetes y la obesidad, otros dos factores de riesgo en el desarrollo de las enfermedades cardíacas.

Dúo dinámico ofrece mayor protección

Si acompaña la avena del desayuno con un vaso de jugo de naranja, usted obtendrá más protección para su corazón. Los antioxidantes de la avena y la vitamina C del jugo de naranja tienen cada uno por separado el poder de impedir el proceso de oxidación del colesterol LDL, y si se consumen juntos son mucho más eficaces.

Adelgace con la ayuda de la avena

Algunos de los alimentos más saludables también pueden ser los más económicos. Un desayuno de avena, por ejemplo, cuesta menos de 50 centavos y le puede ayudar a perder peso y a reducir el colesterol. Una dieta rica en fibra, que incluye alimentos como la avena, nos protege contra la obesidad. Las personas que comen suficiente fibra:

- Sienten menos hambre entre las comidas.

- Se llenan más rápidamente, de modo que comen menos.

- Consumen menos calorías totales a lo largo del día.

Las personas que consumen alimentos ricos en fibra tienden a ser más delgadas. Las mujeres que aumentaron su ingesta de fibra en el transcurso de 12 años tuvieron la mitad de probabilidades de subir 55 libras o más que las mujeres que comieron menos fibra. De hecho, incrementar el consumo de fibra en 14 gramos al día puede ayudarle a adelgazar, en promedio, cuatro libras en cuatro meses, sin cambiar su estilo de vida.

El betaglucano, la misma fibra soluble de la avena que ayuda a controlar el colesterol, se disuelve en líquido y forma un gel alrededor de los alimentos en el intestino. Esto hace más lento el tránsito de los alimentos por el tubo digestivo, de modo que usted se siente lleno durante más tiempo. También puede impedir que el cuerpo absorba las grasas no saludables de los alimentos. Agregue fresas o melocotones en rodajas o arándanos azules frescos a la avena y disfrute de un desayuno rico en fibra que le dará energía toda la mañana.

La avena es un cereal integral y comer tres o más porciones de cereales integrales al día ayuda a controlar el peso. Es más, estudios demuestran que consumir avena le ayudará a sentirse más lleno que consumir otros cereales o panes integrales con la misma cantidad de calorías.

Sin embargo, incluso los alimentos más ricos en fibra no podrán impedir que usted engorde si además de fibra contienen azúcar y grasa. Evite la avena instantánea con azúcar añadido. Las nuevas presentaciones de avena para el "control de peso" tienen proteína añadida y fibra extra, ofreciéndole los beneficios adelgazantes de ambos nutrientes. Las investigaciones indican que un desayuno con alto contenido proteico, pero bajo en grasas saturadas, le ayudará a comer menos el resto del día.

Controle la diabetes con un alimento básico del desayuno

El betaglucano, la fibra soluble de la avena, ayuda a controlar los picos de insulina y de azúcar en la sangre después de las comidas. Una vez en el estómago, se convierte en un gel que hace más lento el tránsito de los alimentos a través del sistema digestivo. También hace más lenta la digestión de los carbohidratos, inpidiendo que los azúcares ingresen al torrente sanguíneo todos a la vez. En su lugar, se experimenta un aumento gradual de la insulina y del azúcar en la sangre, lo que es una verdadera bendición para los diabéticos.

Es más, la fibra soluble se fermenta al llegar al colon. Este proceso libera los ácidos grasos que pueden regular la manera como el hígado responde a los niveles de azúcar en la sangre. Incluir alimentos ricos en betaglucano en la dieta diaria puede mejorar a largo plazo la forma en la que el cuerpo procesa la glucosa.

Usted necesita al menos 4 gramos de betaglucanos en una comida para obtener estos beneficios. Cuanto más procesada sea la avena, menos betaglucanos tendrá, dado que el procesado de alimentos puede descomponer esta fibra. Elija la avena cortada, también conocida como avena inglesa (*steel-cut oats,* en inglés), en vez de la avena instantánea. Y no se confíe en que las galletitas de avena son lo mejor para usted: la cocción al horno también puede descomponer los betaglucanos.

Alivie los síntomas del SII con avena

¿Cuáles son los alimentos que más benefician al sistema digestivo? ¿Los sabrosos panes y cereales o las riquísimas frutas y verduras? Si usted sufre del síndrome del intestino irritable (SII), la fibra insoluble de los cereales fríos, de los granos integrales y de los productos de trigo podría empeorar sus síntomas. Es mejor elegir la fibra soluble que se encuentra en la avena, los frijoles, las verduras y las frutas.

Además de absorber el colesterol LDL y controlar la glucosa sanguínea, la fibra soluble de la avena también contribuye a una buena digestión. Un análisis de 17 estudios concluyó que aumentar el consumo de fibra soluble mejora los síntomas generales de la SII.

Si además de SII usted sufre de estreñimiento, procure obtener entre 12 y 30 gramos de fibra soluble al día de alimentos como la avena, las lentejas o las frutas. Aumente su consumo de fibra lentamente para evitar la distensión abdominal y los gases, y beba mucho líquido para ayudar al cuerpo a procesar el volumen adicional. Tenga cuidado al aumentar su consumo de fibra si la diarrea es su principal síntoma del SII, ya que la fibra adicional podría empeorarla.

Luzca una piel radiante y juvenil

La avena hace mucho más que aliviar la picazón de la hiedra venenosa. También puede mejorar los síntomas de la rosácea, rejuvenecer la piel y ayudar a que las heridas sanen más rápido.

Ponga fin a la comezón. Los mismos compuestos de la avena que le ayudan a combatir las enfermedades cardíacas, también pueden aliviar la picazón en la piel. En un estudio sobre la piel sensible, las avenantramidas (AV), antioxidantes que se encuentran en la avena, calmaron la inflamación y la comezón. Ésta es una prueba más de que los baños de avena realmente funcionan para aliviar las erupciones con comezón y las mordeduras de insectos.

Recupérese de la rosácea. Estas mismas propiedades hacen que la avena sea un excelente tratamiento para la rosácea. La harina de avena coloidal, el polvo resultante de moler los granos integrales de la avena, es un protector natural de la piel. He aquí cómo funciona:

- Las proteínas y los polisacáridos forman un escudo protector y protegen a la piel del asalto diario de otros compuestos.

- Sus aceites naturales evitan que la piel se reseque.

- Las saponinas absorben suavemente la suciedad y los aceites, mientras que otros compuestos de la avena descomponen los contaminantes.

La harina de avena coloidal es también un poderoso antiinflamatorio. Reduce en hasta 85 por ciento la formación de las prostaglandinas, que son compuestos que causan inflamación, un resultado similar al que se conseguiría con un medicamento antiinflamatorio tópico. Esto confirma la promesa de la avena como un tratamiento para la rosácea.

Borre las arrugas. La avena contiene una sustancia antienvejecimiento milagrosa. La aplicación durante ocho semanas de una crema especial a base de betaglucanos ayudó a suavizar el cutis y a reducir las arrugas y las líneas de expresión. El betaglucano penetró la piel y estimuló la formación de colágeno, lo que contribuyó a tensar la piel y a disminuir la apariencia de las líneas de expresión y de las arrugas.

Cure las heridas más rápido. Los ungüentos que contienen betaglucanos también ayudan a acelerar la curación de heridas, sobre todo de quemaduras y rasguños superficiales. El betaglucano:

- Aumenta el número de "ayudantes" del sistema inmunitario que acuden a la zona lesionada.

- Le indica al cuerpo que debe producir nuevo colágeno, componente básico de la piel.

- Promueve la formación de nuevas capas de piel para cubrir la herida.

- Hace que la piel se vuelva más fuerte y flexible.

Prepare en casa sus propios baños, cremas y mascarillas de avena. En un procesador de alimentos muela finamente avena instantánea o avena tradicional. Espolvoree lentamente bajo el agua corriente al llenar la bañera, para un baño de avena coloidal. Para frotaciones o mascarillas, mezcle avena molida o harina de avena de la tienda con agua suficiente para obtener la consistencia adecuada.

Nueva esperanza para las personas celíacas

El gluten, una proteína que se encuentra en los alimentos, provoca una reacción inmunitaria en las personas con enfermedad celíaca. La enfermedad celíaca es un trastorno autoinmunitario del intestino delgado, que puede resultar en desnutrición, diarrea, anemia y osteoporosis.

Es por esa razón que es muy importante para las personas celíacas evitar alimentos que contengan gluten. El trigo, el centeno y la cebada, los cereales más utilizados en la preparación de panes y productos horneados, contienen mucho gluten. No así la avena.

La avena da variedad a una dieta que, por lo demás, es limitada aumentando su valor nutricional. El problema es que usted sólo puede comer avena pura y no más de media o tres cuartos de taza al día. La avena pura es cultivada y procesada bajo condiciones controladas para evitar la contaminación por el trigo y otros granos que contienen gluten. Búsquela con la etiqueta "libre de gluten" (*gluten free,* en inglés). Deje de comer avena si los síntomas celíacos vuelven o empeoran.

Galletas de avena bajas en grasa

Ingredientes* (Rinde 8 porciones. Cada ración: 2 galletas)

3/4 de taza de azúcar

2 cucharadas de margarina

1/4 de taza de sustituto de huevo

1/4 de taza de puré de manzana

2 cucharadas de leche al 1%

I taza de harina multiuso

1/4 de cucharadita de polvo de hornear

1/2 cucharadita de canela molida

I taza de copos de avena

Preparación

1. Precaliente el horno a 350°F. Engrase ligeramente las latas o charolas para galletas.

2. En un recipiente grande, mezcle el azúcar y la margarina con una mezcladora o batidora eléctrica a velocidad media. Bata alrededor de 3 minutos o hasta lograr una consistencia uniforme.

3. Agregue lentamente el sustituto de huevo. Siga batiendo a velocidad media durante un minuto. Agregue gradualmente el puré de manzana y la leche y continúe batiendo durante un minuto más. Raspe los lados del recipiente.

4. En otro recipiente, combine la harina, el polvo de hornear y la canela. Incorpore lentamente en la mezcla del puré de manzana. Bata a velocidad baja unos 2 minutos o hasta lograr una masa uniforme. Agregue la avena y bata 30 segundos a velocidad baja. Raspe los lados del recipiente.

5. Deje caer cucharaditas de masa sobre la lata para hornear, dejando una separación de 2 pulgadas entre cada una.

6. Hornee de 13 a 15 minutos o hasta que estén ligeramente doradas. Deje enfriar las galletas sobre una rejilla.

Información nutricional por porción: 206.1 calorías (35.5 calorías de la grasa, 17.24 por ciento del total); 3.9 g de grasa; 4.4 g de proteínas; 38.8 g de carbohidratos; 0.3 mg de colesterol; 1.6 g de fibra; 94.1 mg de sodio

Aceite de oliva

Cambie de aceite para beneficiar el corazón

Si en lugar de untar el pan con mantequilla lo moja en aceite de oliva, usted estará sustituyendo las grasas saturadas no saludables por ácidos grasos monoinsaturados (*monounsaturated fatty acids* o MUFA, en inglés). Estas llamadas "grasas saludables" son un componente clave de la dieta mediterránea, que es la manera tradicional de comer en países que bordean el mar Mediterráneo, como Grecia e Italia. Comparada con la típica dieta occidental, la mediterránea incluye muchas frutas y verduras, granos integrales y cereales, frutos secos y semillas, frijoles y MUFA, como el aceite de oliva. Los productos lácteos, la carne roja, las aves de corral y otras fuentes de grasas saturadas son limitados.

La dieta mediterránea no sólo es sabrosa, también es muy buena para el corazón. Un factor decisivo son los MUFA y los polifenoles antioxidantes del aceite de oliva. He aquí cómo ayudan:

- Elevan el colesterol "bueno" HDL y reducen los triglicéridos. Un estudio encontró que el aceite de oliva con mayor contenido de polifenoles mejoró los niveles de colesterol en los hombres que recibieron cerca de una cucharada de aceite de oliva al día durante tres semanas. El aceite menos refinado, como el aceite de oliva virgen, contiene más polifenoles.

- Bajan la presión arterial alta. Los investigadores comprobaron que las personas que siguen una dieta rica en grasas monoinsaturadas, como el aceite de oliva, gozan de presión arterial más baja que aquéllas que siguen una dieta con alto contenido de carbohidratos.

- Despejan los coágulos de sangre. Gracias a su alto contenido de compuestos fenólicos, el aceite de oliva virgen ayuda a prevenir la formación de coágulos sanguíneos.

- Protegen las arterias. Los investigadores constataron que las personas que consumen más aceite de oliva presentan menos estrechamiento de las arterias carótidas, una característica de la ateroesclerosis. Eso se traduce en un riesgo menor de endurecimiento de las arterias y de enfermedades del corazón.

La dieta mediterránea tradicional incluye una cantidad moderada de vino tinto. Según los expertos, acompañar una comida que contiene aceite de oliva con vino tinto ayuda a reducir la presión arterial.

Lubrique las articulaciones y obtenga alivio

¿Alguna vez ha notado el sabor amargo del aceite de oliva virgen extra? Eso quiere decir que está cargado de nutrientes contra el dolor.

Usted sabe lo que es el dolor si sufre de osteoartritis (OA), un trastorno degenerativo que hace que sus articulaciones se inflamen y le duelan. La OA ocurre cuando el cartílago que normalmente amortigua las articulaciones empieza a descomponerse, causando inflamación y el desgaste de los huesos. De otro lado, se estima que casi la mitad de los estadounidenses sufrirá artritis de rodilla. En estos casos, usted puede tomar un antiinflamatorio no esteroideo (AINE), como la aspirina o el ibuprofeno, pero algunos expertos dicen que no funcionan bien con el tiempo y usted puede desarrollar efectos secundarios graves.

En su lugar, alivie las articulaciones artríticas cambiándose al aceite para ensaladas que actúa como el Motrin para combatir la inflamación. El aceite de oliva obtiene su poder analgésico de una enzima de sabor amargo llamada oleocantal. Los expertos aconsejan unas 4 cucharadas de aceite de oliva virgen extra recién prensado para mejores resultados. Eso es alrededor de 476 calorías, por lo que tendrá que sustituir las grasas no saludables en su dieta por esta grasa saludable.

El aceite de oliva no es sólo para aderezar las ensaladas. Usted también puede usarlo para cocinar. El aceite de oliva virgen extra es ideal para mojar el pan o para darle sabor a las pastas. También puede usarlo para saltear o para cocinar a la parrilla, pero cuanto mayor es el calor, mayor es el riesgo de que se pierda el sabor único del aceite.

Cómo elegir un buen aceite de oliva

No compre aceite de oliva basándose en el precio. Tenga en cuenta estos otros factores para elegir el aceite más nutritivo y exquisito:

- **Calidad.** Prefiera el aceite de oliva virgen o virgen extra, que tiene más polifenoles antioxidantes. Eso es importante para proteger el corazón y reducir la formación de acrilamidas. Estos peligrosos compuestos se forman cuando alimentos ricos en almidón se cocinan o fríen a fuego alto. Un estudio encontró que se puede freír papas de manera segura utilizando aceite de oliva virgen con alto contenido fenólico.

- **Sabor.** Evite el aceite de orujo de oliva, que es el más barato y de menor calidad. Éste se elabora a partir de la pasta que queda una vez que los otros tipos de aceite han sido extraídos. No lo compre por ahorrar dinero, su sabor es desagradable.

- **Color.** El color del aceite puede variar del amarillo al verde dependiendo de múltiples factores. El aceite verde puede provenir de aceitunas verdes, apenas maduras, lo que le da un buen sabor. O su color se puede deber a las hojas que cayeron durante el procesado. El color amarillo del aceite puede ser el resultado de aceitunas recogidas al final de la temporada o de la oxidación por su exposición a la luz, lo que significaría menos nutrientes.

- **Envase.** Compre el aceite que viene en una botella oscura, ya que ésta lo protege de la exposición a la luz ultravioleta. El único inconveniente es que usted no podrá ver el color del aceite.

Secretos de belleza del aceite de oliva

Aproveche las bondades totalmente naturales de este aceite y deshágase de los productos para la piel y el cabello que contienen sustancias químicas innecesarias:

Acondicione su cabello naturalmente. Mezcle una yema de huevo con 3 cucharaditas de cada uno: aceite de oliva, miel y jugo de limón. Aplique al cabello y deje actuar durante 15 minutos, luego enjuague y lave con champú. Su cabello quedará suave, brillante e hidratado.

Suavice los pies. Combine 2 cucharaditas de aceite de oliva, 3 cucharadas de café molido ya usado con una cucharada de harina y una de crema espesa. Agregue una pizca de harina de maíz y algunas gotas de su aceite aromático favorito. Mezcle bien. Restriegue las partes ásperas y resecas de los pies, enjuague y seque con cuidado. Aplique un toque de aceite de oliva como humectante.

Mime su cutis. Utilice el aceite de oliva como un lubricante para una afeitada suave y al ras o como removedor de maquillaje de ojos. Usted ahorrará dinero y también espacio en la repisa del baño.

Asegure la salud del colon con oro líquido

Si añade un poco de aceite de oliva a su dieta diaria, usted estará reduciendo el riesgo de padecer cáncer de colon, el tercer cáncer más común en hombres y mujeres. El cáncer de colon, o del intestino grueso, es menos común en los países mediterráneos que en el norte de Europa. Los expertos creen que eso se debe al uso de aceite de oliva en la dieta mediterránea. El aceite de oliva virgen y virgen extra, los tipos de aceite menos procesados, son los que contienen más fenoles. Estos antioxidantes naturales tienen poderes antiinflamatorios, por lo que los investigadores quisieron ver cómo afectaban a las células cancerosas.

En un estudio de laboratorio, los fenoles del aceite de oliva frenaron el desarrollo de las células de cáncer de colon y detuvieron el daño al ADN celular. Cuando se bloquea el crecimiento de las células cancerosas, éstas no logran desarrollarse en tumores ni propagarse. Las grasas monoinsaturadas del aceite de oliva también reducen el nivel del ácido deoxicólico en el colon, ácido biliar que alienta el crecimiento tumoral.

Parece que el aceite de oliva también reduce la cantidad de aminas heterocíclicas peligrosas que se producen durante la cocción de carnes y otros alimentos ricos en proteínas, especialmente cuando se fríen. Los investigadores encontraron que las personas que usaban aceite de oliva para freír sus alimentos tenían un riesgo menor de desarrollar cáncer de colon que las que usaban otras grasas, como la mantequilla o el aceite de cacahuate.

Despídase del dolor estomacal

Nuevas investigaciones demuestran que el aceite de oliva combate el tipo de bacteria que causa las úlceras estomacales y el cáncer gástrico o de estómago. Los expertos creen que la mayor parte de las úlceras estomacales son causadas por la bacteria *Helicobacter pylori (H. pylori)*, que segrega toxinas que causan inflamación y daño al revestimiento del estómago. También se cree que la *H. pylori* es la causa del cáncer de estómago. Los médicos recetan antibióticos para combatirla, pero algunas cepas se están volviendo resistentes a los antibióticos más comúnmente recetados. Es por eso que los expertos empezaron a buscar otras maneras de controlarla.

Nuevas investigaciones muestran que los compuestos fenólicos del aceite de oliva virgen son antibacterianos naturales. Funcionan contra varias cepas de la *H. pylori*, entre ellas algunas que son resistentes a los antibióticos. Es más, estos compuestos fenólicos parecen funcionar aun en medio del fuerte ácido estomacal, de modo que el aceite de oliva puede combatir a la *H. pylori* ahí donde merodea.

Por ahora las pruebas han sido hechas en el laboratorio, no en personas, por lo que no se sabe exactamente cuánto aceite de oliva se necesita para derrotar a las úlceras y al cáncer de estómago. Sin embargo, debido a su elevada concentración de compuestos fenólicos el aceite de oliva virgen le proporcionará una mayor protección que el té, el vino y otras fuentes vegetales de estos compuestos naturales.

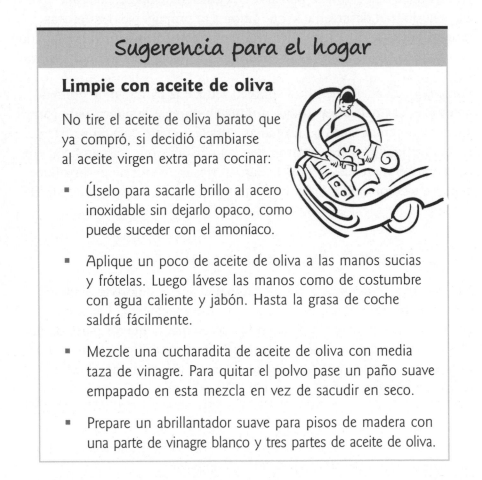

Sugerencia para el hogar

Limpie con aceite de oliva

No tire el aceite de oliva barato que ya compró, si decidió cambiarse al aceite virgen extra para cocinar:

- Úselo para sacarle brillo al acero inoxidable sin dejarlo opaco, como puede suceder con el amoníaco.

- Aplique un poco de aceite de oliva a las manos sucias y frótelas. Luego lávese las manos como de costumbre con agua caliente y jabón. Hasta la grasa de coche saldrá fácilmente.

- Mezcle una cucharadita de aceite de oliva con media taza de vinagre. Para quitar el polvo pase un paño suave empapado en esta mezcla en vez de sacudir en seco.

- Prepare un abrillantador suave para pisos de madera con una parte de vinagre blanco y tres partes de aceite de oliva.

Detenga el proceso de envejecimiento

La dieta mediterránea, abundante en aceite de oliva, frutas, verduras, frutos secos, semillas, panes y cereales, no sólo es buena para el corazón. También puede ayudarle a manejar la diabetes, mantener su peso bajo control y prevenir la pérdida de memoria.

Mantenga la diabetes bajo control. Los investigadores observaron a mujeres posmenopáusicas con diabetes tipo 2 para determinar si la dieta mediterránea y un cambio en el estilo de vida podían aliviar sus síntomas. Se encontró que las mujeres que cambiaron sus hábitos de alimentación —y que además hicieron otros cambios, como hacer ejercicio y reducir el estrés— estaban más saludables al cabo de un año. Estas mujeres consumieron menos calorías provenientes de grasas saturadas mejorando considerablemente sus factores de riesgo de enfermedades cardíacas.

Baje de peso y no vuelva a recuperarlo. A diferencia de otros planes para adelgazar que limitan lo que uno puede consumir, la dieta mediterránea incluye una gran variedad de alimentos deliciosos, por lo que tal vez sea más fácil de seguir en el largo plazo. Un estudio encontró que una dieta moderada en grasa, al estilo mediterráneo, funciona mejor para perder peso que una dieta baja en grasa. Otro estudio concluyó que la dieta mediterránea funciona tan bien como una dieta baja en carbohidratos, ayudando a perder en promedio cerca de 10 libras en dos años.

Evite la enfermedad de Alzheimer. Seguir una dieta mediterránea podría reducir el riesgo de desarrollar esta enfermedad. Este plan de alimentación también podría ayudar a personas con Alzheimer a vivir más tiempo. Los investigadores encontraron que las personas con Alzheimer que siguieron una dieta mediterránea vivieron unos cuatro años más que las personas que siguieron una típica dieta occidental.

Omega-3

Reduzca la presión arterial comiendo

La presión arterial alta hace que su corazón trabaje más y lo pone en mayor riesgo de sufrir una enfermedad cardíaca o un derrame cerebral. Así que asegúrese de incluir más ácidos grasos omega-3 en su dieta.

Estudios muestran que los suplementos dietéticos de ácidos grasos omega-3 reducen la presión arterial en las personas con presión arterial alta o normal. Sólo 3 gramos de ácido eicosapentaenoico (EPA) y ácido docosahexaenoico (DHA), presentes en el pescado, pueden reducir la presión sistólica en 5 milímetros de mercurio (mm Hg) y la diastólica en 3 mm Hg.

Usted no necesita tomar suplementos para beneficiarse del omega-3. Un estudio reciente que analizó a más de 4,000 personas de mediana edad procedentes de China, Japón, Reino Unido y Estados Unidos encontró que el consumo de alimentos ricos en omega-3 también ayuda. Los

> ### Fuentes naturales de ácidos grasos omega-3
>
> | | |
> |---|---|
> | ★ salmón | ★ sardinas |
> | ★ caballa | ★ anchoas |
> | ★ arenque | ★ semilla de lino |
> | ★ nueces | ★ albahaca |
> | ★ orégano | ★ aceite de *canola* |
> | ★ espinaca | ★ brócoli chino |

investigadores no han logrado determinar cómo es que el omega-3 reduce la presión arterial, pero creen que ayuda a relajar y dilatar los vasos sanguíneos al aumentar la producción de óxido nítrico en la capa delgada de células que recubre los vasos sanguíneos.

Además del pescado graso, como el salmón, la caballa y las sardinas, otras fuentes de omega-3 son el aceite de *canola,* las semillas de lino y las nueces. Estos alimentos proporcionan un tipo de ácido graso omega-3 llamado ácido alfa-linolénico (ALA), que el cuerpo convierte en DHA y EPA. Un incremento del 1 por ciento en los niveles sanguíneos de ALA significa una caída de 5 mm Hg en la presión arterial. Si bien los efectos del omega-3 en la presión arterial son modestos, toda ayuda es bienvenida. Incluya alimentos ricos en omega-3 en una dieta saludable que limite la sal, el alcohol y las grasas saturadas y que contenga suficiente potasio y calcio.

Aceite de pescado para bajar el colesterol

¿Ya se cansó de los altibajos de sus niveles de colesterol? Agregue más ácidos grasos omega-3 a su dieta y controle esos altibajos: sus niveles de colesterol bueno (HDL) empezarán a subir y los niveles de los peligrosos triglicéridos a bajar. El colesterol HDL arrastra al colesterol hacia el hígado y fuera del cuerpo, en vez de llevarlo a las paredes arteriales. Por eso es importante aumentar los niveles de la HDL para proteger el corazón y las arterias. Los triglicéridos, por el contrario, sólo causan problemas. Estas grasas en la sangre aumentan el riesgo de desarrollar enfermedades del corazón. Al hacer que un tipo de colesterol suba mientras otro baja, los ácidos grasos omega-3 redoblan sus esfuerzos en favor de su corazón.

El pescado graso, como el salmón silvestre, el hipogloso y el atún, es una buena fuente de ácidos grasos omega-3, entre ellos el ácido eicosa-pentaeonico (EPA) y el ácido docosahexaenoico (DHA). Si no le gusta el pescado, pruebe las cápsulas de aceite de pescado. Tome 3 gramos de EPA y DHA. Si usted está tomando medicamentos adelgazadores de la sangre, como la warfarina, hable con su médico antes de probar los suplementos de aceite de pescado. Otra opción es la semilla de lino, que provee otro tipo de ácido graso omega-3 llamado ácido alfa-linolénico. Una a tres cucharadas de semilla de lino molida al día es suficiente.

Las bayas y los omega-3

Usted no tiene que comer pescado para aumentar su consumo de ácidos grasos omega-3. Un estudio reciente realizado en Noruega encontró que los arándanos azules contienen una cantidad similar de ácido alfa-linolénico (ALA) a la que contienen algunas verduras verdes silvestres conocidas por su alto contenido de ALA.

Prevenga la osteoporosis con omega-3

Usted ya sabe lo importante que es el calcio para la fortaleza de los huesos. Pero los ácidos grasos omega-3 también pueden ser un factor clave para la salud ósea. Un estudio reciente de la Universidad Estatal de Pensilvania encontró que las fuentes vegetales de omega-3 podrían ayudar a prevenir la pérdida ósea.

En un estudio con 23 personas, los investigadores controlaron todos los alimentos que estas personas consumían. Compararon la dieta estadounidense estándar con dietas ricas en ácido alfa-linolénico (ALA), que es un ácido graso omega-3, y en ácido linoleico (LA), que es un tipo de ácido graso omega-6.

La dieta ALA redujo significativamente los niveles sanguíneos de N-telopéptidos, un marcador de pérdida ósea. Los marcadores de formación ósea, en cambio, permanecieron invariables. Estos resultados la convierten en una buena dieta para evitar la osteoporosis.

Las nueces, que proporcionan tanto ALA como LA, fueron un componente básico de esta dieta. Los participantes del estudio las disfrutaron en las meriendas, pero también en alimentos como la granola con nueces, la crema de nueces con miel y el pesto de nueces. El aceite de semilla de lino también incrementó los niveles de ALA. Al comer más nueces y semillas de lino, usted puede agregar ALA a su dieta y, de ese modo, aumentar su defensa contra la osteoporosis.

Pacifique la psoriasis con aceite de pescado

La psoriasis es una afección crónica de la piel, que presenta áreas de piel reseca, escamosa, irritada y con comezón. Ahora usted tiene la esperanza de sanar la piel gracias a los ácidos grasos omega-3.

Varios estudios demuestran que los suplementos de aceite de pescado pueden mejorar los síntomas de psoriasis. Es probable que el omega-3 ayude debido a sus poderes antiinflamatorios. Esta teoría es reforzada por el hecho de que en las lesiones psoriáticas se han encontrado altos niveles de ácido araquidónico, un tipo de ácido graso omega-6 que promueve la inflamación. Los ácidos grasos omega-3 pueden contrarrestar

Para obtener más información sobre los ácidos grasos omega-3, vea los capítulos dedicados al pescado y a la semilla de lino.

los omega-6 para mantener la inflamación bajo control. Obtener más omega-3, ya sea a través de alimentos o suplementos, puede ayudarle a sanar la piel.

Cebolla y poro

Prevenga un ataque al corazón

La cebolla está repleta de numerosos compuestos beneficiosos para la salud. Uno de ellos, la quercetina, ya es conocido como un compuesto prometedor contra los síntomas de la alergia y la presión arterial alta. Pero los científicos del Instituto de Investigación de Alimentos, de Inglaterra, creen que la quercetina también puede ayudar a combatir la inflamación de las arterias, uno de los factores precursores de los ataques cardíacos.

Los científicos ingleses decidieron poner a prueba la quercetina. Como buscaban simular las condiciones que ocurren en el cuerpo humano, ellos no podían poner a prueba la quercetina por sí sola y he aquí por qué. Cuando se digiere una cebolla, el cuerpo interactúa con la quercetina para producir unos compuestos nuevos llamados metabolitos. Lo que llega al intestino no es la cebolla ni la quercetina, sino los metabolitos. Son estos compuestos los que acaban en el torrente sanguíneo. Debido a que los científicos sabían que esto era lo que ocurría, decidieron hacer las pruebas tanto con la quercetina como con los metabolitos en las células del revestimiento interno de las arterias. Así descubrieron que las células expuestas ya sea a la quercetina o a los metabolitos limitaron la actividad de las moléculas clave que ayudan a causar la inflamación. Si la cebolla puede ayudar a prevenir la inflamación, también puede prevenir un ataque cardíaco.

La inflamación de las paredes arteriales puede empezar mucho antes de que ocurra un ataque al corazón, pero eso no la hace menos peligrosa.

Esto se debe a que la inflamación es un ingrediente clave para la formación de placa a lo largo del revestimiento interno de las arterias. A mayor inflamación y placa, más estrechas se volverán las arterias. Es como tirar rocas en un arroyo. Con el tiempo, las rocas acabarán por atascar el arroyo. Cuando un coágulo impide que la sangre rica en oxígeno llegue al corazón, provoca un ataque cardíaco.

Cada vez que usted previene la inflamación en las arterias, también está previniendo la formación de placa. Menos placa significa menos posibilidades de obstruir una arteria y de sufrir un ataque cardíaco. Ésa es una buena razón para empezar a comer cebolla todos los días. Defienda su corazón agregando cebolla a sus guisos y sopas.

Delicias para reducir el riesgo de cáncer

Agregar más cebolla y ajo a sus adobos puede reducir el riesgo de sufrir cáncer. Los científicos de la Universidad Hohenheim, de Alemania, marinaron carnes con distintos adobos, las cocinaron y las pusieron a prueba para estudiar los compuestos cancerígenos. Cuanta más cebolla y ajo le pusieron al adobo, menos compuestos cancerígenos se formaron en la carne. La próxima vez que vaya a asar carne a la parrilla o a freírla, prepare un adobo a base de aceite con mucha cebolla y ajo. No sólo le dará un exquisito sabor a la carne, también le protegerá del cáncer.

Protéjase contra un cáncer muy agresivo

Comer cebolla le puede ayudar a evitar uno de los tipos de cáncer más agresivos, el cáncer de páncreas. Menos del 4 por ciento de las personas viven más de cinco años después de haber sido diagnosticados con cáncer de páncreas. Pero, como todo cáncer, este tipo de cáncer sólo representa una amenaza si llega a desarrollarse en el cuerpo.

Usted puede tomar ciertas medidas para evitar que eso ocurra, y comer cebolla es una gran manera de empezar a hacerlo.

Según científicos de la Universidad de California, en San Francisco, las personas que comen más cebollas y ajos tienen una probabilidad 54 por ciento menor de desarrollar cáncer pancrático que las que comen menos. Los expertos creen que esto ocurre debido a que la cebolla tiene su propio equipo de nutrientes asombrosos. Estos poderosos protectores ayudan al cuerpo a defenderse de los cambios que pueden llevar al cáncer pancreático.

Sin embargo, comer más cebolla no solamente reduce el riesgo de desarrollar cáncer pancreático. Un estudio europeo comprobó que entre una y seis porciones de cebolla a la semana también reduce el riesgo de sufrir cáncer colorrectal, cáncer de laringe y cáncer de ovario. Las personas que comen siete o más porciones a la semana tienen un riesgo menor de cáncer de boca y cáncer de esófago.

Una de las posibles causas de muchos tipos de cáncer son los radicales libres. Los radicales libres son moléculas inestables que se producen cada vez que respiramos. A menos que sean detenidos por los antioxidantes, estos radicales libres pueden dañar las células. La cebolla contiene antioxidantes y compuestos de azufre que ayudan a neutralizar los radicales libres. Eso hace que sea más difícil que el cáncer empiece y más fácil que usted se mantenga saludable.

Superestrategia para la salud de la próstata

Tener que levantarse varias veces por la noche para ir al baño es un problema muy común para los hombres con la próstata agrandada o con hiperplasia prostática benigna (HPB).

La próstata rodea la uretra, que es el tubo que lleva la orina fuera del cuerpo. Es por eso que el agrandamiento de la próstata puede provocar la necesidad de orinar con frecuencia durante la noche, las dificultades para orinar, la necesidad de orinar con frecuencia durante el día y el goteo. A los 75 años de edad, cerca de la mitad de los hombres tienen estos síntomas, lo que no significa que sean inevitables.

Para determinar si los alimentos podían ser una solución, en Italia un grupo de científicos examinaron la dieta y la salud prostática de más de 2,500 hombres. Lo que comprobaron fue que cuanta más cebolla y ajo comían, menos probable era que desarrollaran hiperplasia prostática benigna (HPB).

Aun cuando nadie sabe a ciencia cierta qué es lo que causa la HPB, los principales sospechosos son los radicales libres. Los expertos creen que estas moléculas nocivas son las que dañan los tejidos, lo que provoca el agrandamiento de la próstata y desencadena los síntomas de la HPB. Algunos incluso creen que el efecto dañino de los radicales libres sobre el colesterol podría contribuir a este problema.

Si eso es cierto, tal vez los antioxidantes en la cebolla pueden ayudar a detener a los radicales libres y pueden proteger la próstata de sufrir posibles daños. Se necesitan más investigaciones para saber con seguridad si esto es así. Entretanto, ¿por qué no comer un poco más de cebolla a la semana? Y también pruebe agregar poro a sus comidas. El poro contiene muchos de los mismos compuestos saludables de la cebolla.

Gánele la batalla al azúcar en la sangre

Los estudios indican que comer cebolla puede ayudar a controlar la glucosa o azúcar en la sangre, que se eleva cuando no se tiene suficiente insulina. Cuando usted come cebolla, obtiene un compuesto llamado disulfuro de alilpropilo (APDS, en inglés). El APDS puede ayudarle a prevenir la desactivación natural de la insulina en el cuerpo, haciendo que sea más difícil que llegue a niveles muy bajos. La insulina adicional ayuda a trasladar el azúcar fuera del torrente sanguíneo y a dirigirlo hacia las células, disminuyendo así el nivel de azúcar en la sangre.

Limpie con cebollas y poros

Use cebollas y poros para limpiar la parrilla, así como sus piezas favoritas de latón y peltre. Vea cómo:

- No utilice productos químicos malolientes para limpiar las rejillas de la parrilla a carbón. Caliente la parrilla y clave un tenedor en la parte superior de la mitad de una cebolla. Úsela como un cepillo para restregar la rejilla hacia arriba y hacia abajo y quitar toda la mugre.

- Usted puede fabricar su propio limpiador de objetos de latón a partir de una cebolla. Asegúrese de abrir las ventanas de la cocina para mantenerla bien ventilada. Pique una cebolla y pásela a una cacerola pequeña con agua. Deje que rompa a hervir, cubra y hierva a fuego lento durante dos horas. Cuele. Empape un paño suave en el agua de cebolla y úselo para sacar brillo. Al terminar, lave y seque cada pieza.

- Es más fácil aún dejar sus objetos de peltre o estaño relucientes y sin manchas. Simplemente frote el peltre con una hoja cruda de poro. Enjuague y seque.

Fortalezca los huesos sin hacer esfuerzo

Expertos en Suiza sostienen que la cebolla puede contener el arma secreta para prevenir la pérdida de masa ósea. Curiosamente, su descubrimiento empezó con una cena *gourmet* para ratas. Para determinar si la cebolla podía ayudar a combatir la pérdida ósea, los científicos agregaron cebolla a la comida habitual de las ratas y funcionó. El índice de velocidad de la pérdida de hueso en las ratas se redujo. Las pruebas de laboratorio demostraron que el crédito se lo merecía un compuesto de la cebolla llamado gamma-L-glutamil-trans-S-1-propenil-L-cisteína sulfóxido (GPCS, en inglés). El GPCS hace que las células que eliminan hueso viejo se vuelvan perezosas y trabajen menos. Eso es importante porque estos ladrones óseos parece que trabajaran horas extra en los adultos mayores.

Tal vez usted no sepa que su esqueleto se renueva en su totalidad aproximadamente una vez cada 10 años. Esto sucede debido a que las células llamadas osteoclastos constantemente eliminan el hueso viejo, mientras que las células llamadas osteoblastos agregan nuevo hueso en su lugar. Para cuando pasan 10 años, casi todo el hueso viejo ha sido remplazado. En los jóvenes se produce más hueso del que se pierde y, de ese modo, los huesos se hacen fuertes. A medida que se envejece, la producción de hueso disminuye, pero los osteoclastos continúan quitando la misma cantidad de hueso. El resultado es que usted pierde más hueso del que hace. Si el GPCS hace que los osteoclastos trabajen a un ritmo menor, entonces usted pierde menos hueso.

Lamentablemente, usted tendría que comer casi 14 onzas de cebolla al día para obtener la misma cantidad de GPCS que obtuvieron las ratas del estudio. Los científicos dicen que harán más pruebas para determinar si realmente son necesarias las 14 onzas de cebolla para frenar la pérdida ósea. Para obtener mejores resultados, consuma cebollas además de alimentos ricos en calcio y vitamina D, como los productos lácteos.

Maracuyá

La pasión que salva corazones

El maracuyá, también conocido como parchita, chinola o pasionaria, es una "superfruta" que rebosa vitamina C y muchos otros nutrientes saludables para el corazón.

La flor de la planta del maracuyá recuerda a algunas personas la Pasión de Cristo porque se asemeja a una corona de espinas. Por esa razón, al maracuyá también se le conoce como el "fruto de la pasión". Esta fruta tropical se ha utilizado desde hace mucho tiempo en la medicina popular. En Brasil, por ejemplo, se emplea para la elaboración de un tónico para el corazón y con buena razón. El maracuyá hace tres cosas extraordinarias por el corazón y los vasos sanguíneos:

Ayuda a prevenir las enfermedades cardíacas. Un estudio realizado a largo plazo con profesionales de la salud encontró que quienes comieron más frutas y verduras, especialmente con un alto contenido de vitamina C, tenían un riesgo menor de desarrollar una enfermedad del corazón. Incluso bastó que consumieran una porción adicional al día para que se registrara una diferencia. Una taza de maracuyá de la variedad morada tiene 118 por ciento de la vitamina C que usted necesita cada día.

Ayuda a evitar los accidentes cerebrovasculares. La vitamina C también ayuda a evitar un derrame cerebral, como se comprobó en un estudio realizado con cerca de 20,000 hombres y mujeres de mediana edad. Según el estudio, las personas con niveles más elevados de vitamina C en la sangre tenían menos probabilidades de sufrir un derrame cerebral. Los investigadores no están seguros de cómo ayuda la vitamina C. Algunos expertos creen que un nivel alto de vitamina C en la sangre indica un estilo de vida saludable, lo que incluye comer abundantes frutas y verduras.

Ayuda a combatir la presión arterial alta. En estudios realizados con ratas y con personas se encontró que un extracto hecho de la cáscara del maracuyá morado redujo la presión arterial. En más del 86 por ciento de las personas que tomaron el extracto se observó una caída de la presión sistólica (el número superior) en promedio de 31 milímetros de mercurio (mm Hg) y de la presión diastólica (el número inferior) de 25 mm Hg. Los expertos creen que el maracuyá contiene algo que cambia el nivel de óxido nítrico en la sangre. El óxido nítrico, producido por las células al interior de los vasos sanguíneos, ayuda a mantener abiertas las arterias, lo que reduce la presión arterial. Una taza de maracuyá también le proporciona casi una cuarta parte del potasio que usted necesita al día. El potasio ayuda a reducir los efectos del sodio en el cuerpo.

Cambie el tomate por una fruta

Comer más alimentos ricos en licopeno, como el tomate, puede ayudar a prevenir el cáncer de próstata. ¿Y si no le gusta el tomate? Entonces procure comer maracuyá. Nuevas investigaciones muestran que el maracuyá es una gran fuente de este poderoso antioxidante. Y si el maracuyá no está en temporada, entonces obtenga su dosis de licopeno de los albaricoques o de la sandía.

La C, complemento clave para la salud

Cambie el jugo de naranja de la mañana por un jugo de maracuyá y también obtendrá una buena dosis de vitamina C. Una taza de jugo de maracuyá de la variedad morada tiene 74 miligramos de vitamina C, casi tanto como una taza de jugo de naranja. La vitamina C es buena para la salud de muchas maneras:

Le protege contra las cataratas. Los antioxidantes abundantes en el maracuyá, especialmente la vitamina C, lo convierten en un arma poderosa contra las cataratas. Esas zonas nubladas del cristalino del ojo se forman cuando las proteínas se juntan y bloquean la luz. Los dañinos radicales libres (de las toxinas, de la exposición a la luz ultravioleta, del humo del cigarrillo y de otras causas) pueden dar pie al desarrollo de las cataratas. Es ahí donde los antioxidantes, como la vitamina C, vienen al rescate. Ellos trabajan para neutralizar a los radicales libres perjudiciales. Según estudios realizados en España y Japón, las personas que obtienen abundante vitamina C de los alimentos tienen menos riesgo de desarrollar cataratas a medida que envejecen. Evite los suplementos de antioxidantes. La evidencia indica que tomar altas dosis de estos suplementos puede ser perjudicial.

Aumenta la inmunidad. La vitamina C tal vez no le ayude a superar los estornudos, el goteo nasal y las molestias del resfriado, si ya lo tiene. Pero si usted toma vitamina C antes de enfermarse, usted puede recuperarse más rápido. Es más, la vitamina C podría ayudar a evitar que usted caiga enfermo. La vitamina C funciona especialmente bien para las personas que viven en condiciones difíciles, como en climas muy fríos o que se dedican a actividades extenuantes, como carreras de larga distancia.

Revitaliza la piel cansada. La vitamina C es importante para la formación de colágeno, el tejido conectivo que ayuda a sanar las heridas y a mantener la piel joven. Esta importante vitamina también ejerce un control sobre el daño de los radicales libres, que pueden debilitar el colágeno y aumentar los signos de envejecimiento de la piel. Un estudio realizado con mujeres de mediana edad encontró que aquéllas que recibieron más vitamina C en sus dietas tenían menos arrugas y su piel lucía menos reseca. Ésa es otra gran razón para servirse otro vaso de jugo de maracuyá.

Baje de peso sin pasar hambre

Apague el deseo de comer algo dulce sin caer en la tentación de un antojito cargado de calorías. Pruebe este secreto para perder peso sin esfuerzo: la sustitución. Coma una fruta de sabor dulce, como el maracuyá, en lugar de galletas o un pastel de manzana. Consumirá menos calorías y controlará su deseo de comer algo dulce. El mejor consejo de los expertos para perder peso es sustituir el alimento del antojo por uno que tenga un sabor similar.

Es así como funcionan los antojos: un producto químico natural producido en el cerebro, el neuropéptido Y (NPY), hace que el cuerpo tenga antojo de carbohidratos. Esto sucede en momentos de estrés, cuando el cuerpo necesita más combustible, y al levantarse por la mañana. Es muy difícil ignorar las demandas del NPY, como se lo dirá cualquiera que esté a dieta. Lo mejor es sustituir el antojo de carbohidratos por un alimento de menor densidad de energía. Las frutas con azúcares naturales proporcionan la mayor parte de su energía en forma de carbohidratos. Media taza de maracuyá tiene 115 calorías, una opción mucho mejor que un pedazo de pastel de manzana hecho en casa, que inclinaría la balanza a 411 calorías.

Las investigaciones muestran que las personas tienden a comer el mismo volumen de alimentos todos los días, ya sean éstos de bajo o de alto contenido calórico. Elija alimentos bajos en calorías, como las frutas y las verduras, y usted llevará la delantera en el esfuerzo por adelgazar. De hecho, un importante estudio reveló que las mujeres que comían más frutas y verduras redujeron el riesgo de obesidad y aumento de peso en 24 por ciento. Ésa es una buena noticia, ya que las personas tienden a aumentar de peso a medida que envejecen.

El maracuyá ofrece dos importantes beneficios adicionales:

- El 59 por ciento de la vitamina C que usted necesita en una porción de media taza. Estudios demuestran que usted necesita vitamina C en la sangre para ayudar al cuerpo a quemar grasa.

- 12 gramos de fibra en media taza. Comer alimentos con alto contenido de fibra le llenará de modo que no comerá en exceso, y usted tendrá menos hambre entre comidas.

Tratamiento tropical ayuda a respirar mejor

Hay quienes creen que el asma es una enfermedad infantil, pero no es así. Los adultos mayores suelen desarrollar asma. Y cuando lo hacen, es más difícil de tratar porque a menudo tienen otros problemas de salud. También hay un riesgo de interacción entre medicamentos.

Los ataques de asma se producen cuando las vías respiratorias se estrechan, dificultando la respiración. Esto es causado tanto por la inflamación del revestimiento de las vías respiratorias como por la hipersensibilidad a las partículas en el aire. Un ataque puede incluir respiración sibilante, falta de aliento, sensación de opresión en el pecho, tos y ritmo cardíaco acelerado. Un ataque de asma grave puede ser mortal si no es tratado rápidamente.

Afortunadamente, usted puede recibir ayuda de forma natural recurriendo a la poderosa protección del maracuyá. La planta del maracuyá es utilizada en un remedio tradicional de Brasil para tratar problemas respiratorios, como el asma, la bronquitis y la tos convulsiva.

La razón podría ser la generosa cantidad de vitamina C del maracuyá. Un estudio británico determinó que incluir más frutas en la dieta, sobre todo fruta con mucha vitamina C, reduce las probabilidades de desarrollar asma. Una taza de maracuyá de la variedad morada le da 118 por ciento de la vitamina C que usted necesita en un día.

Investigaciones recientes muestran que el maracuyá también es particularmente bueno para proteger los pulmones. Las personas con asma que tomaron un extracto de la cáscara de maracuyá morado todos los días durante cuatro semanas estuvieron mejor que las que tomaron un placebo o píldora de azúcar. El extracto mejoró la respiración sibilante, la tos y la falta de aliento. Los investigadores creen que los antioxidantes del maracuyá ayudaron a calmar la inflamación, mientras que los flavonoides, que son compuestos químicos vegetales naturales, bloquearon la histamina. La histamina, una sustancia química liberada por el sistema inmunitario durante una reacción alérgica, provoca la inflamación.

Sugerencia para el hogar

Secretos para disfrutar del maracuyá

Algunos son de color amarillo, otros morados. Usted puede conocer su procedencia según el color. El de Nueva Zelanda es morado y bastante pequeño, mientras que el de Hawai es amarillo. El maracuyá se ve arrugado cuando está maduro.

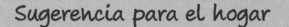

Si es la primera vez que lo come, no le dé un mordisco como si se tratara de una manzana. En su lugar, córtelo y disfrute la jugosa pulpa y las semillas comestibles. También puede exprimir el jugo para bebidas y batidos. La temporada del maracuyá es de abril a agosto. Fuera de estación, puede adquirirlo como jugo en botella o como puré en frasco o en lata.

Menta

Tranquilícese por dentro con el poder de la menta

El secreto para aliviar la indigestión y los dolorosos síntomas del síndrome del intestino irritable está en un caramelo típico de Navidad.

Calme los espasmos musculares. Si usted padece el síndrome del intestino irritable (SII) y desea controlar sus síntomas, tiene que prestar atención a lo que come. A pesar de todas las precauciones, es posible que sienta malestar después de una comida. Para los dolores abdominales provocados por espasmos musculares en el intestino, la menta puede ser su salvadora. La menta contiene mentol, un anestésico suave y natural que puede calmar los espasmos musculares y detener el dolor. Estudios de personas con SII muestran que tomar aceite de menta alivia algo del dolor, la distensión abdominal, la flatulencia y la diarrea. Ésa es una buena noticia, porque los síntomas del SII pueden durar años y el aceite de menta se considera inocuo para la mayoría de las personas.

Para tratar el SII se utilizan, por lo general, las cápsulas de aceite de menta con cubierta entérica. Estas cápsulas impiden que el aceite de menta sea liberado en el estómago y llegue directamente al intestino. Tome una o dos cápsulas tres veces al día entre las comidas.

Alivie el malestar estomacal a sorbos. Una taza de infusión de menta puede aliviar un episodio de indigestión o el malestar estomacal. El efecto calmante del mentol en la menta ayuda a relajar los músculos del estómago. La menta también promueve el flujo biliar necesario para la digestión de grasas. Agregue una o dos cucharaditas de hojas secas

El dulce aroma a menta puede mejorar su memoria y mantenerlo alerta. Las personas que se sometieron a pruebas de memoria en un ambiente que olía a menta obtuvieron mejores resultados que las personas que olieron la hierba *ylang ylang* o ninguna fragancia.

de menta a una taza de agua hirviendo y déjela reposar unos cinco minutos. Beber lentamente una taza de infusión de menta también puede ayudar a relajar los músculos para curar el hipo.

Pero no intente la cura de menta si sufre de agruras o acidez estomacal a causa de la enfermedad del reflujo gastroesofágico (ERGE). La menta podría relajar los músculos en el esófago empeorando la acidez.

Sugerencia para el hogar

Un limpiador natural para pisos de madera

Mezcle partes iguales de vinagre blanco destilado y agua; luego agregue alrededor de una docena de gotas de aceite de menta. Utilice la solución para limpiar sus pisos con un trapeador húmedo, asegurándose de secar bien después. El vinagre hará relucir el piso y su casa tendrá un fresco aroma a menta.

Remedio efectivo para el dolor

La misma hierba que se usa para los bastones de caramelo de Navidad puede poner fin al dolor. Funciona debido al increíble poder de la menta para bloquear algunos nervios y estimular otros. Se podría decir que la menta enfría y apacigua el dolor.

Apague el dolor. El arma secreta de la menta es el mentol, un anestésico natural. El mentol también se utiliza en las cremas y los parches para el dolor, como *Bengay* y *Icy Hot*. El mentol estimula los nervios que sienten el frío —por eso la menta tiene sabor a frío— y bloquea los nervios que sienten el dolor. El efecto no es prolongado, pero usted obtendrá algo de alivio.

Tradicionalmente, la menta se inhalaba para tratar la tos y los problemas respiratorios. Ahora usted puede chupar un caramelo de menta o una pastilla con mentol para la tos, o disfrutar de una infusión de menta para calmar el dolor de garganta y la tos. Los expertos creen que el mentol de la menta bloquea el dolor y detiene la irritación que provoca la tos.

Descabece el dolor de cabeza. El aceite de menta —aplicado en la frente, no ingerido— tiene un efecto calmante y anestésico. Las investigaciones muestran que funciona tan bien como el acetaminofeno (Tylenol) para aliviar las molestias de un dolor de cabeza por tensión. Un estudio encontró que las personas que sufrían dolores de cabeza empezaban a sentirse mejor a los 15 minutos de utilizar el aceite de menta. Otro estudio tuvo éxito con una combinación de aceite de menta y aceite de eucalipto. Para probar la cura de aceite de menta, agregue dos gotas a una taza de agua, empape un paño en el agua aromatizada y aplíquelo como una compresa sobre la frente.

No confunda el aceite de menta con el extracto de menta que usted compra en el supermercado en la sección de productos para repostería. El aceite es más concentrado y usted lo puede encontrar en las tiendas de productos naturales. Usted no debe usar aceite de menta si tiene una hernia hiatal, problemas de vesícula biliar o acidez estomacal debido a la enfermedad del reflujo gastroesofágico (ERGE).

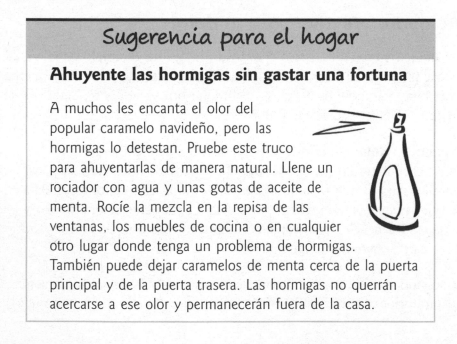

Sugerencia para el hogar

Ahuyente las hormigas sin gastar una fortuna

A muchos les encanta el olor del popular caramelo navideño, pero las hormigas lo detestan. Pruebe este truco para ahuyentarlas de manera natural. Llene un rociador con agua y unas gotas de aceite de menta. Rocíe la mezcla en la repisa de las ventanas, los muebles de cocina o en cualquier otro lugar donde tenga un problema de hormigas. También puede dejar caramelos de menta cerca de la puerta principal y de la puerta trasera. Las hormigas no querrán acercarse a ese olor y permanecerán fuera de la casa.

Ciruela

Un poderoso guerrero contra el cáncer

Verduras como la zanahoria y el brócoli están llenas de unos nutrientes llamados antioxidantes, que combaten el cáncer y ayudan a proteger las células. Pero si usted desea una protección anticáncer aún mayor, pruebe las ciruelas. Son dulces, jugosas y tienen cinco veces más poder antioxidante que cualquiera de estas verduras.

Los científicos han creado un sistema llamado Capacidad de Absorción de Radicales de Oxígeno (ORAC, en inglés) que asigna un puntaje a los alimentos según la cantidad de antioxidantes que contienen. Un puntaje alto significa que el alimento tiene más poder antioxidante para combatir el cáncer. Y es aquí donde las ciruelas realmente se lucen: una porción de 100 gramos (g) de ciruelas, esto es alrededor de una fruta y media, tiene un puntaje de ORAC de 9,240. La misma cantidad de zanahorias crudas tiene una ORAC de 1,462, mientras que la ORAC del brócoli es de 1,844. Los puntajes de estas verduras son respetables, pero el de la cereza destaca por ser cinco veces mayor.

Las investigaciones sobre la ciruela muestran que estas comparaciones de la ORAC son válidas. Un estudio realizado en Japón encontró que un extracto de ciruela pasa, que es la ciruela deshidratada, funcionó en el laboratorio contra las células de cáncer de colon. Los expertos creen que el ácido clorogénico, un antioxidante en la ciruela pasa, sería el responsable de esta capacidad para combatir el cáncer.

Para aprovechar al máximo este poder para combatir el cáncer, espere a que las ciruelas maduren bien. Algunas

El extracto de ciruela pasa y el jugo de ciruela fresca, según un estudio reciente, detuvieron el crecimiento de bacterias en la carne que causan enfermedades. Los productos de ciruela eliminaron el 90 por ciento de las bacterias *E. coli* en una libra de carne molida.

frutas tienen más antioxidantes a medida que maduran, pasando del verde a otros colores, como las hojas de otoño. Esto se debe a que la clorofila, que le da el color verde a las frutas, con el tiempo se convierte en compuestos antioxidantes llamados catabolitos de clorofila no fluorescentes (NCC, en inglés). La presencia de NCC significa que cuanto más maduras estén las ciruelas, mayores serán sus beneficios.

¿Desea mejorar su regularidad digestiva? Sáltese el jugo de ciruela pasa

Nuestras abuelas confiaban en el jugo de ciruela pasa para el estreñimiento. Usted puede hacer algo mejor. Una bolsa de ciruelas pasas —también conocidas como ciruelas secas o *prunes,* en inglés— es un remedio mucho más poderoso.

Como ocurre con tantas otras frutas, en muchos casos la ciruela pasa es mejor para usted entera que en jugo. Por ejemplo, la ciruela pasa entera le proporciona más fibra para mantener la regularidad de su digestión. De hecho, media taza de ciruelas pasas contiene 6 gramos (g) de fibra, eso es el doble de la fibra con aproximadamente la misma cantidad de calorías que una taza de jugo de ciruela pasa. Los médicos recomiendan a los adultos mayores de 50 años de edad consumir entre 20 y 30 g de fibra cada día para mantener la regularidad digestiva.

Tanto las ciruelas frescas como las ciruelas pasas contienen sorbitol. Este azúcar natural de origen vegetal actúa como un laxante y, una vez más, las ciruelas pasas enteras tienen el doble de la cantidad que se encuentra en el jugo de ciruela pasa.

Obtenga la protección que sus huesos se merecen

No deje que sus huesos se vuelvan quebradizos y porosos como esponjas, a punto de romperse bajo la menor presión. Prevenga la osteoporosis con estas delicias repletas de nutrientes beneficiosos para los huesos: ciruelas frescas y ciruelas pasas.

Las mujeres posmenopáusicas corren más riesgo de sufrir fracturas óseas y otros problemas derivados de la osteoporosis. Es por eso que los investigadores decidieron determinar si la ciruela pasa podía ayudar a las mujeres mayores. Las mujeres del primer grupo estudiado recibieron 12 ciruelas pasas cada día, mientras que las del segundo grupo comieron aproximadamente la misma cantidad de manzanas secas. Parece que las ciruelas pasas aumentaron los niveles de una proteína asociada con la formación de hueso, mientras que las manzanas no mostraron este beneficio. Las mujeres no aumentaron de peso después de seguir durante tres meses la dieta de ciruela pasa, a pesar de que estaban consumiendo más calorías. Los investigadores creen que esto se debe a la fibra adicional en las ciruelas pasas.

Las ciruelas contienen minerales que mantienen los huesos sanos y fuertes:

- **Boro.** Este micromineral ayuda al cuerpo a absorber el calcio de los alimentos. De ese modo sus huesos pueden conservar el calcio que ya tienen.

- **Manganeso.** Media taza de ciruelas pasas tiene 13 por ciento del manganeso que usted requiere en un día. Este mineral ayuda a las enzimas a mantener los huesos fuertes y a evitar que se vuelvan porosos.

- **Potasio.** Como dos niños en un subibaja, el potasio y el sodio deben mantenerse en equilibrio para conservar el calcio para los huesos. Beber una taza de jugo de ciruela pasa le proporciona un quinto del potasio que usted necesita en un día, lo que podría compensar una dieta alta en sal.

Una taza de ciruelas también brinda aproximadamente el 26 por ciento de la vitamina C que usted necesita en un día, lo que ayuda a las enzimas a hacer su trabajo. Pero elija las ciruelas frescas, ya que el proceso de secarlas y convertirlas en ciruelas pasas, o en jugo de ciruela pasa, elimina gran parte de esta importante vitamina.

Barritas de cacahuate y ciruela

Ingredientes* (Rinde 32 porciones)

1 taza colmada de azúcar morena

1/2 taza de crema de cacahuate

2 cucharadas de margarina

1/2 taza de leche al 1%

1/4 de taza de sustituto de huevo

1 cucharadita de extracto de vainilla

1 taza de copos de avena

1 1/2 tazas de harina sin blanquear

1 cucharadita de polvo de hornear

1/2 cucharadita de sal

1 taza de ciruelas pasas

Preparación

1. Precaliente el horno a 350°F y engrase una bandeja para hornear de 9x13 pulgadas.

2. En el tazón de la mezcladora, bata juntos el azúcar, la crema de cacahuate y la margarina a velocidad media hasta que la mezcla esté cremosa. Agregue la leche, el sustituto de huevo y la vainilla. Bata bien.

3. Combine la avena, la harina, el polvo de hornear y la sal. Incorpore en la mezcla de la crema de cacahuate. Bata hasta mezclar bien. Incorpore las ciruelas pasas.

4. Extienda la masa uniformemente sobre la bandeja preparada. Hornee de 24 a 27 minutos o hasta que se doren.

Información nutricional por porción: 103.8 calorías (27.8 calorías de la grasa, 26.74 por ciento del total); 3.1 g de grasa; 2.5 g de proteínas; 17.4 g de carbohidratos; 0.2 mg de colesterol; 1.0 g de fibra; 88.3 mg de sodio

*Si no reconoce el nombre de un ingrediente, vea el glosario en la página 360.

Granada

La fruta 'prohibida' que limpia las arterias

Algunas personas creen que la fruta prohibida del jardín del Edén fue en realidad una granada, no una manzana. Si usted desea mantener su corazón sano y joven, no se prohíba incluir esta tentadora belleza color escarlata en su dieta, ya sea como jugo o como granos comestibles. Es en el interior de la granada donde se encuentran las sustancias químicas de origen vegetal, como los polifenoles, los taninos y las antocianinas, que actúan como antioxidantes para mantener la salud del corazón. Mire todo lo que pueden hacer:

Bajan el LDL. El colesterol "malo" LDL puede oxidarse a causa de los radicales libres, lo que a la larga podría llevar a la formación de placa en las arterias. El poder antioxidante de la granada detiene este daño.

Detienen el exceso de células de defensa. Los macrófagos son un tipo de células dedicadas a la defensa del organismo que engullen a los invasores perjudiciales. A la vez que hacen su trabajo, provocan algunos cambios que llevan al endurecimiento de las arterias. Estudios de laboratorio muestran que el jugo de granada detiene estos cambios.

Alimentan el corazón. El músculo cardíaco necesita sangre rica en oxígeno, como cualquier otra célula en el cuerpo. Cuando las arterias se obstruyen, las células mueren por hambre. Un estudio encontró que los antioxidantes del jugo de granada mejoraron el flujo sanguíneo a las células del corazón en personas con enfermedades cardíacas.

Aplacan la presión arterial. Los médicos aconsejan mantener la presión arterial baja para prevenir un ataque al corazón o un derrame cerebral. Los antioxidantes en la granada le ayudan a hacerlo. Esta maravilla tropical también le proporciona potasio, que equilibra los efectos del sodio debidos a una dieta con alto contenido de sal.

Mantienen las arterias flexibles. Los estudios demuestran que beber jugo de granada puede ayudar a prevenir la acumulación de placa y el endurecimiento de las arterias, que pueden conducir a un derrame cerebral o un ataque cardíaco. A los participantes de un estudio se les dio 8 onzas de jugo todos los días. Después de un año, sus arterias estaban más saludables, lo que mejoró el flujo sanguíneo hacia el corazón. Esto también podría ser beneficioso para usted.

Unas palabras de advertencia: si usted está tomando medicamentos con receta médica, como las estatinas para el colesterol alto, pregúntele a su médico si el jugo de granada es bueno para usted. Algunas pruebas indican que la granada, al igual que la toronja, podría cambiar la manera como las enzimas del organismo interactúan con ciertos medicamentos.

Poco a poco se llega lejos

No exagere con el jugo de granada si está vigilando su peso. Una taza de jugo de granada tiene 160 calorías. Eso es mucho más de lo que tienen otros jugos naturales. Una taza de jugo de arándano agrio sin endulzar tiene 116 calorías, mientras que el jugo de naranja tiene sólo 112 calorías. Beba jugo de granada con moderación o agregue un poco a un vaso de agua fría para una bebida refrescante.

La granada genera buena salud de tres maneras

Puede ser una fruta algo complicada de comer, pero vale la pena el esfuerzo para disfrutar de sus granos comestibles. Esta deliciosa fruta puede proteger su visión, puede salvar su memoria y puede librarle del dolor de la artritis. El secreto está en los antioxidantes. La vitamina C es un poderoso antioxidante y una granada fresca contiene

16 por ciento de la vitamina C que usted necesita en un día. Pero claro, cuando el jugo es pasteurizado se destruye la vitamina C. Por suerte las granadas son ricas en otras sustancias fitoquímicas antioxidantes, entre ellas los polifenoles, los taninos y las antocianinas. El jugo de granada contiene hasta un 1 por ciento de polifenoles, más que el jugo de arándano azul o de arándano agrio.

Estas sustancias químicas de origen vegetal le dan a la fruta un poder adicional para prevenir los daños de los radicales libres, que pueden causar estragos en las células y acelerar el envejecimiento. De hecho, la granada se ubica entre los primeros lugares en la escala que se utiliza para comparar el poder antioxidante de los alimentos, conocida como Capacidad de Absorción de Radicales de Oxígeno (ORAC, en inglés). Una taza de jugo de granada tiene un puntaje de ORAC de 5,923. Eso significa que tiene tres veces más poder antioxidante que el té verde o el vino tinto. Vea los beneficios de estos antioxidantes para la salud:

Protegen la vista. El daño de los radicales libres al cristalino del ojo puede causar cataratas o nubosidades que pueden bloquear la visión. Los investigadores están estudiando la forma como los antioxidantes en la dieta retrasan o previenen la formación de cataratas. Hasta el momento se ha comprobado que el consumo de más frutas y verduras, especialmente de las que contienen abundantes antioxidantes, puede reducir el riesgo de desarrollar cataratas.

Ayudan a prevenir la artritis. Los antioxidantes en la granada también pueden proteger sus articulaciones de la artritis, ya que actúan como los fármacos inhibidores de la COX-2, como el celecoxib (Celebrex), para reducir la inflamación. Eso brinda protección a las células del cartílago que salvaguardan el interior de las articulaciones.

Agudizan la memoria. Los expertos creen que los antioxidantes, en particular los polifenoles, pueden retardar el avance de la enfermedad de Alzheimer. En pruebas de laboratorio, el extracto de granada logró reducir la acumulación de placa en el cerebro de animales. Estas estructuras anómalas son un indicador de este mal que roba la memoria. Los ratones que bebieron jugo de granada tenían 50 por ciento menos placa y obtuvieron mejores resultados en las pruebas de memoria.

Olvídese de las caries y de las arrugas

La granada es el símbolo tradicional de la fertilidad y de la esperanza, y puede ser una fuente de juventud. Estas son las razones por las cuales el extracto de granada está siendo incluido en las pastas de dientes y en los productos para el cuidado de la piel:

Limpia naturalmente los dientes y las encías. Las investigaciones muestran que el extracto de granada, el jugo de granada y, en menor medida, el té inhiben la actividad del *Streptococcus mutans*, la bacteria bucal que causa las caries. La granada empieza a actuar en tan sólo 10 minutos. El extracto de granada también puede prevenir la enfermedad de las encías, afección que reduce sus posibilidades de conservar sus dientes toda la vida. Los investigadores descubrieron que los *chips* medicados que contienen hierba *gotu kola* y extracto de granada detuvieron la recurrencia de la gingivitis en las personas tratadas por esta afección. Busque las pastas dentales naturales, de marcas como *Life Extension,* que aprovechan el poder de la granada.

Combate el daño solar. Los rayos ultravioleta (UV) del sol pueden causar arrugas y cáncer de piel. Pero los antioxidantes previenen e incluso revierten algo del daño. De hecho, la granada —junto con la soya y el té verde— se encuentra entre los pocos productos vegetales sometidos a pruebas para determinar en qué medida los antioxidantes que contienen pueden combatir el daño solar. El extracto de granada en la forma de pastillas o en bloqueadores solares también está siendo estudiado para determinar qué nivel de protección de los perjudiciales rayos UV ofrece para la piel. Por ahora, usted puede adquirir lociones, cremas y bloqueadores solares que contienen extracto de granada de *Burt's Bees*, *Murad* y otras marcas de productos totalmente naturales.

Potente remedio contra la impotencia

La granada puede ser especialmente útil para los hombres a medida que envejecen. Las antocianidinas en el jugo de granada le aseguran una gran potencia antioxidante. Esto significa que puede ayudar a combatir tanto la impotencia como el cáncer de próstata.

La dificultad de tener o mantener una erección podría ser un signo temprano de enfermedad cardíaca, debido a que el estrechamiento de los vasos sanguíneos puede causar tanto una afección del corazón como una disfunción eréctil (DE) o impotencia. Cuando un hombre tiene estos dos problemas, la DE se presenta por lo general unos años antes de que aparezcan los síntomas de enfermedad cardíaca, como el dolor de pecho, por lo que puede servir como señal de advertencia. La buena noticia es que el jugo de granada puede ayudar a tratar ambos problemas. Se comprobó que los hombres con DE que bebieron 8 onzas diarias de jugo de granada tenían menos problemas de impotencia. Los investigadores creen que esto se debe a que los antioxidantes en el jugo mejoran la circulación de sangre hacia los vasos sanguíneos pequeños.

Otras investigaciones sugieren que la granada podría frenar el cáncer de próstata. Los elagitaninos son sustancias químicas de la granada que en el cuerpo se transforman en ácido elágico. Pruebas de laboratorio muestran que pueden detener el crecimiento de las células cancerosas de la próstata. Los elagitaninos son liberados cuando se exprime la fruta entera para hacer jugo. Asegure su salud masculina y mate dos pájaros con un solo vaso de jugo de granada cada día.

Vinagreta de granada

Ingredientes* (Rinde 8 porciones)

8 onzas (227 g) de granos de granada

1/2 taza de vinagre de manzana

1/2 taza de miel

1 pizca de sal

1 pizca de pimienta

1 taza de aceite de oliva

Preparación

1. Coloque los granos de granada, el vinagre de manzana, la miel y las especias en una licuadora. Licúe todo bien.

2. Agregue lentamente el aceite de oliva mientras continúa licuando. Corrija el punto de sal y pimienta y cuele.

Información nutricional por porción: 325.5 calorías (243.8 calorías de la grasa, 74.89 por ciento del total); 27.1 g de grasa; 0.3 g de proteínas; 22.5 g de carbohidratos; 0.0 mg de colesterol; 0.2 g de fibra; 3.0 mg de sodio

*Si no reconoce el nombre de un ingrediente, vea el glosario en la página 360.

Papa

Una buena opción para cuidar el corazón

Cada vez hay más pruebas científicas que indican que los antioxidantes y los carbohidratos complejos de la papa pueden reducir el colesterol, los triglicéridos y el riesgo cardíaco en general.

Durante tres semanas, las ratas en un estudio recibieron ya sea una dieta a base de papas, que contenía los nutrientes naturales que se encuentran en la papa, una dieta de almidón puro o una dieta de azúcares simples. En las ratas que siguieron la dieta de papa se observó una reducción de más del 30 por ciento en sus niveles de colesterol y triglicéridos, así como un aumento en sus niveles de antioxidantes, en comparación con las que siguieron las dietas de almidón y de azúcares. El almidón y el azúcar carecen de las tres ventajas que tiene la papa:

- **Fibra.** Las papas tienen un tipo de fibra conocido como fructo-oligosacárido (FOS). Esta fibra se fermenta en el intestino grueso, un proceso que produce ácidos grasos de cadena corta. A su vez, estos compuestos parecen acabar con la producción de colesterol en el hígado. Esta fibra también impide la absorción de algunas grasas y azúcares, lo que podría reducir los triglicéridos.

- **Antioxidantes.** Las papas son ricas en vitamina C, un poderoso antioxidante. De hecho, una papa al horno aporta casi un tercio de su requerimiento diario de vitamina C. Además, está repleta de antioxidantes importantes como la vitamina E, los fenoles y la luteína, que es un carotenoide. Contar con suficiente vitamina E es una de las claves para la prevención de las enfermedades del corazón. La vitamina E ayuda a evitar la oxidación del colesterol, un tipo de daño asociado con los males cardíacos. En el estudio, las ratas alimentadas con papa fueron menos propensas a la oxidación del colesterol, que las alimentadas con el almidón puro o con los azúcares.

- **Potasio.** Usted puede bajar la presión arterial alta, uno de los principales factores de riesgo para las enfermedades cardíacas, consumiendo más alimentos que contienen potasio, como las papas. Estudio tras estudio demuestra que aumentar la ingesta de potasio ayuda a tratar la presión arterial alta. Sólo una papa al horno le proporciona un cuarto del potasio que usted necesita en un día.

Muchos de estos nutrientes saludables para el corazón se esconden en la cáscara de la papa. Cuando pueda, coma las papas cocidas con cáscara o prepare puré de papas con cáscara. Usted disfrutará del sabor y de la textura agregada, y aprovechará al máximo los beneficios de la papa.

La clave está en el color

Usted puede adivinar qué tipo de sustancias fitoquímicas curativas contiene una papa por su color:

- Si la pulpa de la papa es roja, azul o morada significa que la papa tiene un alto contenido de antocianinas para combatir los males cardíacos y el cáncer.

- La pulpa naranja apunta a niveles altos de zeaxantina para proteger la visión.

- Las papas amarillas son ricas en luteína para preservar la vista y prevenir el cáncer.

Protéjase de la diabetes tipo 2

La papa está "prohibida" para los diabéticos. ¿Cuál es el problema? La papa por lo general tiene un Índice Glucémico (IG) muy alto. El IG mide en cuánto aumenta un alimento el azúcar en la sangre. Las papas contienen gran cantidad de almidones de fácil digestión, los que pueden provocar un rápido incremento del azúcar en la sangre. Sin embargo, es posible disfrutar de la papa y no perder el control del azúcar sanguíneo.

Durante 20 años, investigadores de la Universidad de Harvard y del Hospital Brigham and Women estudiaron los hábitos de alimentación de un grupo de cerca de 85,000 mujeres. Las que consumían papas eran las más propensas a desarrollar diabetes tipo 2, especialmente si eran obesas o no eran activas. Los expertos creen que la principal razón se debe a su IG alto. Otros estudios indican que las dietas que consisten mayormente de alimentos con un IG alto elevan el riesgo de desarrollar diabetes tipo 2 entre 37 y 59 por ciento en hombres y mujeres.

A pesar de estas estadísticas alarmantes, la papa posee muchos nutrientes, incluidos los antioxidantes, por lo que desterrarla de su dieta tampoco es buena idea. Afortunadamente, usted puede reducir el IG de la papa:

- Sírvalas frías. Hierva las papas, refrigere toda la noche y sírvalas frías al día siguiente. La papa refrigerada forma almidón resistente, que es más difícil de digerir. Esto, a su vez, reduce su IG y evita un aumento acentuado del azúcar en la sangre después de comerla.

- Aderécelas con vinagre. Rociar las papas con un chorrito de vinagreta frena el aumento de la insulina y del azúcar en la sangre.

- Acompáñelas con queso *cheddar* bajo en grasa, *chili* o frijoles horneados: todos bajan el IG de la papa y de otros almidones. El queso tiene el mayor impacto. En un estudio, agregar una taza de queso rallado redujo el IG de la papa a tal punto que podía registrarse como un alimento de IG bajo.

Usted puede potenciar aún más los beneficios nutricionales de la papa, utilizando leche descremada para preparar puré de papas o crema agria sin grasa para coronar una papa horneada.

Líbrese de los compuestos cancerígenos

La acrilamida es un compuesto cancerígeno que se forma durante el proceso de cocción de las papas y de otros alimentos con almidón. Evite este peligroso compuesto siguiendo estos prácticos consejos:

- Remoje las papas crudas antes de cocinarlas, incluidas las papas fritas. En un estudio británico, remojar las papas crudas durante 30 minutos redujo la formación de acrilamida en 38 por ciento, mientras que remojarlas durante dos horas lo hizo en 48 por ciento. Con simplemente lavar las papas crudas, en cambio, sólo se logró una reducción del 23 por ciento.

- Agregue un chorrito de vinagre o de jugo de limón al agua que

Los expertos están tratando de cultivar papas con alto contenido de carotenoides. Los científicos han descubierto que los carotenoides en la papa son del mismo tipo que los encontrados en el ojo humano. Eso significa que comer papas mejoradas, ricas en estos compuestos vegetales, podría algún día ayudar a tratar afecciones que causan ceguera, como las cataratas y la degeneración macular.

usa para remojar las papas crudas. Esto eleva el pH del agua, lo que ayuda a prevenir la formación de acrilamida.

■ Antes de freír productos de papa cruda, como papas a la francesa, cocínelos en el horno de microondas. Los investigadores observaron que cocer las papas primero en el microondas, entre 10 y 30 segundos, redujo en hasta un 60 por ciento la cantidad de acrilamida que se forma al momento de freírlas.

■ Para las papas a la francesa, corte las papas en bastones gruesos, no en tiras delgadas. La acrilamida suele formarse en la superficie de la papa. Menos área de superficie significa menos acrilamida.

■ Fría las papas a temperaturas no superiores a 175 grados. Asimismo, hornee o fría las papas solamente hasta que se doren. La cocción excesiva y las temperaturas altas producen más acrilamida.

■ No almacene las papas en el refrigerador. El frío promueve la formación de azúcares. Cuanto más azúcar, más acrilamida se forma al cocer las papas. Guárdelas en un lugar oscuro, seco, fresco pero no frío (a unos 50 grados) y con buena ventilación.

Supere las afecciones intestinales con papas frías

La papa es un alimento fácil de digerir para las personas que sufren del síndrome del intestino irritable, y ahora nuevas investigaciones muestran que también protege al intestino de otras enfermedades.

Las papas crudas y las papas cocidas frías contienen almidón resistente. Este tipo de fibra no se descompone en el intestino delgado, por lo que pasa al intestino grueso donde se fermenta produciendo ácido butírico y otros compuestos. En un estudio, los cerdos que durante 14 semanas recibieron una dieta que incluía gran cantidad de papas crudas presentaron cambios importantes a nivel intestinal comparados con los cerdos a los que se les dio almidón de maíz. El almidón resistente parece que:

■ Protege el revestimiento del intestino contra los ataques de las bacterias y de otros organismos nocivos.

- Produce heces voluminosas, que protegen contra los compuestos que pueden irritar el intestino o causar cáncer.

- Contiene la reacción desproporcionada del sistema inmunitario en el intestino, lo que puede aliviar las enfermedades inflamatorias intestinales, incluida la colitis.

- Aumenta los niveles de butirato, compuesto que se forma por la fermentación del almidón resistente. El butirato ayudaría a prevenir el crecimiento en el colon de células anómalas precancerosas.

Usted puede obtener más almidón resistente comiendo papas cocidas frías en lugar de calientes, y prefiriendo alimentos como las verduras, los plátanos verdes, las pastas y los cereales.

Leche en polvo

El truco de cocina que fortifica los huesos

Su médico dice que usted no está obteniendo suficiente calcio para proteger sus huesos a pesar de que usted come todos los días varias porciones de alimentos ricos en calcio. No tema. Este ingenioso truco no sólo agrega calcio a su dieta, sino que ayuda al cuerpo a absorberlo mejor: sólo tiene que añadir un poco de leche en polvo a sus recetas.

Una cucharada de leche en polvo sin grasa tiene alrededor de 60 mg de calcio. Agregue leche en polvo a las salsas cremosas, las mezclas para sopas, los guisos, las recetas para *muffins* y galletas y, claro está, al puré de papas. Un cuarto de taza también añade cerca de 100 calorías, 15 gramos de azúcar y 160 mg de sal a la receta, así que tenga esto en cuenta cuando planifique sus comidas.

Si elige leche en polvo sin grasa y enriquecida con vitamina D, usted absorberá mejor el calcio tanto de la leche en polvo como de los alimentos a los que la agrega, debido a que la vitamina D ayuda al cuerpo a absorber el calcio. Entre el 30 y 60 por ciento de las personas no obtienen suficiente vitamina D. Si usted es una de ellas, entonces necesita esa ayuda adicional para beneficiarse de todo el calcio que ingiere. A pesar de que la leche en polvo no le garantiza todo el calcio y la vitamina D que usted necesita en un día, sí contribuye a que usted alcance las cantidades recomendadas, y eso podría marcar la diferencia entre huesos fuertes y huesos que se quiebran con facilidad.

Sugerencia para el hogar

Un huerto en casa por menos

Gaste menos dinero en su jardín y coseche las más deliciosas verduras. He aquí como:

- Agregue leche en polvo al agua que utiliza para regar sus tomates. Obtendrá los tomates más jugosos y sabrosos. Es más, el calcio de la leche en polvo combate la podredumbre o necrosis apical del tomate. Así no perderá tantos tomates.

- Utilice leche en polvo para almacenar las semillas que le sobran. Las semillas del maíz y de la cebolla pueden durar hasta un año, mientras que las semillas del tomate, los frijoles, la lechuga y la zanahoria duran hasta tres años. Pero estas semillas germinarán a menos que las almacene en un lugar muy seco. La leche en polvo actúa como un buen agente deshidratante, así que simplemente conserve las semillas en un frasco con un poco de leche en polvo recién comprada. Sólo asegúrese de mantener el frasco cerrado, en un lugar oscuro y fresco, y de cambiar la leche en polvo cada seis meses.

Refuerce las defensas del cuerpo

Añadir leche en polvo a sus recetas no sólo le proporciona vitamina D y calcio adicionales, también le brinda protección contra problemas serios que podrían tener un impacto de largo alcance en su salud.

Reavive su sonrisa. La periodontitis es una enfermedad de las encías que causa la pérdida de dientes. Según los estudios, la probabilidad de desarrollar periodontitis es mayor para las personas que tienen poco calcio. Tenga estos ejemplos en cuenta:

- Investigadores de Sri Lanka encontraron que las personas mayores de 70 años tienen un riesgo mayor de que la periodontitis empeore si tienen niveles bajos de calcio en la sangre.

- Según un estudio realizado en la Universidad Estatal de Nueva York, las personas menores de 70 años de edad también son más propensas a la enfermedad periodontal si su ingesta de calcio es baja. De hecho, las mujeres que obtuvieron menos de 500 mg de calcio de sus dietas tenían un riesgo 54 por ciento mayor de desarrollar periodontitis que las mujeres que recibieron por lo menos 800 mg de calcio al día.

¿A qué se debe que el calcio tenga tanto poder? La periodontitis se inicia en el momento en que las bacterias empiezan a acumularse entre los dientes y las encías. Con el tiempo, estas bacterias invaden y desgastan los huesos y el tejido que soportan los dientes, hasta que no hay nada que los sujete. Pero si se obtiene suficiente calcio, el hueso de la mandíbula se vuelve más resistente y es más difícil que las bacterias se descompongan. Y eso puede que sea suficiente para evitar la periodontitis y conservar todos sus dientes.

Derrote los primeros signos de peligro. La *-itis* en periodontitis significa inflamación. La inflamación también se presenta en uno de los problemas más comunes para los dentistas: la gingivitis crónica. En algunas personas la gingivitis destruye gradualmente el ligamento y el hueso que sostienen el diente, y es ahí donde se inicia la periodontitis. La leche en polvo contiene un nutriente que puede ayudar en estos casos: la vitamina D. Investigadores de la Universidad de Boston descubrieron que las personas que tenían los niveles más altos de vitamina D en la sangre eran las menos propensas a mostrar signos de gingivitis. Los investigadores creen que esta vitamina ayuda a combatir la inflamación. Así como apagar un fuego pequeño puede evitar que se convierta en un incendio grande, controlar la inflamación temprana de la gingivitis puede prevenir la periodontitis.

Reduzca su riesgo cardíaco. Un estudio concluyó que nueve de cada 10 personas que sufren una enfermedad cardíaca también tienen una enfermedad grave de las encías. Algunos expertos creen que esto se debe a que las bacterias que causan la acumulación de placa y la enfermedad de las encías se filtran al torrente sanguíneo y forman placa en las arterias. Otros creen que la inflamación en las encías puede llevar a la inflamación en las arterias. Cualquiera de estos dos problemas puede resultar en un ataque al corazón o en un derrame cerebral. Aprovechar el calcio y la vitamina D que se encuentra en la leche en polvo es una manera fácil de reforzar las defensas de su cuerpo.

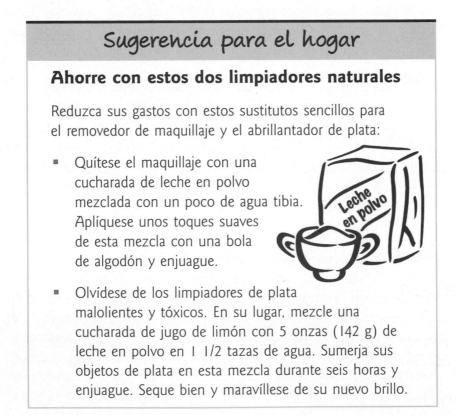

Sugerencia para el hogar

Ahorre con estos dos limpiadores naturales

Reduzca sus gastos con estos sustitutos sencillos para el removedor de maquillaje y el abrillantador de plata:

- Quítese el maquillaje con una cucharada de leche en polvo mezclada con un poco de agua tibia. Aplíquese unos toques suaves de esta mezcla con una bola de algodón y enjuague.

- Olvídese de los limpiadores de plata malolientes y tóxicos. En su lugar, mezcle una cucharada de jugo de limón con 5 onzas (142 g) de leche en polvo en 1 1/2 tazas de agua. Sumerja sus objetos de plata en esta mezcla durante seis horas y enjuague. Seque bien y maravíllese de su nuevo brillo.

Batido tropical bajo en grasa

Ingredientes* (Rinde 4 porciones)

1 taza de papaya picada

1 taza de mango picado

1 taza de piña fresca picada

1/2 taza de agua

1/2 taza de cubos de hielo

2 cucharadas de azúcar

1 cucharadita de extracto de vainilla

1 1/3 tazas de leche en polvo sin grasa

Preparación

Coloque todos los ingredientes en un licuadora o batidora, cubra y licúe hasta lograr una consistencia uniforme.

Información nutricional por porción: 231.4 calorías (4.6 calorías de la grasa, 2.01 por ciento del total); 0.5 g de grasa; 15.1 g proteínas; 42.6 g de carbohidratos; 8.0 mg de colesterol; 1.9 g de fibra; 228.8 mg de sodio

* Si no reconoce el nombre de un ingrediente, vea el glosario en la página 360.

Probióticos

Eleve la inmunidad con estas bacterias benéficas

Los probióticos del yogur y de otros alimentos pueden ayudarle a mantenerse saludable durante la época de resfriados y gripes. Aunque parezca extraño, el secreto de esto puede estar en su intestino y no en su nariz. Uno de los secretos mejor guardados del sistema inmunitario es el tejido linfoide asociado al intestino (GALT, en inglés). El GALT se encuentra en los órganos que forman parte del tracto digestivo y constituye casi el 70 por ciento del sistema inmunitario. Pero lo determinante es el momento de contacto entre el GALT y las bacterias benéficas llamadas probióticos.

Los probióticos son guerreros dedicados a combatir enfermedades con sus poderes antiinflamatorios. Cuando estas bacterias benéficas entran en contacto con el GALT, hacen que el sistema inmunitario intensifique sus tácticas defensivas. Esto ayuda no sólo a derrotar la gastroenteritis y otros males digestivos. Estudios como los mencionados a continuación sugieren que los probióticos pueden hacer mucho más que eso:

- Según un estudio realizado en Suecia, los días de ausencia por enfermedad fueron un tercio menor entre los empleados de una fábrica que bebieron un suplemento probiótico todos los días, durante casi 12 semanas. El probiótico en el suplemento fue *L. reuteri*, las mismas bacterias amigables que usted encontrará en el yogur de Stonyfield Farm en su supermercado.

- Investigadores en España descubrieron que los voluntarios que dejaron de consumir alimentos probióticos durante varias semanas mostraban signos de inmunidad reducida, pero que bastaba con que comieran productos probióticos o yogur con cultivos vivos y activos para que su respuesta inmunitaria se revitalizara.

- Investigadores en Italia comprobaron que beber leche fermentada con cultivos de yogur y *L. casei* durante tan sólo tres semanas redujo la duración de las infecciones respiratorias, como los resfriados, en los adultos mayores. El yogur también acortó el curso de las infecciones en el tracto digestivo. Usted puede obtener *L. casei* bebiendo DanActive.

Para aprovechar al máximo estos beneficios para la salud, elija productos probióticos como las bebidas lácteas de DanActive o el yogur de Stonyfield Farm. Éstos contienen algunos de los mismos probióticos utilizados en los estudios y puede que también le ayuden a mantener su salud durante la época de resfriados y gripes. Las personas con inmuno-depresión deben hablar con su médico antes de consumir probióticos.

Elija el mejor probiótico cada vez

Los probióticos se están convirtiendo rápidamente en las estrellas del mundo de los alimentos. Ya no sólo se encuentran en el yogur y en la leche, ahora también están  en los quesos especiales, los cereales, los suplementos e, incluso, en los jugos. Y pronto habrá nuevos alimentos probióticos. A la hora de comprarlos, sepa cuáles elegir:

- Busque la fecha de vencimiento. Si la etiqueta menciona el número de organismos probióticos, ése es el número de organismo vivos al momento de elaboración de dicho producto. Lamentablemente, muchos no estarán vivos cuando que usted compre ese producto. La exposición al calor, a la humedad y al oxígeno puede reducir el número de probióticos de un producto, así que cómprelo lo más antes posible de la fecha de vencimiento.

- Verifique si las etiquetas llevan el sello de la National Yogurt Association o las palabras "cultivos vivos y activos" (*live and active cultures,* en inglés).

- Los expertos dicen que se necesitan entre mil millones y diez mil millones de bacterias buenas al día. Si revisa las etiquetas de los suplementos, estas cantidades aparecen como "1 x 109" ó "109", para mil millones, y como "1 x 1010" ó "1010", para diez mil millones de unidades. ConsumerLab es la organización que comprueba si los suplementos contienen los probióticos anunciados en las etiquetas y si están libres de contaminantes nocivos. Vaya a *www.consumerlab.com* para ver cuáles son las marcas que cumplen con lo que prometen y cuáles no.

Supere las caries mascando goma

Una nueva goma de mascar probiótica podría ayudarle a evitar las caries dentales. Desarrollada por la empresa alemana BASF, esta goma de mascar contiene un probiótico recientemente descubierto llamado *L. anti-caries*, que ayuda a combatir el *Streptococcus mutans (S. Mutans)*, la bacteria que causa las caries.

Estas bacterias problemáticas se adhieren a la superficie de los dientes y producen un ácido que causa las caries. Pero la *L. anti-caries* hace que todos los pequeños *S. Mutans* se agrupen como pasas en una caja, así ya no pueden aferrarse a los dientes porque están demasiados ocupados aferrándose entre sí. Las pruebas muestran que mascar esta goma probiótica reduce el número de bacterias en la boca a una pequeña fracción, y eso ayuda a combatir las caries.

Nuevo guerrero contra la diabetes también protege el corazón

El *dahi* es un plato popular en la India a base de yogur, que se sirve con pan frito a la plancha o con arroz. El *dahi* es rico en probióticos y ayuda a controlar el azúcar en la sangre y a prevenir un ataque al corazón.

La diabetes tiende a empeorar con el tiempo, pero investigadores del Instituto Nacional de Productos Lácteos, de la India, descubrieron recientemente que el *dahi* y los probióticos que contiene pueden retardar el avance de la diabetes. En un estudio realizado con animales con alto riesgo de desarrollar diabetes, se observó que los animales que no comieron *dahi* experimentaron, en el largo plazo, un aumento mayor del azúcar en la sangre que los que se alimentaron con *dahi*.

A los animales que comieron *dahi* también les tomó mucho más tiempo desarrollar intolerancia a la glucosa, un signo de la diabetes.

Los investigadores sostienen que los probióticos son probablemente la razón por la cual el *dahi* retrasa la intolerancia a la glucosa mucho más que la leche. Pero ésa no es la única protección que ofrecen los probióticos. Tres de cada cuatro personas con diabetes mueren de enfermedad cardíaca o de sus complicaciones. En el estudio, los probióticos del *dahi* ayudaron a frenar los factores de riesgo cardíaco, como el colesterol total o el colesterol "malo" LDL.

Investigaciones futuras revelarán si el *dahi* tiene el mismo efecto en las personas que en los animales. Entretanto, por qué no agregar probióticos a su dieta. El *dahi* del estudio contenía *L. acidophilus* y *L. casei*. Usted no tiene que viajar a la India para encontrarlos: puede obtenerlos de productos como el yogur de Stonyfield Farm. Sólo recuerde que algunos productos probióticos contienen azúcares agregados, así que mejor hable con su médico acerca de cuáles son los mejores para usted.

Elija los probióticos
que cumplen sus promesas

Búsquelos en las etiquetas de los alimentos, las bebidas y los suplementos. Según ConsumerLab, estos probióticos tienen el respaldo del mayor número de investigaciones. Cuantas más investigaciones los respalden, más probable es que cumplan lo que prometen.

- *L. acidophilus*
- *L. casei*
- *L. gasseri*
- *L. bulgaricus*
- *B. bifidum*
- *B. lactis*
- *B. longum*
- *Saccharomyces boulardii*

Otros probióticos prometedores incluyen *L. reuteri, B. infantis, L. johnsonii, L. rhamnosus, B. breve* y *Streptococcus salivarius*.

Cómo calmar los síntomas del intestino irritable

Los probióticos podrían acabar con el síndrome del intestino irritable (SII). Estas bacterias benéficas son prometedoras para combatir los síntomas del SII, como la diarrea, el estreñimiento, los dolores y la flatulencia. Además, son más fáciles de tolerar que los medicamentos. De hecho, estas bacterias amigables han mostrado tanto potencial que hay compañías que están estudiando nuevos probióticos específicamente para el SII. Por ejemplo, estos son estudios sobre el yogur Activia y el nuevo suplemento Align.

- Un amplio estudio realizado a adultos con estreñimiento como el síntoma principal del SII encontró que el *B. animalis DN-173 010* tomado dos veces al día mejoró el malestar, la distensión abdominal y la regularidad digestiva. Esta versión de *B. animalis* es el probiótico que se encuentra en el yogur Activia.

- Las personas con cualquier tipo de SII que tomaron *B. infantis*, el probiótico que se encuentra en Align, vieron una mejora modesta en todos los síntomas del SII.

Productos probióticos como éstos ayudan porque operan como las mariquitas. Así como todo jardín tiene mariquitas, también conocidas como catarinas, y tiene plagas que se alimentan de plantas, el sistema digestivo tiene varios cientos de especies de probióticos y tiene bacterias nocivas. Y así como las mariquitas controlan las plagas en el jardín, los probióticos suelen ayudar a controlar las bacterias nocivas. Sin embargo, una ronda de antibióticos, un episodio de intoxicación alimentaria o una variedad de enfermedades pueden acabar con gran parte de estas bacterias benéficas. Eso deja en libertad a las bacterias nocivas para reproducirse y multiplicarse. Cuando demasiadas bacterias nocivas asumen el control sobre el sistema digestivo, pueden causar malestares propios del SII como gas, distensión abdominal, diarrea y estreñimiento.

Consumir probióticos del yogur u otros productos probióticos puede restaurar el equilibrio bacteriano y mejorar los síntomas del SII. Puede además suprimir cualquier inflamación leve en el revestimiento del intestino que pueda empeorar el dolor del SII. Sin embargo, tenga en cuenta que los probióticos no son como los antibióticos. Una sola ronda de probióticos no curará el SII de la manera como los antibióticos curan una infección. Estas bacterias amigables solamente alivian los síntomas durante el tiempo que usted las consuma.

Si usted desea tratar los síntomas del SII con probióticos, hable primero con su médico. De contar con su aprobación, pruebe Activia u otro yogur que contenga cultivos vivos y activos. No sólo son más baratos que los medicamentos de venta con receta, también son más fáciles de ingerir y son mucho más deliciosos. Si usted no tolera el yogur, pregunte a su farmacéutico como obtener el suplemento Align.

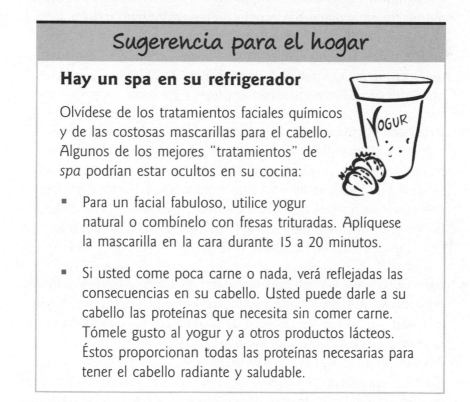

Sugerencia para el hogar

Hay un spa en su refrigerador

Olvídese de los tratamientos faciales químicos y de las costosas mascarillas para el cabello. Algunos de los mejores "tratamientos" de *spa* podrían estar ocultos en su cocina:

- Para un facial fabuloso, utilice yogur natural o combínelo con fresas trituradas. Aplíquese la mascarilla en la cara durante 15 a 20 minutos.

- Si usted come poca carne o nada, verá reflejadas las consecuencias en su cabello. Usted puede darle a su cabello las proteínas que necesita sin comer carne. Tómele gusto al yogur y a otros productos lácteos. Éstos proporcionan todas las proteínas necesarias para tener el cabello radiante y saludable.

Dígales adiós a las úlceras persistentes

Los probióticos pueden ayudar a evitar las úlceras, la gastritis dolorosa, tal vez incluso el cáncer de estómago. Eso se debe a que la bacteria

Helicobacter pylori (H. pylori) contribuye en el desarrollo de esos problemas, y los estudios indican que los probióticos ayudan a reducir la población de *H. pylori*. Los científicos creen que los probióticos pueden luchar contra los peligros de la *H. pylori* por lo menos de cuatro maneras:

- **Aplacan la inflamación.** Si usted siente malestares estomacales, la *H. pylori* puede ser la culpable. El sistema inmunitario responde a la *H. pylori* desplegando un pequeño ejército de compuestos que causan inflamación y dolor. Los probióticos debilitan este ejército, y así alivian la inflamación y las molestias.

- **Eliminan las bacterias.** Los probióticos segregan compuestos antibacterianos que actúan como un repelente para reducir la población de *H. pylori*. Puede que no parezca mucho, pero esto podría protegerle del cáncer de estómago. Algunas investigaciones indican que cuanto mayor es la presencia de *H. pylori* en el cuerpo, mayor es el riesgo de desarrollar úlceras y cáncer de estómago.

- **Protegen el revestimiento del estómago.** La *H. pylori* puede adherirse al revestimiento del estómago con más facilidad si el revestimiento no produce suficiente mucosidad protectora. Es más, la *H. pylori* puede reducir la barrera mucosa del estómago. Los probióticos promueven la producción de mucosidad haciendo que las paredes del estómago se vuelvan más resbalosas y, por lo tanto, que sea más difícil para la *H. pylori* adherirse a ellas.

- **Interfieren con las colonias bacterianas.** La *H. pylori* necesita de un compuesto llamado ureasa para colonizar el revestimiento del estómago. Pero hay varios tipos de probióticos que interfieren con la ureasa y, por lo tanto, con los planes de la *H. pylori* de establecerse en el estómago. Uno de los más efectivos en esta tarea es la *L. Casei,* que se encuentra en el yogur de Stonyfield Farm y en la bebida láctea de DanActive. La *L. reuteri,* del yogur de Stonyfield Farm, también puede funcionar. Las investigaciones que utilizaron otros tipos de yogur y de alimentos han tenido resultados variados, lo que no significa que usted no deba probarlos. Sólo consulte primero con su médico para asegurarse de que el producto proporciona en cantidades suficientes los probióticos que usted necesita.

Lamentablemente, los estudios muestran que los probióticos no pueden eliminar la *H. pylori* o las úlceras por sí mismos. Usted necesita la ayuda un médico. Pero los antibióticos que suelen recetar para erradicar la *H. pylori* pueden tener efectos secundarios, como diarrea, náuseas y vómitos. Las investigaciones indican que los probióticos pueden ayudar a aliviar estos efectos secundarios. Y en esos casos excepcionales en los que el primer ciclo de antibióticos no logra acabar con la *H. pylori*, los probióticos también pueden ayudar. Investigadores de Taiwán comprobaron que las personas que recibieron durante cuatro semanas un yogur probiótico especial tenían más probabilidades de eliminar la *H. pylori* con el segundo ciclo de antibióticos. Si su médico le receta antibióticos para tratar una úlcera, pregúntele acerca de los probióticos.

Sugerencia para el hogar

El secreto de un delicioso pastel bajo en grasas

Sustituya por lo menos la mitad del aceite, en cualquier receta de pastel, con yogur natural. Algunas recetas incluso le permiten sustituir todo el aceite con yogur. Así que experimente para lograr pasteles y bizcochos más húmedos y con menos grasas y calorías.

Cinco maneras de cancelar el cáncer de colon

Los probióticos pueden interferir en el proceso de formación de los tumores de colon de las siguientes maneras:

■ Obstaculizan las enzimas cancerígenas. Algunas enzimas naturales, como la beta-glucuronidasa y la nitroreductasa, pueden contribuir a la formación de compuestos cancerígenos. Afortunadamente, hay por lo menos dos probióticos que inhiben la acción de estas enzimas: *L. casei* Shirota, que se encuentra en la bebida probiótica Yakult, y *L. acidophilus*, presente en la leche acidófila y en el yogur.

- Previenen los cambios en las células normales. Los cambios anómalos en más de 20 genes de las células normales pueden causar cáncer de colon. Los estudios muestran que los probióticos ayudan al cuerpo a resistir los compuestos que intentan provocar estos cambios cancerígenos en los genes.

- Reducen los ácidos biliares. Una concentración elevada de ácidos biliares en la pared del colon es como echar gasolina al fuego y puede hacer que las células se reproduzcan demasiado rápido. Esta multiplicación descontrolada puede llevar a la formación de tumores. Los estudios señalan que los probióticos pueden ayudar a limitar la presencia de ácidos biliares en el intestino, de modo que la producción celular se mantiene normal y libre de cáncer.

- Disminuyen la inflamación. La inflamación en el intestino ha sido asociada con el riesgo de desarrollar cáncer de colon en las personas con enfermedades inflamatorias del intestino, como son la enfermedad de Crohn y la colitis ulcerosa. Afortunadamente, las investigaciones han concluido que los probióticos pueden disminuir la inflamación y, tal vez, también el riesgo de cáncer de colon.

- Mejoran el tiempo de tránsito intestinal. En algunas personas el paso de los residuos por el colon es más lento de lo normal, lo que se conoce como "tránsito lento". Algunos expertos sostienen que ese tiempo adicional ofrece más oportunidades para la formación de toxinas cancerígenas. Los estudios muestran que los probióticos pueden ayudar a reducir el tiempo que los residuos permanecen en un colon de tránsito lento.

No hay estudios en humanos que prueben que los probióticos ayudan a prevenir el cáncer, pero los estudios en animales y de laboratorio parecer indicar que sí pueden hacerlo.

Evite la recurrencia de las molestias intestinales

Un nuevo probiótico podría ayudarle a resistir las recurrencias repentinas de diarrea y de otros síntomas de la enfermedad inflamatoria intestinal (EII). Se trata de una levadura llamada *Saccharomyces boulardii*

(S. boulardii), que podría ser justo lo que usted necesita para mantener la enfermedad de Crohn o la colitis ulcerosa bajo control.

Cuando los tratamientos médicos empiezan a controlar los síntomas de la EII, los médicos dicen que está "en remisión". Sin embargo, no hay garantías y la remisión puede concluir repentinamente en el momento menos esperado. Según un pequeño estudio, tomar diariamente la combinación de 1 gramo de *S. boulardii,* más el fármaco mesalamina, mantuvo a más personas en remisión de la enfermedad de Crohn que tomar la mesalamina sola.

Otro estudio sugiere que 750 miligramos (mg) de *S. boulardii* al día podrían prevenir una recaída en las personas con colitis ulcerosa en remisión. Los científicos creen que este probiótico frena la producción de una sustancia química promotora de inflamación en el intestino. Hable con su médico antes de probar *S. boulardii* para asegurarse de que es el mejor probiótico para usted. Si su médico aprueba su uso, usted no necesitará una receta. Pregunte a su farmacéutico si tiene Florastor, un probiótico que contiene *S. boulardii*. Hay otras marcas disponibles, así que busque la que tenga el mejor precio.

Proteínas

La sustanciosa protección de la sopa de pollo

Algunas creencias populares tienen fundamento. Por ejemplo, se ha comprobado científicamente que la sopa de pollo ayuda a combatir los molestos síntomas del resfriado común de tres maneras:

■ Cuando un virus del resfriado ataca, el cuerpo despacha a una banda de "sicarios" conocidos como neutrófilos para eliminar el virus. Pero en lugar de sólo matar el virus, también causan inflamación de las vías respiratorias. Eso da lugar a una reacción en cadena que provoca los síntomas del resfriado y que hace que usted se sienta miserable. Stephen Rennard, especialista en enfermedades pulmonares del Centro Médico de la Universidad de Nebraska, estudió varias sopas de pollo y descubrió el secreto de su poderosa defensa. La sopa hace que menos neutrófilos se unan en el ataque, lo que resulta en menos inflamación y en síntomas de resfriado más leves.

- La proteína del pollo contiene compuestos que actúan un poco como los medicamentos. Por ejemplo, la cisteína es un aminoácido que se libera durante la cocción del pollo. Este aminoácido es muy parecido a la acetilcisteína, un fármaco que adelgaza la mucosa y que se emplea para tratar la bronquitis.

- Las investigaciones muestran que tomar esta sopa caliente puede ayudar a despejar la congestión, a mantenerse hidratado y a aliviar el dolor de garganta. Tanto el vapor como el líquido de la sopa ayudan a sanar.

Combata la debilidad muscular

Aproximadamente uno de cada dos estadounidenses mayores de 60 años tiene sarcopenia, una afección que puede constituir un factor de riesgo de alguna discapacidad, obesidad o diabetes tipo 2. Incluso podría poner fin a su independencia. Sin embargo, muchas personas han descubierto que sí se puede detener la sarcopenia y usted también puede hacerlo.

En pocas palabras, la sarcopenia es la pérdida natural de la fuerza muscular y la masa muscular a medida que se envejece. Puede parecer inofensiva, pero éstas son cuatro razones por las que usted debe tomarla en serio:

- La sarcopenia que apenas le molestaba a los cuarenta años puede hacer que le sea difícil caminar, subir escaleras y llevar una vida familiar plena a medida que envejece.

Fuentes naturales de proteínas

- ★ carne de pollo
- ★ carne de res
- ★ pescado
- ★ crema de cacahuate
- ★ pavo
- ★ cerdo
- ★ lácteos
- ★ frijoles

- Los músculos ayudan a quemar calorías, así que perder músculo significa quemar menos calorías y subir de peso con mayor facilidad.

- Tener menos músculo también puede tener una relación con la resistencia a la insulina, un signo temprano de diabetes.

- La resistencia de los músculos ayuda a mantener fuertes los huesos. Es por eso que los médicos suelen recomendar ejercicios con pesas para defenderse de la osteoporosis. Saben que menos músculo significa menos protección para los huesos.

Consuma la cantidad adecuada de proteínas. La sarcopenia no es inevitable, tampoco lo son sus temibles consecuencias. De hecho, un pequeño estudio concluyó recientemente que los adultos mayores que recibieron una comida que incluía 4 onzas de carne de res desarrollaron la misma cantidad de músculo en las siguientes horas que los "chicos" de 30 y 40 años de edad. Sin embargo, solamente el 30 por ciento de adultos mayores comen todos los días la cantidad mínima recomendada de proteínas, por lo que tal vez no están obteniendo el combustible necesario para retardar la pérdida de músculo.

Por suerte, este problema tiene solución. Para saber qué cantidad de proteínas necesita usted, saque la calculadora y multiplique su peso en libras por 0.36, (como referencia, un kilo equivale a 2.2 libras). De modo que si usted pesa 200 libras, su objetivo será 72 gramos de proteínas al día. Si pesa 125 libras, sólo necesitará 45 gramos diarios de proteínas. Esto puede parecer mucho, pero usted puede obtener 25 gramos de proteínas en una porción de pechuga de pollo o de pavo del tamaño de una baraja de cartas. Una porción similar de salmón o de atún de lata le proporciona más de 20 gramos de proteínas, y hay muchos otros tipos de pescado que también son ricos en proteínas. Entre otras buenas fuentes de proteínas está la crema de cacahuate, los productos lácteos, los frutos secos, la carne de res magra y el cerdo.

Potencie su protección. Para ser fuertes, los músculos necesitan ayuda tanto del exterior como del interior. Pregúntele a su médico acerca de los programas de entrenamiento de fuerza para personas de su edad. Las investigaciones indican que ejercicios sencillos de resistencia pueden ayudarle a conservar más poder muscular a medida que envejece. Mantener la fuerza muscular le ayudará a controlar su peso y a defenderse de otras enfermedades, como la osteoporosis y la diabetes. También podrá caminar, subir escaleras, llevar una vida familiar plena y mantener su independencia por mucho más tiempo.

Sugerencia para el hogar

La mejor manera de reducir gastos en el súper

El estadounidense típico dedica cerca de un cuarto de sus gastos anuales de comestibles en comprar cuatro proteínas: carnes, aves, pescado y huevos. Los precios de esos artículos aumentaron recientemente casi 5 por ciento en apenas un año, y se estima que subirán aún más. Gaste menos en el supermercado con la ayuda de estos cuatro consejos:

- Haga una lista. Ésa es la mejor forma de ahorrar para cualquiera con un presupuesto limitado. Para mejores resultados, primero planifique el menú de la semana. Según los expertos, las compras por impulso representan entre 40 y 60 por ciento de las facturas del supermercado.

- Compre sólo lo que necesita. Pida al personal de la sección de carnes que le prepare un corte más pequeño de carne. O bien compre un corte de "carne dura", que es más barata, y pida que se la ablanden.

- Adapte su menú. Si el precio de la carne está afectando su presupuesto para alimentos, servir porciones más pequeñas de carne —y porciones más grandes de proteínas baratas, como los frijoles— puede reducir sus gastos en el supermercado aún más.

Derrita la grasa y baje de peso con más facilidad

Usted adelgazará sin esfuerzo y sin sufrir punzadas de hambre, si incluye proteínas en su dieta. La ciencia ofrece tres buenas razones:

- Las proteínas son mejores que las grasas o los carbohidratos para suprimir la grelina, que es la hormona responsable del apetito, según un estudio de la Universidad de Washington. Eso puede ayudar a silenciar el hambre y reducir la ingesta de calorías.

- Las proteínas ayudan a quemar más calorías.

- Las proteínas aumentan la pérdida de grasa y ayudan a mantener la masa muscular magra.

Todo con moderación. Un pequeño estudio realizado en Nueva York encontró que las personas que consumieron cantidades moderadas de proteínas perdieron aproximadamente la misma cantidad de peso y grasa corporal en tres meses que las personas que siguieron una dieta con alto contenido de proteínas. Es más, un experto de la Universidad de Purdue dice que apenas una porción de 3 onzas de proteínas magras puede ser todo lo que usted necesite para controlar su apetito durante el día. Una porción de 3 onzas de carne magra de res, de pavo o de pechuga de pollo es del tamaño de una baraja de cartas. Para obtener mejores resultados, use esta proteína para sustituir un alimento alto en calorías y bajo en proteínas que sea parte de su dieta actual.

Marque la hora. Aprovechará mejor las proteínas si las consume temprano. Un estudio de la Universidad de St. Louis comparó a las mujeres que tomaron un desayuno rico en proteínas que incluía huevo con las mujeres cuyo desayuno consistía de un *bagel* con queso crema. Los dos desayunos tenían la misma cantidad de calorías, sin embargo, las mujeres del desayuno con huevo acumularon menos calorías totales durante el siguiente día y medio. Las mujeres del desayuno con huevo también tardaron más tiempo en volver a sentir hambre.

No olvide los carbos. Centrarse en las proteínas no significa que deba evitar los carbohidratos. Un pequeño estudio de la Universidad de Washington encontró que las mujeres que siguieron una dieta baja en grasas, normal en carbohidratos y alta en proteínas durante 14 semanas dijeron no sentir tanta hambre como cuando comían menos proteínas. Sin embargo, aún así siguieron adelgazando. También redujeron su ingesta diaria de alimentos en 450 calorías, aunque se les dijo que podían comer todo lo que quisieran. Claro que la dieta que se les ofreció no incluía pollo frito para la cena. Según los investigadores, el truco está en elegir las proteínas magras o bajas en grasa.

Obtenga la cantidad precisa. Hable con su médico antes de agregar proteínas adicionales a su dieta. Debido a que usted estará reduciendo su consumo de calorías, su requerimiento de proteínas será distinto. Si desea bajar de peso, tenga como objetivo la cantidad diaria recomendada de 46 gramos diarios para las mujeres y de 56 gramos para los hombres. Sin embargo, algunas personas pueden necesitar cantidades distintas. Tenga presente que, agregar demasiada carne a la dieta puede a su vez añadir transgrasas y grasas saturadas, lo que podría aumentar el riesgo de tener una enfermedad cardíaca, un derrame cerebral o cáncer. El exceso de proteínas también puede ser peligroso para personas con problemas renales. Así que si usted está en alto riesgo se sufrir una de estas afecciones, hable con su médico para determinar la cantidad de proteínas que debe consumir.

Consuma carne libre de hormonas, sin pagar el alto precio de los productos orgánicos, comprando pollo en lugar de carne de res. El uso de las hormonas de crecimiento en aves es ilegal.

Sorprendente secreto para la salud articular

Usted puede estar en mayor riesgo de desarrollar osteoartritis si familiares suyos ya padecen esta afección. Además de hacer ejercicio y vigilar su peso, incluya algo de proteínas en su dieta. Ésta es una manera de ofrecerle protección adicional a sus articulaciones.

Los expertos dicen que usted necesita una cantidad razonable de proteínas en su dieta para mantener saludables las articulaciones. ¿Por qué? Porque las proteínas están compuestas de aminoácidos y el cuerpo puede utilizar estos aminoácidos para formar articulaciones más saludables. Usted se beneficiará sobre todo de los aminoácidos que contienen azufre, como la cisteína que se obtiene de la sopa de pollo. Estudios realizados con animales sugieren un posible vínculo entre la osteoartritis y niveles bajos de azufre en las articulaciones. Afortunadamente, consumir alimentos ricos en proteínas puede proveer los aminoácidos que sus articulaciones necesitan.

Si ya tiene osteoartritis, usted deberá elegir sus proteínas con especial cuidado. Algunos expertos creen que los productos lácteos, los camarones, los cacahuates, las carnes rojas y las aves de corral podrían agravar su mal. Hable con su médico para informarse.

Barbacoas saludables y libres de cáncer

Usted renunció a las carnes fritas porque eran malas para el corazón. Ahora los expertos dicen que las carnes asadas a la plancha o en el horno podrían aumentar el riesgo de desarrollar cáncer y otras enfermedades. Pero eso no significa que usted deba dejar de comer carne o de usar la parrilla para siempre. Sólo debe saber cómo hacerlo correctamente.

- Acelere el asado. Pre-cocine la carne en el microondas durante un minuto. Esto elimina la mayor parte de los compuestos cancerígenos llamados aminas heterocíclicas (AHC).

- Dele vueltas. Cocinar a fuego alto contribuye a la formación de AHC y de los productos terminales de glicación avanzada (PTGA), causantes de enfermedades. Voltear la carne mantiene baja la temperatura de cocción.

- Adobe los alimentos. Los adobos protegen contra las altas temperaturas de la parrilla, limitando la formación de AHC.

Uva roja

La paradoja francesa

Los franceses disfrutan de comidas elaboradas con cremas espesas y de pastelillos llenos de mantequilla y, sin embargo, conservan sus corazones jóvenes y saludables. ¿Cuál es su secreto? La respuesta a esta "paradoja francesa" puede estar en la copa de vino tinto que acompaña sus comidas.

Las uvas, junto con el jugo y el vino elaborado a partir de uvas, contienen sustancias químicas naturales de origen vegetal que ayudan al corazón, entre ellos los polifenoles antioxidantes, como el resveratrol, la quercetina, la antocianina y la catequina. Tanto la piel como la pulpa de la uva tienen antioxidantes poderosos, pero el resveratrol —tan importante para el corazón— se encuentra principalmente en la piel y, en su mayor parte, acaba en el jugo de uva negra y en el vino tinto.

Su refrigerador podría contener más poder curativo que los laboratorios de las grandes compañías farmacéuticas. Los nutrientes presentes en la uva pueden beneficiar el corazón de las siguientes maneras:

Bajan la presión arterial alta. Cuando se eleva la presión arterial es como colocar los dedos en el extremo de una manguera. La sangre se mueve con más fuerza y el corazón tiene que trabajar más. Eso puede resultar en un ataque al corazón o en otros problemas cardíacos.

Sin embargo, los estudios muestran que el jugo de uva puede bajar la presión arterial. En investigaciones realizadas en Corea se encontró que los hombres con presión arterial alta que bebieron jugo de uva *Concord* todos los días durante ocho semanas mejoraron sus niveles de presión arterial sistólica y diastólica. Los expertos dicen que esto se debe a los flavonoides del jugo de uva. Estos antioxidantes hacen que las células produzcan más óxido nítrico, lo que relaja las paredes de los vasos sanguíneos. Esto, a su vez, reduce la presión arterial.

Cancelan el exceso de colesterol. Los nutrientes de las uvas también pueden mejorar los niveles de colesterol, otro marcador de posibles problemas cardíacos. Un estudio encontró que los flavonoides en el jugo de uva redujeron el colesterol LDL, a veces llamado colesterol "malo", y a la vez elevaron el colesterol HDL, o colesterol "bueno". Estas mejoras se mantuvieron durante algunas semanas después de que los participantes del estudio dejaron de beber jugo de uva.

Combaten la inflamación. Estos mismos fitoquímicos también reducen la inflamación, un signo de que usted puede estar en riesgo de tener las arterias obstruidas o de sufrir un ataque cardíaco. Las mujeres que obtuvieron más flavonoides de los alimentos que recibieron, como manzanas, peras y vino tinto, tuvieron un riesgo menor de sufrir una enfermedad cardíaca.

Usted puede obtener los nutrientes de la uva del vino tinto, pero no exagere. Los expertos dicen que una copa al día puede ser beneficiosa, pero dos o más copas podrían añadir tensión en el sistema circulatorio. Usted también puede comprar suplementos de resveratrol, pero éstos no están bien regulados. Además, la uva le ofrece muchas otras bondades más allá de este nutriente y es mejor aprovecharlas todas.

Mejore la memoria con jugo de uva

Casi la mitad de las mujeres de más de 90 años tienen alguna forma de demencia. Sin embargo, hay medidas que usted puede adoptar para conservar sus recuerdos. Potencie el poder de su cerebro a medida que envejece con los compuestos naturales del jugo de uva.

Las uvas son como pequeños paquetes repletos de nutrición de primera calidad. Las uvas contienen una variedad de fitoquímicos, o sustancias químicas de origen vegetal, que funcionan como los antioxidantes para preservar la memoria. Los antioxidantes, como la proantocianidina, la epicatequina y el resveratrol, combaten la oxidación, un proceso que daña las células y que puede ser un factor importante en el desarrollo de la enfermedad de Alzheimer, una forma común de demencia. En un estudio, los voluntarios que bebieron tres o más vasos de jugo a la semana podían reducir en 76 por ciento su riesgo de desarrollar esta enfermedad que roba la memoria. En dicho estudio se utilizaron distintos tipos de jugos de frutas y verduras, y algunos jugos funcionaron mejor que otros. Los investigadores de la Universidad de Glasgow midieron los antioxidante en 13 jugos de fruta y encontraron que el jugo de uva negra o morada tenía la más alta concentración. Así que el jugo de uva puede ser su mejor apuesta para tener un cerebro más joven.

La verdad detrás de las pasas oscuras

Las pasas no le servirán de mucho si lo que usted desea es agregar más resveratrol a su dieta para la salud de su corazón. La mayoría de las pasas, incluso las más oscuras, están hechas de uvas blancas, típicamente de la variedad *Thompson Seedless*. Estas uvas tienen muy poco resveratrol y se pierde aún más durante el procesamiento. Pero no se apresure a borrar las pasas de su lista de meriendas. Son una extraordinaria fuente de otros nutrientes, como la fibra, el potasio y el boro.

Aliméntese de morado contra el cáncer

Cuando se trata de prevenir el cáncer, cuanto más oscuro, mejor. Los mismos fitoquímicos que les dan a las uvas su poder curativo, también les dan su color intenso. Se trata de las poderosas antocianinas, que cumplen la misma función en los arándanos azules y las moras.

Los estudios muestran que las antocianinas en el jugo de uva pueden ayudar a combatir el cáncer de mama al proteger al ADN de los compuestos cancerígenos. Los cambios en el ADN, el diminuto material que contiene el código genético, permiten que las células fuera de control se conviertan en tumores. Los investigadores realizaron pruebas para determinar si las antocianinas también prevenían el cáncer de colon, dado que estos fitoquímicos son fácilmente absorbidos en el tracto digestivo. Las antocianinas retardaron el crecimiento de las células del cáncer de colon sin afectar las células sanas.

Lo que funciona en el laboratorio, debe luego comprobarse en el mundo real. En este caso, funcionó. Un estudio constató que quienes bebieron más de tres copas de vino tinto cada semana tenían un riesgo menor de desarrollar cáncer de colon. Los científicos le dan parte del crédito al otro poderoso fitoquímico de la uva, el resveratrol. Este antioxidante también cambia la manera como las células de cáncer de mama reaccionan a los estrógenos. Con un poco de resveratrol, este proceso dañino, que puede provocar el crecimiento de tumores, se retarda e incluso se detiene.

El resveratrol funciona de manera similar al combatir el cáncer de próstata en los hombres. El resveratrol logró retardar o detener el crecimiento tumoral sin cambiar los niveles de testosterona en ratones sometidos a pruebas con este fitoquímico. Los resultados entusiasmaron al Dr. Coral Lamartiniere, científico de la Universidad de Alabama, en Birmingham, quien supervisó el estudio.

"Quienes estamos dedicados a la investigación de la prevención del cáncer vivimos para momentos y hallazgos como éstos", dijo.

Escuche las buenas nuevas

El resveratrol, un fitoquímico encontrado en abundancia en la piel de la uva, puede proteger la audición a medida que se envejece. La principal causa de la pérdida de audición relacionada con la edad es el daño ocasionado por una vida de ruidos fuertes. Sin embargo, las investigaciones han encontrado que las ratas alimentadas con resveratrol sufrieron menos daño auditivo cuando fueron expuestas a sonidos fuertes. Los radicales libres de oxígeno pueden destruir los delicados pelos del oído interno, responsable de captar las ondas sonoras. Los poderes antioxidantes del resveratrol previenen este daño y conservan la audición.

Gánele a la diabetes con una fruta fabulosa

Si usted tiene diabetes o simplemente está observando su peso, lo más probable es que siempre le venga a la mente la comida. De ser así, usted puede beneficiarse de comer uvas en abundancia. Las uvas contienen resveratrol, una sustancia química de origen vegetal que hace tres cosas para ayudar a controlar la diabetes y el vientre abultado:

Limitan el azúcar en la sangre. Las personas con diabetes tienen que observar lo que comen y tal vez usar insulina para mantener el equilibrio de sus niveles de azúcar en la sangre. El resveratrol puede, en parte, ayudar a mantener este equilibrio al estimular las células para que tomen el azúcar de la sangre y al disminuir los efectos de la oxidación.

Alivian el dolor diabético. La dificultad para mantener la estabilidad del azúcar en la sangre puede resultar en lesiones en los nervios. Usted lo sabrá por el dolor y el adormecimiento que sentirá en las piernas y los pies. Se llama neuropatía diabética y no hay mucho que los médicos puedan hacer, más allá de recetar medicamentos. Pero el resveratrol viene al rescate, mitigando el dolor al bloquear los receptores del dolor que lo transmiten. Los ratones con diabetes obtuvieron alivio del dolor diabético con una dosis diaria de resveratrol.

Contienen a las células grasas. El exceso de peso puede convertirse en un problema de salud, independientemente de si usted tiene diabetes o no. Investigadores de Alemania encontraron que las células pre-grasas, es decir las células destinadas a convertirse en células que almacenan grasas, no se desarrollan ante la presencia de resveratrol. El resveratrol, además, funcionaría de la misma manera que una dieta baja en calorías que evita que el cuerpo envejezca demasiado rápido. Pero en este caso, usted no tendría que dejar de comer lo que le gusta.

El vino tinto tiene abundante resveratrol, pero puede que no sea bueno para usted si tiene diabetes. La Asociación Estadounidense para la Diabetes aconseja a las personas con diabetes beber alcohol con moderación y estar atentos a cómo afecta el alcohol sus niveles de azúcar en la sangre. El jugo de uva puede que sea una mejor opción.

Método natural para teñir la ropa

Pruebe este método sencillo de teñir telas la próxima vez que quiera entretener a los niños en casa. Acabará con paños de un color morado maravilloso, que podrá usar para manualidades o para proyectos de decoración en el hogar. Usted necesitará:

2   latas grandes de jugo congelado de uva

4   cucharadas de sal

4   latas de agua

1/4 de yarda (23 cm) de tela de algodón crudo

Si usted desea utilizar uvas frescas, elija una variedad como las uvas *Concord,* que tienen la pulpa y la piel oscuras. Utilice aproximadamente una libra de uvas por cada libra de tela. Mezcle todos los ingredientes y lleve a ebullición. Baje el fuego y cocine a fuego lento hasta que la mezcla tome un color profundo, aproximadamente una hora. Deje enfriar y luego cuele si utilizó uvas frescas.

Vierta el tinte concentrado en una cacerola esmaltada grande y agregue agua suficiente para cubrir la tela. Coloque la tela mojada. Deje hervir la tela con el tinte a fuego lento durante al menos una hora, revolviendo de vez en cuando. Enjuague la tela en agua fría hasta que el agua salga clara y cuelgue para secar.

Destierre a las bacterias que causan enfermedades

¿Sabe usted por qué las bayas tienen resveratrol? Para defenderse de los hongos. Ese mismo compuesto químico natural se une a otros compuestos de la uva para ayudar a combatir las bacterias que causan las caries, la intoxicación por alimentos e incluso las úlceras estomacales.

Los expertos han sabido por mucho tiempo que el vino tinto y el vino blanco —incluso sin el alcohol que contienen— pueden acabar con la *S. mutans*, que es la bacteria que causa las caries. El vino también elimina la *S. pyogenes,* que es la bacteria que causa los dolores de garganta. Una teoría es que el ácido del vino impide el crecimiento de estas bacterias perjudiciales.

Nuevas investigaciones muestran que el resveratrol y las catequinas, dos compuestos químicos naturales de la uva, combaten la *H. pylori,* que es la bacteria que vive en el estómago y que lo vuelve más propenso a desarrollar úlceras. También eliminan la *E. coli,* una de los principales responsables de la intoxicación por alimentos, y otros gérmenes dañinos. Un estudio que utilizó varios tipos de vino tinto encontró que la mayoría elimina estas bacterias perjudiciales, y lo hacen sin tocar a las bacterias probióticas. Estas últimas son bacterias útiles que el cuerpo necesita para la buena digestión y otras funciones. Así que disfrute de las uvas en todas sus formas para aprovechar todos sus beneficios.

Almidón resistente

Nutriente poco conocido le hace la guerra al cáncer de colon

Un almidón especial que se encuentra en los alimentos cotidianos podría hacerle la guerra al cáncer de colon. Usted probablemente ya lo consume sin darse cuenta. El almidón resistente, que se encuentra en alimentos como el plátano verde, la pasta fría y los granos molidos gruesos, no se digiere como los demás almidones. En lugar de descomponerse en el intestino delgado, llega hasta el colon donde se fermenta. En eso se asemeja a la fibra.

Ésa es una buena noticia para el colon. El almidón resistente barre con las células que tienen el ADN dañado, células que, de no ser eliminadas, podrían volverse cancerosas. Y, al igual que la fibra, el almidón resistente agrega volumen a las heces y hace que éstas se muevan más rápido a lo largo del tracto digestivo, de modo que las sustancias cancerígenas tienen menos contacto con el intestino.

El almidón resistente también fomenta el crecimiento de bacterias amigables en el colon. Estas bacterias reducen el nivel de pH dentro del colon y producen ácidos grasos de cadena corta, como el butirato, los cuales frenan el desarrollo del cáncer. En estudios de laboratorio, el butirato, que es el principal nutriente para las células sanas del colon, previno la multiplicación de células cancerosas.

Los amantes de la carne deben consumir abundante almidón resistente. Las proteínas de la carne también se fermentan en el colon, pero producen compuestos potencialmente tóxicos. Se ha establecido que la cantidad de proteínas consumidas puede influir en el desarrollo del cáncer de colon. En estudios realizados con animales se vio que un fuerte aumento en el consumo de proteínas incrementó el daño al ADN de las células del colon, lo que contribuye al desarrollo de cáncer. Consumir alimentos ricos en almidón resistente, como papas cocidas frías o pasta fría, reduce este vínculo al reducir el daño al ADN.

Merienda especial para diabéticos

Las barras para merendar hechas con almidón resistente son un refrigerio sabroso e inofensivo para las personas con diabetes. Gracias al almidón resistente, estas barras ofrecen una dosis saludable de carbohidratos que permite un aumento gradual y sostenido del azúcar en la sangre, en lugar de una subida repentina. Estas barras con almidón resistente son mejores que las meriendas normales que contienen carbohidratos de rápida digestión. Busque "maltodextrina" (*maltodextrin*, en inglés) en la lista de ingredientes, que es la palabra en código para indicar almidón resistente.

Cómo quemar grasa sin pasar hambre

No todos los carbohidratos son iguales. Algunos son en realidad buenos para derretir la grasa, controlar el apetito y mejorar la sensibilidad a la insulina. El problema es que las personas consumen el tipo equivocado de carbohidratos. La mayoría de las comidas compradas en tiendas contienen carbohidratos que son fáciles de digerir. Pero los carbohidratos que se digieren lentamente, como el almidón resistente (AR), son los que pueden ayudarle de muchas maneras:

Queman más grasa. Obtener tan sólo el 5 por ciento de su consumo diario de carbohidratos en forma de almidón resistente le ayuda a quemar un increíble 20 por ciento más de grasa, especialmente alrededor de los glúteos. Este almidón especial se fermenta en el colon, lo que produce unos compuestos llamados ácidos grasos de cadena corta. Esto causa que el hígado queme grasa corporal como combustible. Lo mejor de todo, el efecto es duradero y usted no tiene que hacer grandes cambios en su dieta.

Sacian el hambre. Nuevas pruebas demuestran que el almidón resistente puede ayudar a regular el apetito al afectar la leptina, la hormona que apaga la señal de hambre. En un estudio

> ### Fuentes naturales de almidón resistente
>
> ★ plátanos verdes   ★ pasta fría
> ★ papas cocidas frías   ★ frijoles blancos
> ★ cereal de trigo inflado   ★ lentejas
> ★ pan integral de centeno   ★ *muesli*

se asignó a 20 ratas una dieta baja en AR y a otras 20 una dieta rica en AR. Las ratas con la dieta baja en AR dejaron de responder a la leptina, mientras que las ratas con la dieta rica en AR parecían más satisfechas después de las comidas.

Almacenan menos grasa. Es más, las ratas con la dieta baja en AR acumularon más grasa corporal, a pesar de que las ratas con la dieta rica en AR comieron más. Las ratas con la dieta baja en AR también presentaban células grasas de mayor tamaño, una característica asociada con una mala sensibilidad a la insulina. Eso significa que agregar más almidón resistente a su dieta podría ayudarle a no acumular grasa y a controlar los niveles de azúcar e insulina en la sangre. Usted puede obtener más AR eligiendo mejor sus comidas. Sustituya los alimentos ricos en almidón con alimentos ricos en almidón resistente. Las pastas y las papas, por ejemplo, sírvalas frías y no calientes: la refrigeración produce almidón resistente. Compre plátanos verdes en lugar de maduros. El plátano verde contiene almidón resistente.

Romero

Una manera sabrosa de alimentar los recuerdos

"Esto es romero, para recordar", dice la amada de Hamlet durante su desesperado discurso al final de la famosa obra de Shakespeare. Aunque se había vuelto loca, Ofelia tenía razón. El romero es una hierba aromática que puede ayudarle a conservar sus recuerdos.

El romero, una hierba favorita en la cocina, se utiliza desde hace mucho tiempo para ayudar a la digestión y mejorar la memoria. El romero es un arbusto de hojas perennes, de color gris plateado, y a las abejas les encanta. Sus fuertes poderes antioxidantes pueden ayudar a preservar la memoria al detener la descomposición de la acetilcolina, una importante sustancia química cerebral. La acetilcolina transporta mensajes a lo largo de los nervios, por lo que es clave para el buen funcionamiento del cerebro.

Investigadores de California y Japón están trabajando juntos para entender la forma como el romero protege el cerebro. Identificaron el ácido carnósico, un antioxidante en el romero que previene el daño de los radicales libres a las células. Los expertos creen que este tipo de daño contribuye a la enfermedad de Alzheimer y al olvido normal asociado con la edad. El ácido carnósico también puede proteger el cerebro de las lesiones derivadas de un accidente cerebrovascular.

Hierbas curativas

Conozca los remedios herbarios para distintos problemas de salud. Hable con su médico sobre las posibles interacciones con otros medicamentos.

Hierba	Enfermedad o síntomas	Cómo funciona
ajo	coágulos de sangre	la alicina y el piruvato del ajo descomponen la fibrina en la sangre para prevenir la coagulación
áloe vera	estreñimiento	el jugo hecho a partir del látex seco de la planta tiene un efecto laxante
canela	diabetes	ayuda a controlar los niveles de azúcar en la sangre y a reducir la inflamación
corazoncillo	depresión	si se toma con regularidad, podría aliviar la depresión mejor que algunos fármacos antidepresivos
corteza de sauce	osteoartritis, dolor de espalda	contiene salicilato cuyos efectos antiinflamatorios y analgésicos son similares a la aspirina
curcumina	diabetes	la curcumina en la cúrcuma, la especia que hace que el *curry* sea de color amarillo, ayuda a controlar el azúcar en la sangre
ginkgo biloba	memoria	contiene flavonoides antioxidantes para combatir el daño celular y mejorar el flujo de sangre hacia el cerebro
ginseng	diabetes	los ginsenósidos del *ginseng* reducen los niveles de azúcar en la sangre y actúan como antioxidantes protegiendo contra el daño ocular y renal
jengibre	artritis, mareo por movimiento	puede funcionar como un antiinflamatorio al inhibir la COX-2; actúa sobre los receptores químicos del cerebro para detener el mareo por movimiento
lavanda	estado de ánimo, ansiedad	la aromaterapia con lavanda mejora el ánimo y alivia la ansiedad
manzanilla	insomnio	hasta tres tazas de té de manzanilla al día; tiene un ligero efecto sedante

Hierba	Enfermedad o síntomas	Cómo funciona
matricaria	migrañas	dilata los pequeños vasos sanguíneos para mejorar el flujo de la sangre y prevenir o aliviar los dolores de cabeza
mejorana	estrés, presión arterial alta, insomnio	dilata los vasos sanguíneos cuando se usa en aceite para masajes; la fragancia de un baño de mejorana con lavanda calma y relaja
menta	síndrome del intestino irritable (SII)	el aceite de menta en cápsulas con cubierta entérica hace más lenta la actividad de los músculos lisos del intestino para aliviar el SII
orégano	intoxicación por alimentos	los fitoquímicos en el orégano impiden el crecimiento de la bacteria *L. monocytogenes* en los alimentos; funciona aún mejor si se combina con extracto de arándano rojo
perejil	artritis reumatoide (AR)	su alto contenido de vitamina C previene la poliartritis inflamatoria o AR en múltiples articulaciones
pimienta de Cayena	colesterol alto, pérdida de peso, dolor de espalda (uso tópico)	la capsaicina en el chile reduce el colesterol debido a su efecto antioxidante; hace que usted se sienta satisfecho, por lo que comerá menos; su uso tópico impide a la sustancia química "P" transmitir dolor
psyllium	estreñimiento, colesterol alto	la fibra soluble forma un gel en el intestino que mueve y suaviza las heces; retarda la absorción de grasas de los alimentos
romero	cáncer, pérdida de memoria	bloquea la formación de compuestos cancerígenos durante la cocción de carnes y de carbohidratos; el ácido carnósico del romero funciona como un antioxidante para proteger las células cerebrales
salvia	estado de ánimo, memoria	el aceite esencial y la hoja seca de salvia estimulan la memoria y el estado de ánimo; puede tener un efecto antioxidante en las enzimas del cerebro
semilla de lino	estreñimiento	contiene fibra soluble e insoluble (3 gramos en total por porción) para estimular el movimiento intestinal

Solución aromática para acondicionar el cabello

Usted puede encontrar todo lo que necesita para lucir un cabello hermoso y un cuero cabelludo saludable en la sección de hierbas frescas de su supermercado. Empiece con un puñado de hojas de salvia y romero. Tritúrelas para liberar sus aceites. Coloque las hojas en una olla con dos tazas de agua. Deje que rompa a hervir y luego cocine a fuego lento durante unos cuantos minutos. Retire la olla del fuego y deje reposar durante tres horas. Cuele, vierta el líquido en un atomizador y refrigere hasta por una semana. Rocíe la mezcla sobre el cabello seco hasta humedecerlo por completo. Masajee en el cuero cabelludo y no enjuague. Su cabello se verá suave y brillante y tendrá un delicioso olor a fresco.

Los investigadores tienen buenas noticia para las personas que sufren alopecia areata, que es la pérdida de cabello en parches, distinta a la calvicie masculina típica. Un estudio encontró que una mezcla de aceite de romero y de otros aceites esenciales, como los de tomillo, lavanda y madera de cedro, redujo la pérdida de cabello. Las personas con alopecia areata obtuvieron buenos resultados al masajear esta mezcla de aceites en el cuero cabelludo todos los días durante siete meses.

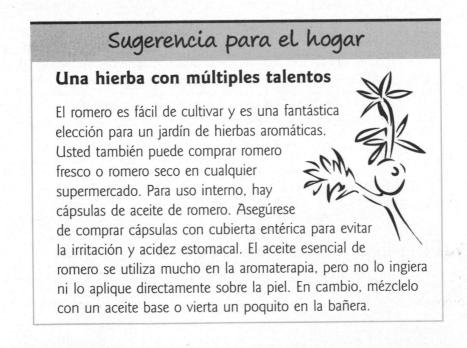

Sugerencia para el hogar

Una hierba con múltiples talentos

El romero es fácil de cultivar y es una fantástica elección para un jardín de hierbas aromáticas. Usted también puede comprar romero fresco o romero seco en cualquier supermercado. Para uso interno, hay cápsulas de aceite de romero. Asegúrese de comprar cápsulas con cubierta entérica para evitar la irritación y acidez estomacal. El aceite esencial de romero se utiliza mucho en la aromaterapia, pero no lo ingiera ni lo aplique directamente sobre la piel. En cambio, mézclelo con un aceite base o vierta un poquito en la bañera.

Papas asadas con romero

Ingredientes* (Rinde 6 porciones)

1 libra (454 g) de papas Russet cortadas en cubos (aproximadamente 3 tazas)

2 cucharaditas de aceite de *canola*

1/2 cucharadita de romero seco

1/2 cucharadita de sal

Preparación

1. Precaliente el horno a 450°F.

2. Rocíe una bandeja para hornear con aceite vegetal de cocina en aerosol.

3. Lave y pele las papas.

4. Corte las papas en cubos de aproximadamente una pulgada y páselas a un recipiente grande.

5. Combine el aceite, el romero y la sal en un recipiente pequeño. Revuelva bien.

6. Cubra las papas con la mezcla de aceite. Revuelva para cubrir de manera uniforme.

7. Extienda las papas sobre la bandeja para hornear.

8. Hornee de 25 a 30 minutos o hasta que las papas estén ligeramente doradas.

Información nutricional por porción: 73.5 calorías (14.3 calorías de la grasa, 19.46 por ciento del total); 1.6 g de grasa; 1.6 g de proteínas; 13.7 g de carbohidratos; 0.0 mg de colesterol; 1.0 g de fibra; 200.3 mg de sodio

*Si no reconoce el nombre de un ingrediente, vea el glosario en la página 360.

Tres maneras inusuales para sentirse saludable

El romero podría ser el mejor aliado de su cuerpo cuando se trata de combatir los compuestos cancerígenos de las comidas cocidas. Es posible que haya oído hablar del peligro que presenta la acrilamida. La acrilamida se forma cuando alimentos ricos en carbohidratos se cocinan a altas temperaturas, ya sea al horno, fritos o a la plancha. Los expertos creen que puede causar cáncer, y las papas a la francesa, el pan y las papas fritas de bolsa son las principales fuentes. Sin embargo, las investigaciones muestran que el romero puede frenar esta reacción. Añadir romero a la masa antes de hornear el pan redujo la cantidad de acrilamida en casi 60 por ciento. Aunque algunas investigaciones demuestran que la acrilamida podría no elevar el riesgo de cáncer, es mejor ir a lo seguro.

De la misma manera, cuando se asa la carne a altas temperaturas, se forman unos compuestos cancerígenos llamados aminas heterocíclicas (AHC). Agregar romero a la carne antes de cocinarla ha demostrado reducir la formación de estas peligrosas AHC, esta vez en 72 por ciento. Los investigadores creen que esto se debe a los antioxidantes presentes en el romero.

Y por si esto fuera poco, el romero además elimina ciertas bacterias que pueden causar la intoxicación por alimentos, entre ellas la *E. coli*. Debido a que esta hierba añade un toque aromático y un sabor amaderado cuando se usa para asar las carnes o en la masa de pan, cocinar con romero es una exquisita manera de cuidar su salud.

Salba

Chía: el arma secreta de la salud cardíaca

Las semillas comestibles de chía fueron alguna vez el grano favorito de los antiguos aztecas. Hoy su consumo está a punto de resurgir. Se ha empezado a cultivar una variedad especial de semilla de chía conocida como *salba*, que muestra gran promesa en la lucha contra la diabetes y las enfermedades del corazón.

La salba cuenta con más fibra y ácido alfa-linolénico (ALA, en inglés), un tipo de ácido graso poliinsaturado (PUFA, en inglés) beneficioso para el corazón, que cualquier otro alimento natural. Además, es una excelente fuente de calcio, proteínas, magnesio y hierro, y tiene más antioxidantes que algunas bayas. Todos estos nutrientes están asociados con un menor riesgo de desarrollar una enfermedad cardíaca.

Las personas con diabetes pueden ser las más beneficiadas con el resurgimiento de las semillas de chía y de la salba. Tres de cada cuatro diabéticos mueren a causa de problemas relacionados con el corazón. No es de extrañar, dado que siete de cada 10 diabéticos tienen presión arterial alta, un importante factor de riesgo cardíaco. Gracias a nuevas investigaciones, los expertos creen que espolvorear salba sobre las comidas puede mejorar esas probabilidades.

Contenga la presión arterial alta. En un estudio realizado en Canadá, 20 personas con diabetes tipo 2 agregaron ya sea salba u otro cereal integral a sus dietas normales. Después de 12 semanas, la presión arterial de los consumidores de salba era 20 por ciento menor. Los expertos creen que el cuerpo convierte grandes cantidades del ALA presente en la salba en otro PUFA, el ácido eicosapentaenoico (EPA). El EPA es utilizado para generar compuestos llamados prostaglandinas. La mayoría de las prostaglandinas provocan inflamación en el organismo, pero las generadas a partir del EPA la contrarrestan, ya que no causan que los vasos sanguíneos se estrechen tanto como lo hacen las demás prostaglandinas. Cuanto más anchos y relajados estén los vasos sanguíneos, menor será la presión arterial.

Calme la inflamación. Otro compuesto, llamado proteína C reactiva (PCR) ayuda a los médicos a medir los niveles de inflamación. Más PCR significa más inflamación en los vasos sanguíneos, y una mayor probabilidad de una enfermedad del corazón.

Aunque la salba no redujo los niveles de PCR de alta sensibilidad, el otro grano en el experimento elevó estos niveles considerablemente. Al finalizar el estudio, los consumidores de salba tenían niveles 40 por ciento menores que los no consumidores. Es más, cuanto más altos eran los niveles de ALA y EPA en la sangre, menor era el nivel de PCR.

Prevenga los coágulos sanguíneos. La salba también provocó una caída en los niveles de dos sustancias que contribuyen a la coagulación de la sangre: el factor de *von Willebrand* y el fibrinógeno. Demasiado de cualquiera de estas sustancias puede incrementar su riesgo cardíaco, especialmente si usted tiene diabetes.

Gánele a los tres grandes. En estudios realizados con ratas, las semillas integrales de chía redujeron sus triglicéridos, mientras que las semillas molidas aumentaron su colesterol bueno HDL. De otro lado, las semillas de chía impidieron que las ratas que seguían una dieta con alto contenido de azúcar desarrollaran una resistencia a la insulina y problemas con el colesterol y los triglicéridos. Es más, las ratas que ya tenían estos problemas de salud mejoraron. La chía incluso pareció reducir la grasa abdominal en las ratas que seguían la dieta con alto contenido de azúcar.

Además de ser rica en nutrientes protectores del corazón, la salba puede ayudarle a cumplir con su requerimiento diario de cereales integrales. Eso es importante, debido a que el consumo de tan sólo tres porciones de cereales integrales al día puede reducir considerablemente el riesgo de desarrollar una enfermedad cardíaca o diabetes.

El huevo contra las grasas malas

El huevo enriquecido con grasas omega-3, saludables para el corazón, pronto será mucho más beneficioso para usted. Los avicultores alimentan sus gallinas con semillas molidas de lino para que los huevos tengan una dosis extra de omega-3. Pero las semillas de chía tienen más omega-3 que la linaza o que cualquier otro grano.

Alimentar las gallinas con semillas de chía produjo huevos con menos colesterol y grasas saturadas, y con más grasas poliinsaturadas, especialmente omega-3. Es más, alimentar los pollos de engorde con chía redujo las grasas saturadas y aumentó los buenos ácidos grasos alfa-linolénico (ALA), tanto en la carne blanca como en la oscura, sin alterar el sabor.

A diferencia de otros granos integrales, usted puede espolvorear la salba directamente sobre el yogur, las ensaladas, las sopas y otras comidas. No necesita mucho. Menos de 1.5 onzas de semillas secas de chía comestible equivalen a dos porciones completas de cereales integrales. Usted puede disfrutarla como semilla entera o molida. Mantenga las semillas de chía y la salba en el refrigerador, ya que las grasas beneficiosas que contienen son frágiles.

Ensalada de pollo con salba

Ingredientes* (Rinde 6 porciones)

2 tazas de pechuga de pollo sin pellejo, cocida
    y cortada en cubos

8 onzas (226 g) de mayonesa sin grasa

1 taza de apio picado

4 oz (113 g) de *curry* en polvo

2 cucharadas de semillas molidas
    de salba

4 oz (113 g) de nueces de la India
    (*cashews*) picadas

1 taza de piña fresca en trozos

Preparación

1. Mezcle la mayonesa, el *curry* en polvo y la salba molida.

2. Agregue el pollo cocido y el apio a la mezcla.

3. Cubra y refrigere durante por lo menos 20 ó 30 minutos.

4. Agregue los trozos de piña y las nueces de la India picadas
    antes de servir.

Información nutricional por porción: 313.0 calorías (140.9 calorías de la grasa, 45.02 por ciento del total); 15.7 g de grasa; 20.9 g de proteínas; 27.8 g de carbohidratos; 43.4 mg de colesterol; 10.1 g de fibra; 463.5 mg de sodio

*Si no reconoce el nombre de un ingrediente, vea el glosario en la página 360.

Selenio

El secreto dietético para músculos fuertes

Envejecer no es sinónimo de volverse cada día más frágil. Los expertos sostienen que usted puede retrasar al máximo el debilitamiento de los músculos sin necesidad de tomar medicamentos o ver a un médico.

La pérdida de masa y fuerza muscular es parte natural del proceso de envejecimiento y empieza aproximadamente a los 30 años de edad, aunque la mayoría de personas no se dan cuenta de ello hasta unas décadas más tarde. Si avanza demasiado, se puede convertir en una afección que se conoce como sarcopenia. Las personas con los peores casos de sarcopenia no pueden levantarse de la silla sin ayuda o pueden tener problemas para caminar debido a que sus músculos se han vuelto demasiado débiles. Es posible que usted también conozca a personas que ya tienen más de 80 años y que parecen tan fuertes como lo eran hace 20 años. La pregunta es, ¿por qué algunas personas se debilitan tremendamente, mientras que otras no? Una de las claves podría ser el selenio.

En un estudio realizado en Toscana, Italia, se estudió la fortaleza muscular de aproximadamente 900 personas mayores de 65 años. Los investigadores encontraron que las personas con los valores más bajos de selenio en la sangre eran las más propensas a tener muy poca fuerza muscular de la rodilla y de la cadera y muy poca fuerza de prensión manual. Esto podría deberse a que el cuerpo necesita selenio para producir unos compuestos conocidos como selenoproteínas. Investigadores de Italia creen que las selenoproteínas podrían ayudar a prevenir la pérdida de fuerza muscular. Aunque no se ha demostrado que más selenio

Fuentes naturales de selenio	
★ cebada	★ coquito del Brasil
★ pescado	★ arroz
★ pavo	★ cereales integrales

equivale a más músculo, es importante obtener suficiente selenio a través de la dieta. Disfrute de alimentos como el pescado, el arroz y uno o dos coquitos del Brasil cada día.

Para obtener resultados aún mejores, pregúntele a su médico acerca de estos poderosos aliados contra la sarcopenia:

- Proteínas. Muchos adultos mayores no reciben la cantidad suficiente del tipo de proteínas que sus músculos necesitan. Afortunadamente, el pescado, el arroz y los frutos secos pueden proporcionarle proteínas, además de selenio.

- Entrenamiento de fuerza. Algunos expertos dicen que levantar pesas —siempre y cuando estos ejercicios se hagan bien— podría ser una de las mejores defensas contra la sarcopenia. Estos ejercicios no lo convertirán en un levantador de pesas olímpico, pero sí le darán la fuerza necesaria para poder continuar con sus actividades cotidianas y mantener su independencia en los años venideros.

Una acción sencilla para esquivar el cáncer

Nunca es demasiado pronto para empezar a tomar medidas de prevención contra el cáncer de colon. El ex secretario de prensa de la Casa Blanca, Tony Snow, tenía sólo 53 años cuando perdió la batalla contra el cáncer de colon. Afortunadamente, algo tan sencillo como obtener suficiente selenio en la dieta puede ayudar.

Estudio tras estudio muestra que los índices de muertes por cáncer son más altos en los lugares donde la tierra y la dieta de las personas tienen un bajo contenido de selenio. Nuevos estudios sugieren que proporcionarle al cuerpo suficiente selenio podría ayudar a evitar el cáncer de colon.

- Investigadores de la Universidad de Carolina del Norte tomaron muestras de sangre de personas sometidas a una colonoscopía y observaron que las que tenían los niveles más altos de selenio en la sangre eran las menos propensas a tener pólipos adenomatosos en el colon. Este tipo de pólipo tiene una mayor probabilidad de volverse canceroso.

■ Científicos de la Universidad de Arizona fueron más lejos aún. Ellos estudiaron a personas a las que ya se les había extraído pólipos adenomatosos para determinar si el selenio podría ayudar a prevenir su recurrencia. Encontraron que las personas con los niveles más altos de selenio tenían un tercio menos de probabilidad de volver a desarrollar pólipos que las personas con los niveles más bajos.

Así que si le preocupa el riesgo que usted tiene de desarrollar cáncer de colon, disfrute de alimentos ricos en selenio, como el pavo, la cebada y la ensalada de atún. Y para obtener resultados aún mejores, vigile su peso y haga ejercicio todos los días.

El vínculo entre los niveles altos de selenio y la diabetes

El exceso de selenio puede ponerle en riesgo de desarrollar diabetes. Ésa es la conclusión de un estudio conducido en la Universidad Johns Hopkins tras analizar pruebas realizadas a más de 8,000 personas. De hecho, las personas con los niveles más altos de selenio en la sangre tenían una probabilidad 57 por ciento mayor de tener diabetes que aquéllas con los niveles más bajos de selenio. Otro estudio encontró que las personas que ya habían desarrollado cáncer de piel eran 25 por ciento más propensas a verse nuevamente afectadas con este tipo de cáncer si tomaban cada día 200 mcg de selenio en forma de suplementos.

Sin embargo, esto no significa que usted deba evitar el selenio. En vez de eso, procure obtener la cantidad diaria recomendada de 55 mcg de los alimentos. Si usted toma un multivitamínico, los expertos recomiendan elegir uno que no contenga más de 70 mcg de selenio al día.

Mantenga las articulaciones activas

Usted ahora puede defender mejor sus rodillas de la dolorosa osteoartritis gracias al ingenio de unos científicos de Carolina del Norte y a una enfermedad muy poco conocida que apareció en China.

La tierra en algunas zonas de China contienen poco o nada de selenio. Esto causa una deficiencia de selenio tanto en los productos agrícolas que se cultivan en esas zonas como en las personas que allí residen. Investigadores de la Universidad de Carolina del Norte notaron que fueron esas zonas precisamente las que adquirieron cierta notoriedad por la ocurrencia de la enfermedad de Kashin-Beck, una dolencia rara que se caracteriza por el desarrollo de problemas en las articulaciones a una edad temprana. Esto llevó a los investigadores a pensar que tal vez el selenio desempeñaba un papel importante en la salud de las articulaciones y del cartílago a tal punto que su deficiencia podría aumentar el riesgo de desarrollar osteoartritis.

Para comprobar esta idea, los investigadores examinaron recortes de las uñas de los pies y radiografías de la rodilla de 940 personas. Debido a que las uñas de los pies crecen lentamente, estos recortes brindaban un registro bastante preciso de los niveles de selenio de cada persona en los meses anteriores. De otro lado, las radiografías de la rodilla ayudaron a determinar quiénes estaban desarrollando osteoartritis, quiénes ya la tenían y quiénes no tenían esta enfermedad. Los investigadores encontraron que las personas con los niveles más altos de selenio tenían una probabilidad 40 por ciento menor de tener osteoartritis y 50 por ciento menor de padecer osteoartritis severa en ambas rodillas.

El selenio puede marcar una diferencia debido a su poder fortalecedor. La osteoartritis desgasta el cartílago que sirve de amortiguador entre los huesos. De hecho, es el adelgazamiento del cartílago lo que causa el dolor de rodilla y la hinchazón característicos de la osteoartritis. El selenio puede ayudar a fortalecer ese cartílago de modo que usted conserva más durante más tiempo. Como resultado, usted podría retrasar los síntomas de la osteoartritis durante meses o años o, incluso, podría evitarlos por completo.

Soya

Acabe con el caos del colesterol

Durante años, los estudios promovieron la idea de que la soya podía bajar significativamente el colesterol. Pero la Asociación Estadounidense del Corazón (AHA, en inglés) dice que los suplementos de soya sólo reducen el colesterol malo LDL en 3 por ciento, a pesar de las altas dosis utilizadas. Estos suplementos mostraron no tener efecto alguno sobre el colesterol bueno HDL o los triglicéridos perjudiciales.

Si bien no hará mucho por su colesterol, la soya sí puede mejorar otros indicadores de las enfermedades cardíacas. Las mujeres posmenopáusicas que tomaron 54 gramos de genisteína, que es un compuesto de la soya, todos los días durante dos años, redujeron su riesgo de desarrollar una enfermedad cardíaca en comparación con las mujeres que no la tomaron.

- Los fitoestrógenos de la soya, como la genisteína, tienen fuertes propiedades antioxidantes que previenen los cambios en las arterias y el colesterol que pueden llevar a la ateroesclerosis.

- La genisteína elevó en las mujeres los niveles de OPG, un compuesto que evita que el calcio se acumule en los vasos sanguíneos y que protege las células que los recubren. Niveles altos de OPG pueden ofrecer protección contra las enfermedades cardíacas y las muertes relacionadas con enfermedades del corazón.

- El suplemento también redujo en las mujeres los niveles de fibrinógeno, una sustancia en la sangre que puede elevar el riesgo de desarrollar una enfermedad cardíaca. El fibrinógeno tiende a aumentar después de la menopausia.

Aunque la soya no hace milagros, la AHA señala que los alimentos de soya pueden beneficiar al corazón, porque son ricos en grasas, fibras, vitaminas y minerales amigables para el corazón y tienen un contenido bajo en grasas saturadas. Trate de consumir granos de soya y hamburguesas de soya en lugar de otros alimentos ricos en proteínas, pero con más grasas saturadas y colesterol, como las carnes rojas o los productos lácteos con toda su grasa.

Gánele la guerra a la grasa

Sustituir las proteínas grasas, como las carnes rojas, con alimentos de soya puede ofrecer una ventaja adicional: la pérdida de peso. Los estudios demuestran que la proteína de soya ayuda a adelgazar y a mantener un peso saludable. Estudios realizados en animales indican que la soya puede ayudar a bajar de peso. La genisteína, una isoflavona de la soya, puede bloquear el crecimiento y propagación de las células grasas, lo que disminuye la cantidad de grasas que se almacenan en el cuerpo. Sin embargo, esto no ha sido demostrado en estudios realizados con humanos. Los expertos advierten que llenarse de soya sin a la vez reducir el consumo de calorías no ayuda a bajar de peso. Su mejor apuesta para perder el peso que le sobra es seguir una dieta saludable y baja en calorías.

Pequeña legumbre contra el cáncer de mama

La soya previene el cáncer de mama un día y al otro día lo causa. Cuando cada estudio dice algo diferente, es difícil saber qué creer. Nuevas investigaciones revelan cuáles son las mujeres que podrían beneficiarse de la soya, y cuáles deberían evitarla.

Ya en 1990, el Instituto Nacional del Cáncer anunció que la soya podría prevenir el cáncer. Las investigaciones se centraron en la capacidad de la soya para derrotar el cáncer, debido a que los lugares donde se consumen muchos alimentos de soya tienen índices bajos de esta enfermedad, como Asia. Sin embargo, a muchos expertos les preocupaba que la soya en realidad pudiera hacer que algunas mujeres se volvieran más propensas a desarrollar cáncer de mama. Los compuestos de la soya conocidos como isoflavonas pueden actuar en el cuerpo como lo hace el estrógeno. Es por eso que los científicos se refieren a ellos como fitoestrógenos.

El estrógeno estimula el crecimiento de ciertos tumores de mama. A los expertos les preocupa que los fitoestrógenos en la soya hagan lo mismo. Hasta el momento, no hay pruebas claras de que los estrógenos "externos", como los fitoestrógenos, incrementen el riesgo de desarrollar cáncer de mama. El estrógeno producido por el cuerpo tiene un efecto mucho mayor.

Nuevas investigaciones sugieren que la soya podría, de hecho, proteger contra el cáncer de mama si se consume con regularidad. De 35,000 mujeres chinas, las que comieron la mayor cantidad de alimentos de soya tuvieron un riesgo 18 por ciento menor de desarrollar cáncer de mama. Las mujeres posmenopáusicas resultaron más favorecidas, con un riesgo 26 por ciento menor.

No es necesario consumir cantidades enormes de soya. Los expertos estiman que apenas 10 miligramos (mg) de isoflavonas al día, o cerca de una porción normal de tofu, debe ofrecer protección. Dos porciones, o 20 mg de isoflavonas, podrían reducir su riesgo aún más, hasta 29 por ciento. Cuanto antes empiecen las mujeres a consumir soya, mayor parece ser la protección que obtienen. Aunque los expertos dicen que los alimentos de soya son inocuos para la mayoría de mujeres, éstos y los suplementos de isoflavonas deberían ser evitados por las sobrevivientes del cáncer de mama que toman moduladores selectivos de los receptores de estrógeno (MSRE), como tamoxifeno. La genisteína, la principal isoflavona en la soya, puede interferir con estos fármacos.

La dosis que incrementa la densidad ósea

Usted puede fortalecer sus huesos con sólo disfrutar de meriendas a base de granos de soya y otros productos de soya. Esta legumbre parece aumentar la fortaleza y densidad ósea en las mujeres después de la menopausia. Las mujeres pierden entre 5 y 20 por ciento de la masa ósea solamente en los primeros cinco años después de la menopausia. Eso se debe a que el estrógeno afecta la forma como el cuerpo forma hueso. Las células llamadas osteoclastos están permanentemente descomponiendo hueso y reabsorbiéndolo. Los osteoblastos, en cambio, forman hueso nuevo. Con la caída de los niveles de estrógeno después de la menopausia, los osteoclastos trabajan más rápido que los osteoblastos, de modo que la pérdida de hueso es más rápida que la formación de hueso nuevo.

La terapia de sustitución de hormonas fue alguna vez el tratamiento recomendado para la osteoporosis. Después de que se conocieran los peligros de la terapia hormonal, nuevos fármacos llamados MSRE (moduladores selectivos de los receptores de estrógeno o SERM, en inglés) tomaron su lugar. Pero una alternativa natural podría estar a la espera de ser descubierta en las tiendas de productos naturales. Nuevos estudios indican que los estrógenos de origen vegetal, o fitoestrógenos, presentes en la soya actúan como estos MSRE:

- La genisteína, la principal isoflavona de la soya, ayuda a "desactivar" los osteoclastos destructores.

- La daidzeína, otra isoflavona, estimula los osteoblastos a formar más hueso.

La mayoría de estudios muestran que las isoflavonas previenen la pérdida de hueso en animales, pero no está claro si funcionan en seres humanos. En un estudio realizado con mujeres con fragilidad ósea, un primer grupo recibió suplementos con vitamina D y calcio, el segundo grupo recibió además 54 miligramos (mg) de genisteína, mientras que el tercer grupo sólo recibió un placebo o pastilla falsa. El grupo de la genisteína presentaba mayor densidad ósea después de dos años de tratamiento y mejores signos de salud ósea en general. Este compuesto de soya no provocó cambios precancerosos, como los que se podrían dar con la terapia de estrógeno.

Una revisión de 10 estudios encontró que las mujeres que consumieron soya durante la menopausia tenían mayor densidad ósea en la columna vertebral. Las mujeres que recibieron más de 90 mg de isoflavonas al día durante seis meses mostraron la mayor mejora. Estas dosis pueden parecer excesivas, pero son típicas en países de Asia donde la soya es un alimento básico. Por ejemplo, usted puede obtener 54 mg de genisteína sólo comiendo una taza de frijoles de soya cocidos, más media taza de yogur de tofu, o bien 2 onzas de granos de soya tostados, más una taza de leche de soya. Estas combinaciones le proporcionan asimismo más de 90 mg de isoflavonas totales.

La manera como se procesa la soya afecta su contenido de isoflavonas. Por lo general, los alimentos no fermentados, como el *edamame* o los frijoles de soya tostados, contienen dos a tres veces más isoflavonas que la soya fermentada, como el miso o el *tempeh*. La leche de soya baja en grasa o sin grasa contiene la menor cantidad. La harina de soya, de otro lado, es una buena fuente de isoflavonas, y el horneado no destruye sus compuestos.

Cómo protegerse del cáncer de pulmón

El consumo de soya podría reducir el riesgo de desarrollar cáncer de pulmón en un asombroso 44 por ciento. Si bien el estrógeno puede contribuir al avance del cáncer de pulmón, los fitoestrógenos parecen acabar con él —y la soya es rica en fitoestrógenos—. Los científicos creen que estos compuestos ponen fin al cáncer de pulmón de la misma manera como combaten el cáncer de mama y de próstata:

- provocan la muerte de las células cancerosas.
- previenen el crecimiento de vasos sanguíneos en los tumores.
- impiden la propagación del cáncer a otras partes del cuerpo.

Un estudio realizado con ratones podría explicar cómo funcionan estos compuestos. En los ratones con tumores de pulmón, un extracto de soya disminuyó el crecimiento de las células tumorales y provocó su muerte con más rapidez que en los ratones que no recibieron este tratamiento. La genisteína, la principal isoflavona de la soya, pareció neutralizar las proteínas llamadas Akt. Estas proteínas ayudan a los tumores a sobrevivir, desarrollan un sistema de vasos sanguíneos que alimentan la propagación de las células cancerosas y resisten los tratamientos del cáncer. Y usted no tiene que comprar suplementos de soya costosos. Estos resultados se produjeron con las cantidades de soya que normalmente se consumen en Japón.

Isoflavonas ocultas en los alimentos

Consulte esta práctica guía si desea evitar las isoflavonas o si desea aumentar su consumo. Algunas de las fuentes de isoflavonas le pueden sorprender.

Alimento	Porción	Total de isoflavonas (miligramos)
Frijoles blancos crudos	1/2 taza	0.74
Chícharos partidos crudos	1/2 taza	2
Frijoles de soya maduros, cocidos	1/2 taza	47
Granos de soya secos tostados	1/2 taza	152
Aceite de soya (para ensaladas o para cocinar)	1/2 taza	0
Salsa de soya, hecha con soya y trigo	1 cucharada	0.26
Leche de soya	1 taza	30
Miso	1/3 de taza	43
Tempeh	1/2 taza	36
Tofu	3 onzas	20
Queso de soya Cheddar	3.5 onzas	7
Harina de soya desengrasada	1 taza	131
Hamburguesas de carne con VPP (productos de proteínas vegetales, en inglés) cocidas	1 hamburguesa	1
Salchicha de soya para hot dog (sin carne)	1 salchicha	11
Hamburguesas vegetarianas Harvest Burger, de Green Giant, (sabor original) congeladas y preparadas	1 hamburguesa	8

Alivie los síntomas de la menopausia

La terapia de sustitución de estrógeno fue utilizada durante 60 años para aliviar los síntomas de la menopausia hasta que los científicos comprobaron que aumentaba el riesgo de desarrollar cáncer de mama, enfermedades cardíacas y accidentes cerebrovasculares. Hoy se buscan alternativas más seguras y los investigadores creen haber hecho un gran descubrimiento: un compuesto de la soya que reduce los sofocos o bochornos a la mitad.

- Un grupo de mujeres que pasaban por la menopausia tomaron todos los días entre 40 y 60 miligramos (mg) de daidzeína, una isoflavona y fitoestrógeno de la soya. Después de 12 semanas, la frecuencia de sus sofocos se redujo a la mitad y los episodios eran menos severos.

- Un estudio realizado en Brasil tuvo resultados similares. Cuarenta mujeres tomaron 100 mg de isoflavonas de soya todos los días durante 10 meses y redujeron la severidad de sus sofocos en 70 por ciento, además de reducir su frecuencia.

Se puede obtener la misma cantidad de daidzeína, así como de isoflavonas totales, consumiendo todos los días media taza de frijoles de soya, una taza de leche de soya, más una onza de semillas de soya tostadas. Sin embargo, no todos los estudios muestran que la soya ayuda a aliviar los síntomas de la menopausia, lo que ha dejado a muchos expertos sin saber qué recomendación dar a las mujeres.

La daidzeína es tal vez el compuesto responsable de la mejora de los síntomas en esos estudios. Cuando es digerida, las bacterias en el intestino la transforman en otro compuesto llamado equol. No todas las mujeres producen equol de la misma manera; unas producen más que otras. Estas diferencias digestivas tal vez expliquen por qué los alimentos de soya mejoran los síntomas de la menopausia en algunas mujeres y en otras no. Un nuevo estudio parece demostrar justo eso. En las mujeres que no podían producir equol, los suplementos de soya no tuvieron efecto alguno sobre los síntomas de la menopausia. Pero en las mujeres que sí podían producirlo, la soya mejoró los sofocos, la sudoración, la debilidad, las palpitaciones del corazón y el cosquilleo en las extremidades.

Los expertos dicen que usted debe revisar sus niveles de equol antes de tomar soya para tratar los síntomas de la menopausia. Consulte antes con su médico. Y recuerde, el alivio no será tan grande como con la terapia de sustitución de estrógeno, ya que los fitoestrógenos en los alimentos de soya, simple y llanamente, no son tan fuertes como el estrógeno.

La soya y la pérdida de la memoria

El vínculo entre la soya y la pérdida de memoria es aún más preocupante. Las primeras investigaciones mostraban que las personas que comían soya más de dos veces a la semana tenían un mayor riesgo de desarrollar demencia y de empeorar la función cerebral al envejecer. Un nuevo estudio respalda esos hallazgos. Los adultos mayores que viven en la isla de Java y que comieron la mayor cantidad de tofu tenían la peor memoria.

Eso no es sorprendente, ya que el estrógeno parece incrementar el riesgo de demencia en las mujeres mayores de 65 años, y la soya contiene estrógenos vegetales. Los expertos creen que tanto los estrógenos como los fitoestrógenos en los alimentos, como la soya, tienen un efecto positivo en el cerebro de los jóvenes y los adultos de mediana edad, y son perjudiciales para los adultos a partir de los 65 años de edad.

El tofu, el *tempeh* y el miso no son los únicos alimentos elaborados con soya. Hoy en día se agregan proteínas de soya al pan, los productos horneados, los cereales calientes, las pastas, las cubiertas de crema batida y las carnes procesadas, entre otros, para mejorar su textura y aumentar sus niveles de proteínas. Busque soya en la lista de ingredientes.

Otro alimento de soya, el *tempeh,* pareció compensar algunos de los efectos negativos del tofu en el estudio realizado en Java. De hecho, los amantes del *tempeh* se jactaban de tener mejor memoria. El *tempeh* de soya contiene más genisteína que el tofu, así como más folato. El *tempeh* contiene cinco veces más folato que los frijoles de soya cocidos que se utilizan para elaborar el tofu. El folato puede proteger el cerebro al envejecer y reducir el riesgo de demencia. Pero demasiado de algo bueno, puede ser malo. Eso también vale para la soya.

- Consuma los alimentos de soya con moderación.

- Considere la posibilidad de sustituir el tofu por el *tempeh*.

- Coma abundantes frutas. El estudio realizado con los adultos mayores de Java mostró que las frutas también estaban asociadas con una mejor memoria.

- Hable con su médico si le preocupan los efectos de la soya en la memoria o en la función cerebral.

Mousse *de chocolate*

Ingredientes* (Rinde 4 porciones)

1 caja pequeña (3.5 oz) de pudín de chocolate instantáneo

1 1/4 de tazas de leche de soya

10.5 oz (298 g) de tofu cremoso

Preparación

1. Licúe la mezcla instantánea de pudín de chocolate con la leche de soya a una velocidad media durante unos 15 segundos o hasta que la mezcla esté suave y uniforme.

2. Agregue el tofu cremoso y siga licuando. Raspe la mezcla de los lados. Licúe y raspe hasta que toda la mezcla esté uniforme y sin grumos.

3. Vierta la mezcla en cuatro copas para postre.

4. Llévelas al refrigerador. Refrigere durante por lo menos dos horas antes de servir.

Información nutricional por porción: 120.1 calorías (49.5 calorías de la grasa, 41.18 por ciento del total); 5.5 g de grasa; 8.9 g de proteína; 10.5 g de carbohidratos; 1.5 mg de colesterol; 1.3 g de fibra; 84.8 mg de sodio

*Si no reconoce el nombre de un ingrediente, vea el glosario en la página 360

Tomate

Benefíciese de la doble protección cardíaca

¿Sufre de presión arterial alta? Dele una buena limpieza natural a sus arterias con esta asombrosa verdura. Así es. Un sabroso tomate puede ayudarle a combatir la presión arterial alta y el colesterol al mismo tiempo. Un momento, ¿el tomate no es acaso una fruta? Los botánicos lo consideran una fruta, pero para los *chefs* y para el Departamento de Agricultura de Estados Unidos es una verdura. Y usted puede referirse al tomate sencillamente como el amigo del corazón.

Controla la presión arterial. Las personas con hipertensión leve que tomaron extracto de tomate bajaron su presión arterial sistólica en 10 puntos y la diastólica en 4 puntos en apenas dos meses, según investigadores de la Universidad de Negev, de Israel. El extracto de tomate utilizado diariamente equivalía a sólo media taza de salsa para pasta.

Los participantes también experimentaron una menor oxidación del colesterol LDL. Eso es importante porque el colesterol LDL se vuelve mucho más peligroso si se oxida. La oxidación ocurre cuando los radicales libres atacan y dañan el colesterol LDL. Eso provoca un proceso que hace que el colesterol se convierta en placa al interior de las arterias. A mayor oxidación del colesterol, la placa se vuelve más y más gruesa, endureciendo las arterias y estrechando el espacio por donde circula la sangre. Eso contribuye a la presión arterial alta y aumenta el riesgo de un ataque cardíaco. Es más, el colesterol LDL oxidado reduce los niveles de óxido nítrico en los vasos sanguíneos. Se necesita óxido nítrico para ayudar a mantener las paredes de los vasos sanguíneos abiertas y flexibles.

Limpia las arterias. En un estudio realizado en Taiwán, las personas que comieron tomates frescos o bebieron jugo de tomate no sólo disminuyeron su colesterol LDL, también aumentaron su colesterol "bueno" HDL. Algunos expertos creen que el colesterol HDL puede eliminar el colesterol de la placa que está obstruyendo las arterias. Eso podría prevenir el endurecimiento y estrechamiento de las arterias que contribuyen a la presión arterial alta y a los ataques cardíacos. Así que cuanto más colesterol HDL, mejor.

El licopeno, un antioxidante natural del tomate, puede ser el principal responsable de todos estos efectos protectores para el corazón, aunque otros nutrientes del tomate, como el betacaroteno y la vitamina E, también contribuyen. Agregue más tomates y productos elaborados con tomate a su dieta. Dado que el tomate cocido contiene más licopeno, asegúrese de disfrutar el tomate como salsa, *ketchup,* sopa o jugo. Acompañe el tomate con algo de grasa, como el aceite de oliva, para absorber mejor el licopeno beneficioso para la salud.

Cuándo no tomar sopa

Nunca tome una sopa de tienda o de un restaurante sin verificar antes el contenido de sodio, sobre todo si sufre de presión arterial alta. Muchas sopas están repletas de sal y azúcares ocultos. Tan sólo una lata de sopa de tomate hecha con leche tiene casi tanta sal como cinco rebanadas de tocino y tiene más azúcar que un *muffin* con arándanos azules. Mejor prepare su propia versión saludable. Haga un puré con 1/2 libra de tomates frescos pelados. Saben delicioso y sólo contienen alrededor de 10 mg de sodio natural. Caliente el puré con agua o leche baja en grasa y agregue especias, como tomillo, *curry* en polvo, ajo o albahaca fresca.

Un delicioso secreto para la piel suave

El secreto para prevenir las arrugas, evitar las quemaduras de sol y defenderse del cáncer de piel podría estar en sus platos italianos favoritos. Incluso podría hacer retroceder el proceso de envejecimiento de la piel.

Según los científicos de dos universidades británicas, las personas que comen cinco cucharadas de pasta de tomate con un poco de aceite de oliva cada día muestran una resistencia 33 por ciento mayor a las quemaduras de sol. Mejor aún, esta "dieta de tomate" también podría tener efectos antienvejecimiento.

"La dieta de tomate aumentó significativamente los niveles de procolágeno en la piel. Esto indicaría un potencial para revertir el proceso de envejecimiento de la piel", dice la profesora Lesley Rhodes, dermatóloga en la Universidad de Manchester. El procolágeno es una molécula que ayuda a la piel a mantener una estructura adecuada. Niveles bajos de procolágeno reducen la elasticidad de la piel y llevan al envejecimiento. Los investigadores de la Universidad de Newcastle dicen que la dieta de tomate también puede reducir otra posible causa del envejecimiento de la piel, que es la capacidad del sol para dañar el ADN de las mitocondrias, esas diminutas centrales energéticas de las células.

El licopeno podría ser el secreto detrás del éxito de la salsa de tomate, dicen los científicos. La formación de moléculas de radicales libres se produce cuando el sol daña la piel. Si hay demasiados radicales libres, éstos pueden convertirse en una especie de equipo de demolición que lesiona la estructura de la piel, creando las condiciones para las arrugas prematuras y el cáncer de piel. Pero el licopeno es un antioxidante y, por lo tanto, el enemigo natural y el antídoto de los radicales libres. Es por eso que añadirlo a su dieta puede ayudarle a defender su piel.

Sólo recuerde, el poder protector del tomate no es suficiente para sustituir el filtro solar con un FPS de 15, pero sí para reforzarlo. Cinco cucharadas de salsa de tomate al día equivalen a la cantidad utilizada en el estudio. Agréguelas a las salsas para las pastas, las pizzas o los camarones. Es una deliciosa manera de lograr una piel juvenil y libre de cáncer.

La salsa que mantiene los huesos fuertes

Incorpore las salsas de tomate, ya sea para las pastas o la barbacoa, e incluso el *ketchup* a su dieta diaria para mantener sus huesos fuertes. Investigadores de la Universidad de Toronto estudiaron la ingesta de alimentos y analizaron la sangre de 33 mujeres entre las edades de 50 y 60 años. Descubrieron que las mujeres que consumieron la mayor cantidad de licopeno no sólo tenían niveles más altos de licopeno en la sangre, también tenían niveles más bajos de un compuesto asociado con la pérdida de hueso. Esto es importante porque el esqueleto está constantemente eliminando hueso viejo y sustituyéndolo por nuevas células óseas.

Desafortunadamente, a medida que envejece, usted empieza a perder más hueso del que forma. Es por eso que es importante desacelerar la "reorción ósea", o el proceso por el cual el cuerpo se deshace de hueso viejo. Según científicos canadienses, el licopeno podría ayudar en esta tarea.

En el estudio, los mayores consumidores de licopeno sólo necesitaban dos cucharadas de salsa de tomate o *ketchup* al día para ver resultados. Así que, ¿por qué no hacer la prueba? Usted disfrutará de comidas deliciosas como la sopa de tomate, la pizza con salsa de tomate y muchos platos italianos. Usted incluso puede agregar queso y obtener calcio extra, o bien aceite de oliva, para asegurar su salud ósea y que su cuerpo absorba tanto licopeno como sea posible.

El nuevo archienemigo del cáncer de próstata

Tenemos una buena noticia acerca de los tomates secados al sol: un compuesto poco conocido en estos tomates secos puede ayudar a prevenir el cáncer de próstata e, incluso, puede hacer que el licopeno sea más efectivo en su lucha contra este tipo de cáncer. Científicos de la Universidad de Missouri descubrieron este compuesto en un estudio de laboratorio. Encontraron que un aminoácido llamado FruHis protegía contra el tipo de daño al ADN que lleva al cáncer de próstata. Pero eso no es todo. Cuando lo combinaban con licopeno, el FruHis detenía el crecimiento de las células cancerosas casi siempre.

Pero lo que ocurre en los tubos de ensayo del laboratorio no siempre funciona en los seres vivientes. El ensayo utilizó una forma concentrada de FruHis, así que los científicos probaron FruHis en animales. Alimentaron algunos animales con tomates secos o pasta de tomate hecha de tomates secos y también alimentaron algunos animales con FruHis adicional. Al final, los animales cuya dieta incluía pasta de tomate, más FruHis, sobrevivieron durante más tiempo al cáncer de próstata. Pero incluso los animales a los que se les dio polvo de tomate o pasta de tomate sobrevivieron más que los animales bajo una dieta estándar.

Los científicos dicen que es demasiado pronto para saber si el consumo de tomates secados al sol o de pastas de tomates secos puede tener los mismos efectos positivos en las personas, pero usted no tiene nada que perder si los prueba. Agréguelos a sus comidas en su forma seca normal o como puré. Si utiliza una pasta de tomate de tienda, asegúrese de que la etiqueta diga que la pasta contiene tomates secados al sol (*sun-dried tomatoes,* en inglés) para mayor protección de la próstata.

El poder antioxidante de un tomate especial

Usted ha oído decir que cuando se trata del licopeno "cuanto más rojo, mejor". Pero un nuevo tomate color naranja ha echado por tierra esa noción.

Según científicos de la Universidad Estatal de Ohio, las personas absorbieron dos veces y media más licopeno de una salsa hecha de tomates mandarina que de la salsa hecha con tomates rojos. Aparentemente se trata del tipo de licopeno que contienen. Los tomates rojos están repletos de translicopeno, pero el cuerpo absorbe con mayor facilidad otro tipo de licopeno: el cislicopeno. Y los tomates mandarina son ricos en cislicopeno.

Se necesitan más estudios para saber si el cislicopeno tiene los mismos beneficios para la salud que el translicopeno. Pero si usted está buscando una nueva variedad de tomate para cultivar en su jardín, tenga en cuenta los tomates mandarina. Usted podría estar entre los primeros en descubrir cuán beneficioso es el cislicopeno.

Vinagre

Una agradable opción para controlar la glucosa

Un bocadillo de queso y vinagre antes de acostarse podría reducir el nivel de azúcar en la sangre por la mañana, y un poco de vinagre con los alimentos podría reducir el azúcar en la sangre después de una comida. Para algunos expertos el vinagre funcionaría de la misma manera que los medicamentos para la diabetes.

Baje el azúcar en la sangre por las mañanas. Un pequeño estudio de la Universidad Estatal de Arizona encontró que las personas con diabetes presentaban lecturas menores de azúcar en la sangre cuando recibían dos cucharadas de vinagre y una onza de queso justo antes de irse a la cama. De hecho, las lecturas fueron 6 por ciento más bajas en aquellos diabéticos que normalmente tenían las lecturas más altas de azúcar en la sangre.

Evite los picos de azúcar. El vinagre también puede detener los picos de azúcar en la sangre que siguen a una comida rica en carbohidratos. En un estudio se observó que el vinagre puede ser particularmente eficaz para quienes tienen prediabetes o un alto riesgo de diabetes. Antes de tomar desayuno, 11 personas con prediabetes y 10 con diabetes ya desarrollada bebieron cuatro cucharaditas de vinagre de sidra de manzana en agua endulzada con sacarina. Una semana más tarde, recibieron el mismo desayuno sin el vinagre. Beber el vinagre redujo los niveles de azúcar en la sangre después del desayuno en casi 20 por ciento en los diabéticos. Mejor aún, también redujo los niveles de azúcar en la sangre en 34 por ciento en las personas con prediabetes.

Los expertos creen que el vinagre bloquearía una enzima que el cuerpo utiliza normalmente para digerir los almidones, que son los carbohidratos que provocan estos picos de azúcar en la sangre. Como resultado, el cuerpo trata a los carbohidratos como si fueran residuos y no alimentos, de modo que los elimina cuando uno va al baño. La acarbosa es un medicamento con receta médica que funciona de la misma manera, dicen los científicos detrás de este estudio. Según ellos, los medicamentos como la acarbosa pueden reducir las probabilidades de desarrollar diabetes si ya se tiene prediabetes.

Vinagre balsámico, vinagre blanco, vinagre de vino tinto y vinagre de sidra de manzana: todos estos tipos de vinagre pueden reducir el azúcar en la sangre después de las comidas, pero asegúrese de que la etiqueta en la botella diga 5 por ciento de ácido acético. Inclúyalo en los aliños para ensalada, los adobos, las sopas y las salsas.

Deje en el botiquín las pastillas para el dolor

Casi el 22 por ciento de las personas con artritis, fibromialgia o afecciones similares dicen que el vinagre alivió sus síntomas, según una encuesta de la Universidad de Indiana. Hay quienes sostienen que el vinagre de sidra de manzana les ayudó a disminuir los síntomas de la osteoartritis, aunque ningún estudio lo ha confirmado. Pruébelo usted mismo. Tome todos los días un vaso de agua mezclada con una cucharadita de vinagre de sidra de manzana, más otra de miel. Sea paciente. Incluso los entusiastas admiten que este remedio puede tomar hasta 12 meses para aliviar el dolor de la artritis.

Póngale sabor para disminuir el riesgo de cáncer

Tal vez usted ha oído decir que cocinar carnes a la parrilla puede aumentar el riesgo de desarrollar cáncer. Sin embargo, con un poco de condimentos usted puede disfrutar de las carnes a la parrilla.

Cuidado con las AHC. Cuando se cocina a la parrilla, las altas temperaturas producen cambios químicos en la carne. Las aminas heterocíclicas (AHC) cancerígenas se empiezan a formar como burbujas en agua hirviendo. Pero si usted adoba las carnes antes de asarlas podría acabar con las AHC. Un estudio realizado en California encontró que el pollo en adobo contenía entre 92 y 99 por ciento menos AHC que el pollo no adobado.

Levante una barrera contra el cáncer. Los científicos creen que el adobo crea una barrera de protección contra las altas temperaturas de la parrilla, como estar sentado a la sombra en vez de estar bajo el sol. El calor seguirá siendo suficiente para cocinar la carne, pero se formarán menos AHC. Los científicos no saben con certeza cuáles son los ingredientes del adobo que ofrecen esta protección, pero sospechan que el vinagre es uno de los principales protectores.

Los científicos en el estudio emplearon un delicioso adobo que contenía vinagre de sidra de manzana, aceite de oliva, ajo, jugo de limón, mostaza, azúcar moreno y sal. Luego descubrieron que el azúcar moreno aumentaba cierto tipo de AHC, pero que los demás ingredientes las reducían siempre y cuando la cocción a la parrilla durara 30 minutos o menos. De modo que para su próxima parrillada, compre o prepare un adobo a base de vinagre y recuerde estos consejos:

- El Instituto Estadounidense de Investigación del Cáncer recomienda utilizar un adobo que contenga por lo menos estos tres ingredientes clave: un ácido como el vinagre, una base como la miel o el aceite, y un saborizante como el ajo o la cebolla.

- Si usted tiene previsto utilizar la salsa de adobo como salsa para rociar la carne mientras se asa, sepárela antes de empezar a marinar la carne. Reutilizar la salsa de adobo puede contaminar la carne y puede causar una intoxicación alimentaria.

- Adobe la carne hasta por 24 horas para ablandarla y darle sazón. Pero solamente adobe el pescado durante 30 minutos o menos o acabará como una papilla.

- Adobe la carne en recipientes de vidrio o en bolsas de plástico gruesas para almacenar alimentos. Los recipientes hechos con otros materiales pueden reaccionar con el vinagre.

Aliño para ensalada de repollo

Ingredientes* (Rinde 8 porciones)

1/2 taza de azúcar

1/2 taza de vinagre de manzana

1/2 taza de aceite de *canola*

1 cucharadita de sal

1/2 cucharadita de pimienta

1/2 cucharadita de semillas de apio

Preparación

1. Combine el azúcar, el vinagre de manzana y el aceite en una cacerola pequeña. Caliente hasta que rompa a hervir.

2. Retire del fuego y agregue la sal, la pimienta y las semillas de apio. Vierta de inmediato sobre aproximadamente 5 tazas de repollo y otras verduras rebanadas.

Información nutricional por porción: 173.2 calorías (123.0 calorías de la grasa, 70.99 por ciento del total); 13.7 g de grasa; 0.0 g de proteínas; 12.9 g de carbohidratos; 0.0 mg de colesterol; 0.1 g de fibra; 295.7 mg de sodio

* Si no reconoce el nombre de un ingrediente, vea el glosario en la página 360.

Las ventajas del vinagre para el corazón

Tal vez algún día los médicos recomienden el vinagre como parte de una dieta saludable para el corazón. Los primeros estudios indican que puede ayudar a controlar el colesterol y la presión arterial.

Un estudio reciente encontró que los animales que recibían una dieta con alto contenido de colesterol a la que se le agregaba vinagre tenían niveles menores de colesterol que los animales que recibían la misma dieta sin el vinagre. Aunque los científicos que realizaron este estudio trabajaban para una empresa productora de vinagre, otros científicos consideraron que este estudio era digno de publicarse en la revista

British Journal of Nutrition. El estudio sugiere que el vinagre puede ayudar a combatir el colesterol de dos maneras:

- Puede limitar la capacidad del hígado para producir colesterol.

- Puede promover la eliminación de los ácidos biliares llenos de colesterol.

En un estudio anterior realizado por el mismo productor de vinagre se observó que las ratas propensas a tener presión arterial alta presentaban lecturas menores luego de seguir una dieta que incluía vinagre de arroz. Los científicos detrás de este estudio creen que el vinagre puede ayudar a bloquear la renina, una enzima que contribuye a aumentar la presión arterial.

Por supuesto, los animales procesan los alimentos de manera distinta, de modo que es necesario continuar las investigaciones antes de que los científicos puedan recomendar el vinagre para la salud del corazón de los humanos. Pero si usted desea agregar más vinagre a su dieta, empiece por preferir los aliños con vinagre para ensalada en vez de los aliños ricos en grasas. Usted también puede agregar vinagre a las sopas o usarlo en lugar de los condimentos ricos en grasas, pero evite beberlo directamente ya que puede dañar el esmalte de los dientes.

Limpie la casa sin productos tóxicos

Elimine la grasa y los gérmenes. Acabe con las bacterias y el moho. Quite las manchas de la ropa y deje reluciente la bañera. Este clásico de la cocina es todo lo que usted necesita. He aquí cómo utilizar el vinagre para limpiar la casa de arriba a abajo.

Refresque la taza del inodoro. ¿Un inodoro que se limpia solo? Sí, ha leído bien. Esta sencilla fórmula limpiadora deja la taza de cualquier inodoro automáticamente impecable y reluciente. Vierta una taza de vinagre blanco sin diluir, deje reposar durante cinco minutos y tire de la cadena. Para eliminar los gérmenes del inodoro, deje el vinagre toda la noche antes de tirar de la cadena. Para desodorizar, vierta tres tazas de vinagre blanco, espere 30 minutos y tire de la cadena.

Elimine la capa de suciedad de la bañera y de los azulejos. Sólo tiene que pasar un paño con vinagre blanco sobre la superficie, seguido de bicarbonato de sodio y enjuagar con agua. Si no tiene bicarbonato de sodio a la mano, simplemente use el vinagre y enjuague.

Deje las cortinas de baño perfectamente limpias. Elimine la película jabonosa, el moho y la suciedad de las cortinas de baño con este método fácil. Coloque las cortinas en la lavadora junto con una toalla de baño, agregue 8 onzas de vinagre blanco al ciclo de enjuague y seque a temperatura baja durante tres minutos.

Haga que el acero inoxidable y el cromo resplandezcan. Pula y limpie sus electrodomésticos de acero inoxidable y los accesorios en el hogar hechos de cromo, acero inoxidable o cerámica. Limpie las superficies con una esponja o con un paño suave humedecido en vinagre blanco. El vinagre puede ser más poderoso de lo que usted imagina, así que primero haga una prueba en un lugar poco visible.

Devuélvale el brillo a sus muebles. Mezcle partes iguales de aceite de oliva y vinagre blanco y obtendrá un limpiador totalmente natural para sus muebles de madera. Esta mezcla de vinagre y aceite funciona bien, sobre todo para eliminar las aureolas o manchas blancas que dejan los vasos húmedos. Aplique la mezcla con un paño suave y frote.

Deje relucientes las ventanas. Elimine las rayas y la suciedad de las ventanas usando vinagre en una botella rociadora. Seque con un paño suave.

Desaparezca las manchas de cola y vino. Saque las manchas de las telas de algodón, de poliéster y de planchado permanente. Para obtener mejores resultados, hágalo dentro de las 24 horas después de haber manchado la prenda. Frote y limpie la mancha con una esponja empapada en vinagre blanco. Lave y seque como se indica en la etiqueta de cuidado de la prenda.

Evite el moho y las bacterias en los mostradores. Limpie las barras y los muebles de cocina con un paño empapado en vinagre. El ácido corta la grasa y elimina los gérmenes. También se sabe que ayuda a combatir las bacterias y el moho.

Quite las manchas de desodorante. Frote ligeramente las manchas de desodorante o antitranspirante con vinagre blanco, limpie con un paño y luego lave la prenda.

Limpie las ollas que tienen comida pegada. Vierta vinagre blanco a las ollas sucias y manchadas con comida y deje remojar durante 30 minutos. Enjuague con agua caliente y jabonosa. El vinagre corta la grasa tan bien que algunas cafeterías universitarias lo usan para limpiar las tinajas para freír y las campanas de las parrillas.

Disuelva los depósitos de agua dura. Elimine tanto la corrosión como la acumulación de agua dura de los grifos y accesorios. Remoje una toalla de papel en vinagre, envuelva bien el grifo y déjelo así toda la noche. A la mañana siguiente, simplemente limpie con un paño.

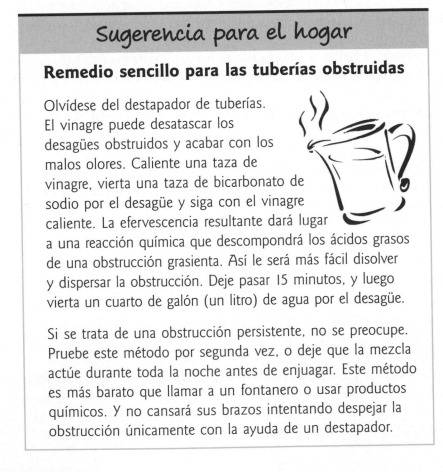

Sugerencia para el hogar

Remedio sencillo para las tuberías obstruidas

Olvídese del destapador de tuberías. El vinagre puede desatascar los desagües obstruidos y acabar con los malos olores. Caliente una taza de vinagre, vierta una taza de bicarbonato de sodio por el desagüe y siga con el vinagre caliente. La efervescencia resultante dará lugar a una reacción química que descompondrá los ácidos grasos de una obstrucción grasienta. Así le será más fácil disolver y dispersar la obstrucción. Deje pasar 15 minutos, y luego vierta un cuarto de galón (un litro) de agua por el desagüe.

Si se trata de una obstrucción persistente, no se preocupe. Pruebe este método por segunda vez, o deje que la mezcla actúe durante toda la noche antes de enjuagar. Este método es más barato que llamar a un fontanero o usar productos químicos. Y no cansará sus brazos intentando despejar la obstrucción únicamente con la ayuda de un destapador.

La solución a sus problemas dentro y fuera de casa

Simplifique su vida en casa con estas soluciones a base de vinagre:

- No pague precios ridículos por cremas para las manchas de la edad. Prepare su propia crema con dos ingredientes de su cocina. Combine partes iguales de vinagre y jugo de cebolla, y aplique diariamente este remedio totalmente natural a las manchas de la edad. Deberá empezar a ver resultados en unas pocas semanas.

- Elimine fácilmente las manchas o depósitos de sal alrededor de las macetas hechas de arcilla o plástico. Simplemente llene el fregadero de la cocina con dos partes de agua fría y una parte de vinagre blanco. Remoje las macetas y los platillos de maceta hasta que todas las manchas hayan desaparecido y luego lave con agua y jabón.

- Conserve el queso fresco y sin moho por más tiempo. Humedezca una toalla de papel con vinagre de sidra de manzana, envuelva el queso en la toalla y guárdelo dentro de una bolsa para alimentos con cierre hermético. Refrigere. Se sorprenderá al ver cuánto le dura.

- Afloje grifos, tornillos, tuercas y pernos oxidados remojándolos en vinagre.

- Olvídese de los "limpiadores" costosos para frutas y verduras. En cambio, remójelas en vinagre durante 15 minutos para eliminar la suciedad, los pesticidas y la cera. Pero no lo haga con la fruta que tiene pelusa o poros pequeños, porque puede alterar su sabor.

- Evite que los conejos se coman sus plantas. Empape una bola de algodón en vinagre y colóquela en un salero o dispensador de especias vacío. Vuelva a colocar la tapa con agujeros y deje el salero cerca de las plantas que desea proteger.

- Prepare una rica y delicada masa de hojaldre. Agregue una cucharadita de vinagre al agua fría utilizada para hacer la masa.

- Utilizar cal en el jardín podrá hacer que sus plantas crezcan mejor, pero le dejará las manos ásperas, escamosas y más secas que el desierto del Sahara. Obtenga alivio enjuagando sus manos en vinagre blanco luego de trabajar con cal.

■ El vinagre puede cumplir una doble función en el alimentador para colibríes. Utilícelo para limpiar el comedero y evitará los residuos químicos que dejan los jabones y detergentes. Pero no guarde la botella cuando termine. Si las avispas han estado robando la comida a los colibríes, basta con empapar una bola de algodón en vinagre y con colocarla al lado del alimentador.

■ Las azaleas, los rododendros, las gardenias y el laurel de montaña son plantas a las que les gusta el ácido y que tal vez no prosperen si el agua es dura. Prepáreles una "bebida energética". Mezcle una taza de vinagre con un galón (aproximadamente 4 litros) de agua, y vierta la mezcla alrededor de la base de las plantas. Las plantas se beneficiarán del ambiente ácido que tanto les gusta y, además, esta mezcla les ayudará a extraer hierro de la tierra.

Sugerencia para el hogar

Conquiste las hormigas sin esfuerzo

Usted puede ahuyentar las hormigas sin recurrir a un repelente de insectos tóxico. Mezcle partes iguales de vinagre y agua, y vierta en un atomizador. Rocíe alrededor de las puertas, los marcos de las ventanas, los electrodomésticos, los muebles de cocina y donde quiera que haya visto una hormiga.

Si eso no funciona, pruebe un atomizador de vinagre puro. Sólo recuerde, el vinagre puede ser muy poderoso y puede decolorar o dañar algunas superficies. Asegúrese de probarlo en una zona poco visible antes de rociar toda la superficie.

Vitamina D

Vitamina del sol protege contra el cáncer

Inga, de Noruega, tiene cinco veces más probabilidades de desarrollar cáncer de ovario que su amiga Carmen, de Brasil. Y Ted, que es abogado, tiene más probabilidades de desarrollar cáncer de próstata que su primo Fred, que trabaja en la construcción. ¿Cuál es la diferencia? Carmen y Fred reciben mucha más vitamina D, la vitamina del sol que podría ser la clave en la prevención del cáncer.

La vitamina D, que el cuerpo produce cuando está expuesto a los rayos ultravioleta del sol, se encuentra en forma natural en el pescado graso y en los alimentos enriquecidos, como la leche y el cereal. Usted también puede tomar un multivitamínico o un suplemento de vitamina D. No importa la forma como usted obtenga la vitamina D, lo más probable es que necesite más. Niveles bajos de vitamina D o de exposición al sol han sido asociados con varios tipos de cáncer. Aumentar sus niveles de vitamina D podría mejorar sus defensas.

> **Fuentes naturales de vitamina D**
> * leche enriquecida
> * cereal enriquecido
> * queso
> * yemas de huevo
> * atún
> * hígado
> * caballa
> * salmón

Un estudio reciente realizado con mujeres mayores encontró que aquéllas que tomaron suplementos de calcio y vitamina D tenían un riesgo menor de desarrollar cáncer. Eso tiene sentido si se tiene en cuenta que por lo menos 200 genes humanos responden a la vitamina D. Muchos de estos genes desempeñan una función importante a la hora de ayudar a regular la multiplicación y la muerte de las células, dos procesos clave en el desarrollo del cáncer.

Ésta es una breve mirada a tipos específicos de cáncer y a las pruebas que evidencian el papel de la vitamina D a la hora de combatirlos:

Cáncer de mama. Un estudio realizado en Harvard encontró que las mujeres con los niveles más altos de vitamina D en la sangre tenían un riesgo menor de desarrollar cáncer de mama, pero sólo si tenían más de 60 años de edad. Y a la inversa, otro estudio de Harvard concluyó que las mujeres que obtienen grandes cantidades de vitamina D y de calcio reducen su riesgo de cáncer de mama en casi un tercio, pero ese vínculo sólo se estableció para las mujeres que aún no habían pasado por la menopausia. Un estudio reciente estima que 350,000 casos de cáncer de mama a nivel mundial podrían evitarse con sólo aumentar la ingesta de vitamina D. Estudios de laboratorio demuestran que la vitamina D puede utilizarse para tratar tumores de gran tamaño en el seno al promover la apoptosis o muerte celular y al frenar la propagación de las células tumorales.

Cáncer de colon. Un estudio realizado en Harvard determinó que el riesgo de desarrollar cáncer de colon es menor en las mujeres mayores de 60 años con niveles más altos de vitamina D en la sangre. Un estudio de mujeres estadounidenses realizado en Corea encontró que un mayor consumo de vitamina D resultó en un menor riesgo de cáncer de colon. En un estudio conducido por la Universidad de Hawai, un aumento de la ingesta de vitamina D redujo el riesgo para los hombres, pero no para las mujeres. Los investigadores estiman que 250,000 casos de cáncer de colon a nivel mundial se pueden prevenir aumentando el consumo de vitamina D.

Cáncer de pulmón. La falta de luz solar puede incrementar el riesgo de desarrollar cáncer de pulmón, según un estudio reciente sobre los índices de cáncer en más de 100 países. Los investigadores dicen que la razón de esto podría ser la vitamina D, ya que ésta puede detener el crecimiento de tumores al promover la muerte celular.

Cáncer de ovario. El riesgo de desarrollar cáncer de ovario es cinco veces mayor para las mujeres que viven en latitudes altas, como Noruega e Islandia, en comparación con aquéllas que viven en países cerca de la línea ecuatorial, donde obtienen más luz solar.

Cáncer de páncreas. En un estudio realizado recientemente con 46,000 hombres y 75,000 mujeres, quienes recibieron por lo menos

600 Unidades Internacionales (UI) de vitamina D al día tuvieron un riesgo 40 por ciento menor de desarrollar cáncer pancreático que quienes recibieron menos de 150 UI al día.

Cáncer de próstata. En un estudio realizado a hombres con cáncer de próstata, el cáncer se desarrolló entre tres y cinco años más tarde en aquéllos que trabajaban al aire libre y no en interiores. El tejido de la próstata, al igual que el tejido del seno o del colon, produce vitamina D para controlar el crecimiento celular. Más luz solar equivale a más vitamina D y a menos crecimiento descontrolado de células.

Protegerse de estos tipos de cáncer no significa aumentar su riesgo de desarrollar cáncer de piel a causa de una exposición excesiva al sol. La solución está en combinar una alimentación saludable con suplementos y pasar períodos breves bajo el sol, entre 10 y 15 minutos al día, sin usar protector solar.

Alivie el dolor crónico

En un estudio reciente, aproximadamente una de cada cuatro personas con dolor crónico presentaba una deficiencia de vitamina D. También requería dosis más altas de morfina para tratar el dolor y por un tiempo mayor. Eso se debe a que niveles bajos de vitamina D pueden causar dolor y debilidad muscular, y a que estos síntomas de deficiencia de vitamina D relacionados con el dolor no responden bien a los analgésicos. La solución puede ser tan sencilla como aumentar el consumo de vitamina D a través de suplementos.

Revitalice los músculos y los huesos débiles

El calcio de la leche ayuda a mantener los huesos fuertes, pero la leche ofrece un beneficio adicional: la vitamina D. Esta vitamina clave ayuda a fortalecer huesos y músculos, y puede reducir el riesgo de caídas.

La osteoporosis o la enfermedad de los huesos frágiles, puede causar fracturas de cadera, brazos o muñecas. También puede conducir a una postura encorvada y provocar dolores en la parte inferior de la espalda. Las mujeres, en especial, deben adoptar medidas para protegerse de esta enfermedad. Y es aquí donde entra en juego la vitamina D.

La vitamina D ayuda al cuerpo a absorber el calcio. Si usted no obtiene suficiente vitamina D, es probable que tampoco esté obteniendo suficiente calcio. Usted ya sabe lo importante que es este mineral para la salud óptima de los huesos. Con o sin calcio, la vitamina D ayuda a aumentar la densidad ósea. Los resultados de varios estudios mostraron que las personas que tomaron entre 700 y 800 Unidades Internacionales (UI) de vitamina D al día tenían un riesgo 26 por ciento menor de fracturas de cadera que las que tomaron un placebo.

Además de los huesos, la vitamina D también fortalece los músculos. El tejido muscular tiene receptores específicamente diseñados para aceptar vitamina D. Las mujeres de edad avanzada que recibieron vitamina D en el marco de un estudio, mostraron un aumento en la síntesis de proteínas, lo que supone un incremento en el crecimiento muscular. Estudios realizados con adultos mayores encontraron que aquéllos que tenían niveles más altos de vitamina D se desempeñaron mejor en pruebas que incluían caminar y levantarse de una silla.

Debido al efecto positivo que tiene sobre huesos y músculos, no nos debe sorprender que la vitamina D también pueda ayudar a mejorar el equilibrio. En un estudio reciente realizado en Australia, las personas que tomaron suplementos de vitamina D redujeron su riesgo de sufrir caídas en 19 por ciento.

Asombrosa manera de prevenir la artritis

Los anuncios publicitarios pregonan las bondades de los suplementos como la glucosamina y la condroitina para tratar la osteoartritis, la forma más común de la artritis. Sin embargo es posible proteger las articulaciones solamente obteniendo suficiente vitamina D. Los estudios revelan que las personas con niveles bajos de vitamina D son más propensas a desarrollar artritis de rodilla y de cadera.

Como si esto fuera poco, la vitamina D mejora la calidad de los huesos, lo que reduce el riesgo de desarrollar los espolones óseos que provocan el dolor de la artritis. La vitamina D también ayuda a absorber el calcio, un mineral clave para la formación de los huesos. El cuerpo también necesita vitamina D para normalizar el metabolismo del cartílago.

La vitamina D le puede ayudar a vivir más tiempo. Según un reciente análisis de 18 estudios, para las personas que toman suplementos de vitamina D el riesgo de muerte por cualquier causa es 7 por ciento menor.

Pase más tiempo al sol, consuma más leche y usted tal vez pueda darle a sus articulaciones una ventaja en la lucha contra la osteoartritis.

Cómo evitar la pérdida de dientes

Usted puede proteger sus encías si aumenta su consumo de un poderoso antiinflamatorio: la vitamina D. Varios estudios muestran una relación entre niveles bajos de vitamina D y la enfermedad periodontal, la principal causa de pérdida de dientes en los adultos mayores.

La enfermedad periodontal es causada por una inflamación crónica, que lleva a la retracción de las encías. En un estudio, los adultos mayores que recibieron 700 Unidades Internacionales (UI) de vitamina D y 500 miligramos (mg) de calcio al día, durante tres años, tuvieron 60 por ciento menos pérdida de dientes que las personas que recibieron un placebo. Es probable que la vitamina D ayude porque acaba con la inflamación.

Una señal temprana de la enfermedad periodontal es la gingivitis o enfermedad de las encías. Esta afección se manifiesta en la forma de encías dolorosas e irritadas que sangran durante el cepillado, el uso de hilo dental y los chequeos dentales. En un estudio reciente, las personas con los niveles más altos de vitamina D en la sangre eran 20 por ciento menos propensas a que sus encías les sangraran durante un chequeo dental en comparación con aquéllas que tenían los niveles más bajos. Eso se debe a que el poder antiinflamatorio de la vitamina D contribuye a limitar la irritación de las encías.

Además de tomar suplementos, usted puede agregar vitamina D a su dieta incluyendo más porciones de salmón y de productos lácteos enriquecidos. Otras medidas para proteger los dientes y las encías incluyen cepillarse los dientes y utilizar hilo dental de manera regular, así como ir al dentista cada seis meses.

El camino sencillo para una salud óptima

La enfermedad de las encías ya es mala de por sí, pero las pruebas indican que puede conducir a problemas aún más graves. En un reciente estudio realizado en Harvard con médicos varones, los que tenían una historia médica de enfermedad de las encías presentaban un riesgo 64 por ciento mayor de desarrollar cáncer de páncreas. La inflamación de las encías podría causar inflamación en el resto del cuerpo, lo que contribuye al desarrollo del cáncer. Otros estudios han asociado la enfermedad de las encías con males cardíacos, con diabetes y con artritis reumatoide, y es muy posible que la inflamación también sea la culpable. Por suerte la vitamina D ayuda a poner fin a la inflamación, por lo que es un arma efectiva contra la enfermedad de las encías y contra todos los riesgos asociados con ella.

Por qué sus ojos necesitan vitamina D

¿Tomó leche? Si usted desea proteger su vista la respuesta debería ser sí. La vitamina D en la leche puede ayudar a prevenir la degeneración macular asociada con la edad (DMAE), la principal causa de ceguera en los adultos mayores. Para las personas con DMAE el centro de su campo de visión puede verse gris, nebuloso o como un punto blanco. Las palabras en una página pueden verse borrosas, las líneas rectas pueden parecer onduladas o distorsionadas y los colores pueden parecer más apagados.

Sin embargo, la vitamina D puede iluminar su manera de ver. Un estudio reciente encontró que niveles altos de vitamina D en la sangre equivalen a un riesgo menor de degeneración macular asociada con la edad (DMAE). En comparación con las personas con los niveles más bajos de vitamina D, aquéllas que tenían los niveles más altos redujeron su riesgo en 36 por ciento.

Los investigadores también estudiaron la leche, el pescado y algunas de las fuentes alimentarias más comunes de vitamina D. Tomar leche redujo el riesgo de DMAE temprana en 25 por ciento, mientras que consumir pescado disminuyó el riesgo de DMAE avanzada en 59 por ciento. Los suplementos de vitamina D también ayudaron, pero sólo a las personas que no bebían leche todos los días. En esos casos, los suplementos redujeron el riesgo de DMAE temprana en un tercio.

Es probable que la vitamina D sirva para combatir la DMAE debido a su poder antiinflamatorio. Los estudios de laboratorio y de población establecen un vínculo entre la inflamación y la DMAE, y la vitamina D ha mostrado reducir la producción de células inflamatorias.

Póngale freno a los trastornos autoinmunes

Cuando el sistema inmunitario es su enemigo, la vitamina D se convierte en su aliada. Niveles mayores de esta vitamina pueden ayudar a evitar los trastornos autoinmunes, tales como la esclerosis múltiple, la artritis reumatoide y la enfermedad de Crohn. Estas tres afecciones ocurren con más frecuencia cuanto más lejos se está de la línea ecuatorial, en lugares donde las personas están menos expuestas al sol, lo que supone una menor producción de vitamina D. Pero ésa no es la única prueba de que la vitamina D es un factor decisivo en su prevención.

Los investigadores observaron que las mujeres que toman por lo menos 400 Unidades Internacionales (UI) de vitamina D al día tienen un riesgo 40 por ciento menor de desarrollar esclerosis múltiple (EM). En un estudio realizado con personal militar, aquéllos que tenían los niveles más altos de vitamina D en la sangre eran 62 veces menos propensos a desarrollar EM en comparación con aquéllos con los niveles más bajos.

Los niveles de vitamina D suelen ser bajos en las personas con artritis reumatoide, una enfermedad en la que el sistema inmunitario ataca las articulaciones. En algunos estudios realizados con ratones se logró suprimir o prevenir las enfermedades autoinmunes, entre ellas la artritis reumatoide, la enfermedad inflamatoria intestinal (que incluye la enfermedad de Crohn) y la diabetes tipo 1.

Esto probablemente se deba al efecto de la vitamina D sobre la respuesta inmune, en especial sobre los macrófagos y sobre las células T. La vitamina D reduce la producción de células T colaboradoras tipo 1, las que atacan el cuerpo en una enfermedad autoinmune, y promueve la formación de células T colaboradoras tipo 2. La vitamina D y los macrófagos también actúan juntos para frenar la hiperactividad del sistema inmunitario. Cuando no se obtiene suficiente vitamina D, el sistema inmunitario puede descontrolarse, que es lo que sucede en los trastornos autoinmunes. Usted puede aumentar sus defensas aumentando sus niveles de vitamina D, ya sea pasando más tiempo al sol, tomando suplementos o consumiendo alimentos enriquecidos.

Sugerencia para el hogar

Las dosis recomendadas para cada edad

Comprar suplementos de vitamina D puede ser complicado. Usted encontrará dos tipos de vitamina D: D2 y D3. Si bien ambas le brindan algún beneficio, opte por la vitamina D3 (colecalciferol), que es más potente y de acción más duradera.

La cantidad de vitamina D que usted necesita depende de su edad. Las recomendaciones actuales son de 200 Unidades Internacionales (UI) al día si tiene menos de 50 años, 400 UI diarias si tiene entre 51 y 70 años, y 600 UI diarias después de los 70. Pero muchos expertos creen que estas cantidades recomendadas son muy bajas. Para las personas de mediana edad o mayores, por ejemplo, ellos aconsejan tomar 1,000 UI diarias. Sólo tenga en cuenta que la vitamina D puede ser tóxica en dosis extremadamente altas, así que no exagere.

Estrategia única para mantener su peso

El peso puede ser un factor crítico en ciertas enfermedades, como las cardíacas o la diabetes. Los suplementos de vitamina D y calcio pueden ayudar a las mujeres a no subir de peso después de la menopausia. En un estudio de siete años de duración en el que participaron más de 36,000 mujeres entre las edades de 50 y 79 años, aquéllas que tomaron suplementos engordaron menos que aquéllas que no lo hicieron. En general se trató de una cifra pequeña —un promedio de menos de media libra— pero que fue mayor en las mujeres que no estaban obteniendo suficiente calcio al inicio del estudio. La vitamina D y el calcio pueden promover la descomposición de las células grasas y bloquear el desarrollo de nuevas.

Respire mejor con vitamina D

He aquí una noticia que le dará un respiro de alivio si usted tiene asma o problemas respiratorios. Los niveles de vitamina D en la sangre pueden afectar el funcionamiento de los pulmones. Investigadores en Nueva Zelanda midieron el volumen espiratorio forzado (VEF), o la cantidad de aire que se puede exhalar en un segundo, y la capacidad vital forzada (CVF), o la cantidad de aire que se puede exhalar después de una respiración profunda si se exhala lo más rápido posible.

Las personas con los niveles más altos de vitamina D también tenían los puntajes más altos de VEF y CVF. Esta relación era más fuerte en las personas mayores de 60 años. La vitamina D puede ayudar a remodelar el tejido de los pulmones. Aunque aún no se ha podido establecer esto con certeza, aumentar la ingesta de vitamina D podría ayudar a tratar las afecciones respiratorias, tales como la enfermedad pulmonar obstructiva crónica (EPOC), el asma y el enfisema.

En realidad, los suplementos de vitamina D pueden ayudar a tratar el asma. Algunas personas con asma no responden a los tratamientos con esteroides. Investigadores de King's College, en Londres, comprobaron que los suplementos de vitamina D3 pueden ayudar precisamente a esas personas. Los esteroides estimulan las células T del sistema inmunitario para que produzcan una molécula de señalización llamada IL-10, la cual bloquea la respuesta inmune que causa los síntomas del asma.

Las células T de los pacientes que no responden a los esteroides no producen IL-10, pero sí lo hacen cuando los suplementos de vitamina D3 entran en juego. Como beneficio adicional, los suplementos pueden incluso ayudar a las personas saludables o a aquéllas que sí responden a los esteroides, al hacer que sus células T tengan una mayor capacidad de respuesta a los esteroides. Tomar suplementos de vitamina D puede ser una manera fácil y efectiva de controlar el asma y de disfrutar de una bocanada de aire fresco.

Cómo defenderse de las enfermedades del corazón

La presión arterial alta y el colesterol alto aumentan el riesgo de tener problemas cardíacos. Una ingesta alta de vitamina D podría ofrecer cierta protección. Un estudio reciente conducido en Nueva Zelanda de una muestra representativa de la población de Estados Unidos encontró un vínculo entre la vitamina D y la presión arterial. Este vínculo, que fue mayor en las personas de 50 años o más, ayuda a explicar por qué la presión arterial suele ser más alta en las personas de raza negra que en las personas de raza blanca. Las personas con piel más oscura producen menos vitamina D que las personas con piel más clara. Aumentar el consumo de vitamina D, ya sea pasando más tiempo al sol o tomando suplementos, podría ayudar a reducir la presión arterial.

En otro estudio, los suplementos de vitamina D ayudaron a las mujeres que hacían dieta a reducir aún más sus niveles de colesterol. Adelgazar tiene un efecto beneficioso sobre el colesterol, pero las mujeres que toman suplementos de calcio y vitamina D tienen reducciones mucho mayores en el colesterol LDL, así como en la relación entre el colesterol total y el colesterol LDL, y entre el colesterol LDL y el colesterol HDL. Estos cambios saludables en el colesterol ocurrieron independientemente de la cantidad de peso que perdieron las mujeres.

Los investigadores creen que el calcio ayuda a bloquear la absorción de grasa, a quemar grasa y a controlar el apetito, y el cuerpo necesita vitamina D para absorber calcio. También creen que las mujeres con sobrepeso que no obtienen suficiente calcio o vitamina D deben considerar la posibilidad de tomar suplementos para reducir su riesgo cardíaco.

La vitamina que necesita para vencer la diabetes

Niveles bajos de vitamina D podrían significar un riesgo mayor de diabetes. En un estudio realizado en Italia se vio que era más probable que las personas con diabetes tuvieran una deficiencia de vitamina D. Las mujeres, las personas con un control pobre sobre su diabetes y las personas que tomaban insulina o medicamentos para bajar el colesterol eran las más propensas a mostrar una deficiencia de esta vitamina clave. Otro estudio concluyó que las personas con los niveles más altos de vitamina D tenían un riesgo 75 por ciento menor de sufrir diabetes que las personas con los niveles más bajos. Sin embargo, los investigadores no están seguros de si los niveles de vitamina D son una causa o un efecto de la diabetes.

Los suplementos de vitamina D pueden ayudar a retrasar el avance de la diabetes. En un estudio realizado con adultos mayores con prediabetes, los que tomaron suplementos de vitamina D y calcio experimentaron un aumento mucho menor de sus niveles de azúcar en la sangre en el curso de tres años, que los que tomaron un placebo. Un estudio realizado en Harvard con 84,000 enfermeras encontró que las que habían complementado su dieta con por lo menos 1,200 mg de calcio y 800 UI de vitamina D redujeron su riesgo de desarrollar diabetes en un tercio.

Muchos diabéticos tienen problemas de sobrepeso, lo que aumenta su necesidad de vitamina D. La vitamina D es una vitamina soluble en grasa que se almacena en las células grasas, quedando una cantidad menor en el torrente sanguíneo. Por esa razón es importante obtener vitamina D adicional si usted tiene sobrepeso. Además de la dieta y los suplementos, usted puede obtener vitamina D pasando más tiempo al sol. Diez a 15 minutos cada día es una manera segura de aumentar sus niveles de vitamina D sin aumentar su riesgo de desarrollar cáncer de piel.

Vitamina E

Proteja el corazón y las arterias

La vitamina E puede ya no ser la opción más popular para prevenir las enfermedades del corazón, pero aún no la descarte del todo. Estudios muestran que este nutriente puede ser beneficioso para la circulación y que, incluso, puede ayudar a prevenir un ataque cardíaco en personas con diabetes.

Evite un ataque al corazón o un derrame cerebral. Alrededor de tres de cada ocho diabéticos tienen un gen que hace que su probabilidad de tener un problema cardíaco sea entre dos y cinco veces mayor que la de los demás diabéticos.

El gen Hp produce un antioxidante que barre con los radicales libres que flotan alrededor del cuerpo antes de que puedan dañar las células. Pero las personas con una versión del gen llamada Hp 2-2 producen antioxidantes mucho menos efectivos. El resultado es que los diabéticos que tienen el Hp 2-2 experimentan mucho más daño de los radicales libres y tienen un riesgo considerablemente más alto de sufrir problemas cardíacos.

De ahí la importancia de la vitamina E. En un nuevo estudio las personas con diabetes que tomaron 400 UI diarias de vitamina E durante 18 meses redujeron a la mitad su riesgo de derrame

Fuentes naturales de vitamina E

- ★ semillas de girasol
- ★ hojas de nabo
- ★ pimientos rojos
- ★ mango
- ★ almendras
- ★ espinaca
- ★ brócoli
- ★ aguacate

cerebral, ataque al corazón y muerte relacionada con una afección cardíaca, en comparación con personas que no tomaron vitamina E.

Lamentablemente usted no puede obtener toda esta vitamina E de los alimentos, pero no le hará daño llenar su plato con alimentos ricos en esta vitamina. Hable con su médico antes de tomar suplementos, ya que la vitamina E puede incrementar el riesgo de muerte. Según los investigadores del estudio, solamente las personas con el gen Hp 2-2 deben considerar tomar suplementos.

Reduzca el riesgo de desarrollar TVP. La trombosis venosa profunda (TVP) es la formación de un coágulo sanguíneo en las venas de la parte inferior de la pierna. Además de dolorosa, es peligrosa, porque el coágulo puede desprenderse y desplazarse a los pulmones. Esta enfermedad, la embolia pulmonar, es la tercera causa más común de muerte vascular.

Las mujeres que participaron en un estudio realizado en Harvard redujeron considerablemente su riesgo al aumentar su ingesta de vitamina E. De las cerca de 40,000 mujeres, las que ya habían sufrido tromboembolia venosa, la enfermedad que conduce a la TVP, redujeron su riesgo de recurrencia en un asombroso 44 por ciento. Otras mujeres redujeron su riesgo entre 18 y 27 por ciento.

Derrote la enfermedad arterial periférica (EAP). Esta enfermedad ocurre cuando las arterias de las piernas o de los brazos se obstruyen con depósitos grasos o placas. Las arterias se estrechan y se endurecen, restringiendo el flujo de sangre y nutrientes a las manos y los pies. Los expertos de la Universidad de California encontraron que de las más de 7,000 personas, aquéllas que consumieron alimentos llenos de vitaminas E, C, A y B6, así como de folato, fibra y grasas omega-3 eran las menos propensas a desarrollar EAP.

El aguacate es un potente alimento repleto de muchos nutrientes, desde la fibra y el folato hasta las vitaminas E, C y K, por lo que es ideal para proteger los vasos sanguíneos.

Nuevo remedio casero para el resfriado común

¡Háganse a un lado, vitamina C y equinácea! La vitamina E es la última arma en la guerra sucia contra los resfriados y la gripe. Usted tal vez ya notó que su sistema inmunitario se debilita con el paso de los años. Este deterioro lo hace más susceptible a infecciones causadas por virus, bacterias y otros organismos.

Casi todas las células en el sistema inmunitario cambian a medida que uno envejece, pero las células T son las que más cambian. El cuerpo produce menos células T con el paso de los años, y las nuevas células ya no son como las de antes. Los expertos creen que esta caída en la producción de células T es la razón principal por la cual los adultos mayores tienen un sistema inmunitario más débil.

Fortalezca sus defensas naturales. Nuevas investigaciones muestran que la vitamina E podría poner freno a este deterioro y asistir a su sistema inmunitario:

- Las células T necesitan una sustancia llamada PGE2 para funcionar. Sin embargo, en presencia de niveles altos de PGE2 las células T dejan de multiplicarse. La vitamina E ayuda a que la PGE2 no se salga de control.

Deje de tomar suplementos para una vida más larga

Si usted cree que los suplementos antioxidantes le aseguran más años de vida, las investigaciones sugieren lo contrario. Un nuevo análisis evaluó los resultados de 67 estudios. El consumo de suplementos de vitamina A, de vitamina E o de betacaroteno no disminuyó, sino que aumentó, el riesgo de muerte de las personas.

Una posible razón es que cuando la vitamina E y los otros antioxidantes provienen de los alimentos, se los obtiene en cantidades normales y saludables. En esas pequeñas cantidades actúan como antioxidantes, protegiendo a las células. Pero las investigaciones muestran que en grandes cantidades hacen todo lo contrario, provocando la oxidación y el daño a nivel celular. Esta tensión física adicional puede acelerar la muerte.

La lección: de lo bueno poco. Tomar un multivitamínico normal es seguro, pero evite las megadosis de cualquier nutriente.

- Hay una molécula que se une a las células T haciendo que éstas maduren y se multipliquen. Lamentablemente, el cuerpo produce una cantidad menor de esta molécula con el paso de los años. Ésta es una de las principales razones para la disminución de las células T. La vitamina E, sin embargo, estimula su producción.

- La vitamina E también aumenta los niveles de una molécula que destruye los virus invasores e impulsa la red antivirus del organismo.

Gánele al resfriado común. De los 600 adultos mayores en un hogar de ancianos, aquéllos que recibieron 200 UI diarias de vitamina E durante un año desarrollaron menos infecciones respiratorias, incluidos menos casos de resfriado común. Los expertos sostienen que la vitamina E es uno de los nutrientes más efectivos para ayudar al sistema inmunitario, y es fácil ver por qué. Ya que los suplementos pueden ser peligrosos, opte por consumir más alimentos ricos en este nutriente que combate los resfriados.

Las ventajas de la vitamina que da fuerza y vigor

Somos lo que comemos y esto se hace más evidente conforme envejecemos. Si usted desea mantenerse ágil y en forma hasta pasados los ochenta años, procure mantener una dieta rica en vitamina E.

El cuerpo necesita ciertos nutrientes, como la vitamina E, para repararse. Sin ellos, las células, los músculos, las articulaciones y otros tejidos se descomponen. Un estudio realizado en Italia encontró que los adultos mayores con niveles bajos de vitamina E eran 62 por ciento más propensos a perder la función física con la edad.

Como antioxidante, la vitamina E neutraliza los radicales libres que de otro modo ocasionarían daños a las células y a los tejidos a través de un proceso llamado oxidación. Los radicales libres son particularmente peligrosos para las células de los músculos y del cerebro. Niveles bajos de vitamina E también han sido asociados con el endurecimiento de las arterias y con trastornos cerebrales. Éstos, a su vez, pueden afectar su movilidad y su función física.

El ejercicio puede ayudarle a mantenerse activo. Lamentablemente también genera radicales libres. Si bien es importante mantenerse en forma, es igualmente importante obtener mucha vitamina E de los alimentos, para contrarrestar los efectos negativos de hacer ejercicio.

Los investigadores sostienen que los suplementos de vitamina E no previenen necesariamente el deterioro físico, pero los alimentos sí podrían hacerlo. Si usted está tratando de reducir la grasa en su dieta, podría estar saboteando su salud. Las mejores fuentes de vitamina E tienen muchas veces un alto contenido de grasas, por ejemplo, el aceite de oliva, el germen de trigo, los frutos secos y las semillas. Por suerte, se trata de grasas buenas, como la grasa monoinsaturada y la grasa poliinsaturada, y no de grasas saturadas ni transgrasas.

Usted tampoco necesita mucha vitamina E. Tan sólo 15 a 30 miligramos al día pueden llevar sus niveles sanguíneos fuera de la zona de peligro asociada con el deterioro físico que se observó en el estudio realizado en Italia.

El cáncer y la vitamina E

Una nueva revisión de 33 estudios encontró que en 24 de ellos se demuestra que tomar suplementos antioxidantes durante la quimioterapia reduce sus efectos secundarios. En algunos casos, las personas pudieron tolerar dosis más altas de quimioterapia si estaban tomando antioxidantes.

Los suplementos de vitamina E podrían ayudar a las personas que reciben quimioterapia, pero también interferir con el tratamiento de tamoxifeno. Este fármaco bloquea la actividad del estrógeno en el tejido del seno que tiene como finalidad prevenir el desarrollo del cáncer de mama.

En cinco de cada siete mujeres, los suplementos de vitamina E redujeron la cantidad de tamoxifeno en su sistema. Es más, el estrógeno fue más activo en las células mamarias de las mujeres que recibían tamoxifeno y que tomaban vitamina E.

El supernutriente clave para la audición

El aceite de *canola*, el aguacate, el germen de trigo y otras fuentes ricas en vitamina E tal vez sean todo lo que usted necesita para prevenir la pérdida de audición.

Los ruidos fuertes producen radicales libres en el interior del oído. Estos peligrosos compuestos provocan la oxidación, que es un proceso que puede dañar las delicadas células sensoriales en el oído. Los antioxidantes, como la vitamina E, acuden al rescate neutralizando los radicales libres antes de que dañen las células de manera permanente.

Los antioxidantes también evitan que los vasos sanguíneos que nutren esas células sensoriales se estrechen. La formación de radicales libres crea un producto secundario que constriñe los vasos sanguíneos en el oído. Eso corta el flujo de sangre hacia las células auditivas dañadas, de modo que éstas no pueden recuperarse de manera efectiva. Al eliminar los radicales libres, los antioxidantes permiten que esos vasos sanguíneos se mantengan plenamente abiertos y relajados.

- La audición mejoró un 63 por ciento en las personas con pérdida de audición súbita que tomaron una combinación de suplementos de vitaminas C y E, más medicamentos, en comparación con sólo un 44 por ciento en las personas que sólo tomaron medicamentos.

- Darles a los conejillos de Indias una combinación de vitaminas antioxidantes C, A y E, más magnesio, justo antes de exponerlos a ruidos fuertes, ayudó a prevenir la pérdida de audición. Los nutrientes por sí solos, sin embargo, no lo hicieron. La combinación parece ser la clave.

Los investigadores explican que usted necesita obtener estos nutrientes por lo menos dos días antes de estar en un lugar donde hay ruidos fuertes, para evitar lesiones auditivas. Pero usted puede obtener protección continua incluyendo en sus comidas más aceite de oliva para obtener vitamina E, frutas para la vitamina C, verduras de color naranja y rojo para el betacaroteno y cereales integrales para el magnesio. Estos nutrientes pueden revertir algo de la pérdida de audición si se toman dentro de los tres días a partir de la exposición a ruidos fuertes. Sin embargo, hable con su médico antes de tomar suplementos.

Agua y electrolitos

La importancia del agua en la salud

El agua puede que sea el agente antienvejecimiento más barato. Desde los labios hasta los riñones pueden beneficiarse del poder de este componente vital de su dieta.

Alrededor de dos tercios del cuerpo humano están compuestos por agua, un elemento importante para mantener el buen funcionamiento de todos sus sistemas. Usted puede deshidratarse si pierde tan sólo un pequeño porcentaje del agua del cuerpo. Esta pérdida hará que el volumen de sangre disminuya y que el nivel de sodio aumente. A su vez, los niveles de las hormonas que regulan los fluidos cambiarán y los riñones limitarán su función de producir orina a fin de conservar agua. Por último, el cerebro le indicará que usted tiene sed, pero se tratará de un mensaje retrasado. Este mensaje podría retrasarse aún más durante climas fríos.

Beber, aún antes de sentir sed, beneficia al cuerpo de cuatro maneras:

- Previene los cálculos renales. Sin suficiente líquido para mantener el funcionamiento de los riñones, los cristales de calcio y de ácido úrico se pueden convertir en dolorosos cálculos renales.

- Mantiene húmedos los tejidos. Los labios, los ojos y la nariz necesitan agua para mantenerse hidratados.

- Pone freno a los dolores de cabeza. No beber suficiente agua es una causa común del dolor de cabeza.

- Evita el estreñimiento. La fibra ayuda a mantener las cosas en movimiento, pero para que la fibra actúe se necesita agua.

Los adultos mayores corren un riesgo especial de deshidratación, debido a que pueden no sentir sed tan rápido como cuando eran jóvenes. Los residentes de un hogar de ancianos en Inglaterra que hicieron un esfuerzo por beber más agua, descubrieron que tenían más energía, que estaban más alertas y que se sentían más felices.

Los expertos no se han puesto de acuerdo sobre cuánto líquido se debe tomar, pero por lo general recomiendan entre seis y ocho vasos de 8 onzas al día, más si el clima es cálido o durante una sesión de ejercicio. No olvide que también se obtiene agua de los alimentos, como las frutas y las verduras, que pueden estar compuestas por agua hasta en un 90 por ciento. Y aunque usted haya oído que las bebidas con cafeína, como el café y el té, no cuentan para el consumo de agua, sí lo hacen. Cualquier efecto de pérdida de líquido causado por la cafeína es compensado por el líquido contenido en esas bebidas. Usted sabrá que está adecuadamente hidratado si su orina tiene el color de la limonada. Pero si es de color amarillo oscuro o marrón, usted probablemente necesita beber más líquidos.

Sugerencia para el hogar

Una forma barata de acabar con la mugre

¿Está cocinando con menos sal? No deje que ese enorme frasco de sal se eche a perder. Dele un buen uso en la limpieza de una variedad de objetos en su casa:

- Espolvoree un poco de sal sobre papel marrón y pase la plancha caliente por encima para eliminar la pegajosidad de la base de la plancha.

- Haga una pasta de sal y jugo de limón y, con un paño seco, frótela con cuidado sobre las tijeras oxidadas. El óxido se desprende y las tijeras se mantienen afiladas.

- Coloque sal, hielo picado y agua en la cafetera de vidrio. Asegúrese de que la cafetera no esté caliente. Agite la mezcla para eliminar las manchas y enjuague.

Consiéntase sin sentir culpa

La leche de coco tiene mala fama cuando se trata de la salud, debido a la grasa saturada y las calorías que contiene. Pero no confunda la leche de coco, que es cremosa, de color blanco y proviene de cocos maduros, con el agua de coco, que es más ligera, aguada y que se obtiene de cocos verdes frescos.

El agua de coco es una bebida natural y saludable. Es una buena fuente de electrolitos, incluidos el calcio, el magnesio y el potasio. Una taza de agua de coco tiene más potasio que una banana. Esta sabrosa bebida no contiene grasas saturadas y tiene menos del 10 por ciento de las calorías que la misma cantidad de leche de coco. Usted puede adquirir agua de coco pasteurizada en las tiendas de productos naturales.

Tres buenas razones para beber más agua

Aumente su energía, frene su apetito o queme más calorías. El agua puede ayudar en estos tres casos, pero depende del momento en que la consuma. Y tiene cero calorías, por lo que no importa cuánta agua beba.

Aumente su energía. Lo primero que usted necesita hacer al despertarse es beber algo. Esto se debe a que las personas tienden a deshidratarse durante el sueño nocturno, especialmente los adultos mayores. Los signos clásicos de deshidratación incluyen fatiga, debilidad y sensación de mareo. Estimule la energía sin llenarse de panqueques y tocino: el secreto está en un vaso lleno de agua, de preferencia un vaso de 12 onzas, junto con un desayuno saludable.

Coma menos. Tome un poco de agua antes de una comida para calmar los ruidos estomacales y no sentirá necesidad de comer en exceso. Los investigadores encontraron que las personas que bebieron alrededor de dos tazas de agua 30 minutos antes del almuerzo se sintieron más llenas y no comieron tanto. Usted también puede aplacar el hambre comiendo frutas o verduras debido a su alto contenido de agua. El agua llena y, además, no tiene calorías.

Queme más calorías. Usted puede hacer que su cuerpo queme más calorías tomando más agua durante el día. Esto es porque su metabolismo, que es la velocidad a la cual el cuerpo quema calorías, aumenta unos 10 minutos después de beber agua. El incremento del metabolismo es de alrededor de 30 por ciento y dura más de una hora. De modo que si aumenta su consumo de agua en seis tazas en el transcurso de un día, usted puede quemar cerca de 48 calorías más, sin mover un dedo.

Además de eso, las personas que beben agua tienden a consumir menos calorías durante el día que las personas que eligen otras bebidas. Opte por el agua sola, no por las aguas saborizadas para deportistas. Algunas de ellas tienen casi tantas calorías como un refresco o gaseosa.

Lo último en dietas bajas en sal

El consejo común para las personas que tienen la presión arterial alta o una enfermedad cardíaca es que reduzcan su consumo de sal. Sin embargo, nuevas investigaciones muestran que este consejo puede ser poco saludable para algunas personas. El problema con la sal es su composición: sodio y cloruro, dos electrolitos que actúan con el agua para ayudar a que las células funcionen de manera eficiente. Su médico le puede pedir que limite su ingesta de sal para mantener estos electrolitos en equilibrio. El exceso de sodio puede hacer que el cuerpo retenga agua, lo que aumenta el volumen de sangre y eleva la presión arterial.

De otro lado, no todos se benefician de seguir una dieta baja en sal.

Limite su consumo de bebidas si sufre de vejiga hiperactiva. Si usted tiene que ir al baño con frecuencia, a veces repentinamente, usted podría padecer esta afección. Reduzca su consumo de líquidos en un cuarto y sus síntomas podrían mejorar. Pero no reduzca los líquidos demasiado: el cuerpo los necesita para funcionar.

Algunas personas son sensibles a la sal y su presión arterial reacciona con fuerza cuando la consumen. Pero como se trata sólo de la mitad de las personas con presión arterial alta, los expertos debaten si todos deberían consumir menos sal. Seguir una dieta baja en sal provoca otros cambios en el cuerpo, que pueden resultar en un aumento de la sensibilidad a la insulina o afectar la manera como funciona el sistema nervioso simpático. Estos cambios pueden de hecho aumentar el riesgo de sufrir un problema cardíaco.

A menos que le hayan dicho que usted es sensible a la sal, el mejor consejo tal vez sea seguir una dieta saludable, manteniendo el equilibrio de los electrolitos, entre ellos el sodio, el magnesio, el potasio y el calcio. Y no descuide el agua necesaria para mantener el flujo de estos minerales. Un estudio encontró que beber al menos cinco vasos de agua cada día puede reducir el riesgo de morir de una enfermedad cardíaca.

Los expertos dicen que los adultos entre 19 y 50 años de edad—con o sin presión arterial alta— deben limitar su ingesta de sodio a no más de 1,500 miligramos (mg) al día, es decir, menos de una cucharadita de sal. Eso puede ser bastante difícil de cumplir, si se tiene en cuenta el contenido de sodio oculto en los alimentos procesados. Las personas mayores de 50 años deben limitar el sodio a 1,300 mg diarios, mientras que las personas de 70 años o más a 1,200 mg diarios.

Ahogue el riesgo de padecer cáncer

El agua hace maravillas para que su cuerpo funcione sin problemas. En cantidades suficientes puede hasta arrasar con enfermedades mortales, como el cáncer. La Sociedad Estadounidense contra el Cáncer recomienda beber agua para reducir el riesgo de sufrir dos tipos de cáncer: el cáncer de vejiga y el cáncer de colon.

Un estudio de 10 años de duración encontró que beber cerca de seis vasos de 8 onzas de agua al día puede reducir el riesgo de desarrollar cáncer de vejiga en 50 por ciento. Parece sencillo y, sin embargo, funciona porque el agua arrasa con los carcinógenos, que son las sustancias que causan el cáncer en el tracto urinario.

Algo similar ocurre cuando se trata del agua y del cáncer de colon, el tercer tipo de cáncer más común en Estados Unidos. Los expertos dicen que si las personas modifican su alimentación se podría reducir las muertes por cáncer de colon en 90 por ciento. Investigadores de Seattle encontraron que las personas de mediana edad que bebían por lo menos cinco vasos de agua todos los días tenían el menor riesgo de desarrollar cáncer de colon. El agua parece diluir las sustancias carcinógenas en el intestino y eliminarlas más rápido. Otros alimentos saludables que parecen prevenir esta enfermedad incluyen las frutas y las verduras, los cereales fríos y calientes, y los productos lácteos.

No se necesita gastar mucho dinero comprando agua especial. Usted puede beber el agua del grifo, que cuesta menos de un centavo el galón. El agua embotellada cuesta casi mil veces más.

Sugerencia para el hogar

Riegue el árbol navideño para proteger su casa de un incendio. Las investigaciones muestran que el peligro de incendio de un árbol de hoja perenne mantenido en agua es igual al de un árbol artificial. El contenido de humedad permanece cerca del cien por ciento cuando tiene suficiente agua. El problema sólo se presenta si usted deja que el árbol se seque.

El flúor y la salud bucal

En Estados Unidos, alrededor de dos tercios de la población vive en ciudades con agua fluorada. Ha habido mucha controversia sobre la adición de flúor al agua pública, pero medio siglo de investigaciones demuestran que puede fortalecer los dientes y prevenir las caries. De hecho, los Centros para el Control y Prevención de Enfermedades de EE.UU. estiman que beber agua fluorada reduce la frecuencia de caries en hasta un 40 por ciento. Un nuevo estudio muestra que los adultos mayores pueden beneficiarse de beber agua fluorada incluso más que los niños. Los investigadores analizaron los registros de salud de niños, adultos y ancianos que vivían en lugares con y sin flúor en el agua. Todos los participantes del estudio tenían seguro dental, pero sus gastos destinados a la curación de caries y a otros procedimientos variaban. Por lo general, el gasto dental era menor para las personas cuya agua contenía flúor.

El flúor actúa al unirse al calcio, al sodio y a otros iones cargados positivamente. Eso significa que el flúor atrae el calcio en los dientes y los huesos, haciéndolos más fuertes. El flúor es especialmente útil para las personas mayores con gingivitis, ya que ayuda a mineralizar las superficies expuestas de las raíces de los dientes. Los científicos están estudiando si el flúor también ayudaría a fortalecer los huesos para detener la osteoporosis.

Sugerencia para el hogar

Ahorre en grande lavando su coche sin agua

Se necesitan cerca de 116 galones de agua para lavar el auto en casa. Demasiada agua, especialmente si su región atraviesa una sequía. Y pasar por una estación de lavado automático puede costarle $10, $15 o más. Ahorre agua y dinero probando una solución sin agua para el lavado del auto.

Estas soluciones dejan el auto reluciente sin necesidad de una manguera. Simplemente rocíe la solución y luego frote con un paño de microfibra para eliminar la suciedad. La solución contiene un ingrediente que descompone la suciedad y otro que la captura en un gel para no rayar el auto. Sáquele brillo al auto con otro paño de microfibra y listo. Le costará unos 50 centavos la onza para marcas como Lucky Earth y Eco Touch, es decir, aproximadamente $2 por cada lavada.

La verdad sobre las bebidas 'dietéticas'

El mercado está inundado con aguas mejoradas y bebidas enriquecidas con vitaminas, minerales, hierbas y saborizantes adicionales. Pero, ¿vale la pena el precio? Algunas aguas especialmente formuladas prometen estimular la energía, aumentar la inmunidad o ayudarle a bajar de peso. Descubra qué es lo que realmente hay en estas botellas, además de agua:

Muy pocas vitaminas. Usted puede comprar agua, jugos o refrescos con vitaminas agregadas, pero por lo general no contienen cantidades suficientes para hacerle mucho bien. Lea las etiquetas con cuidado y compare su botella de agua favorita de $2 con las cantidades de vitaminas que hay en un vaso de jugo de naranja normal. Peor aún, el ácido en las sodas hace que las vitaminas se descompongan. No se sorprenda de que algunas de estas bebidas estén cargadas de azúcar. Tampoco está claro el beneficio de estas vitaminas para usted. Las vitaminas solubles en agua, como la vitamina C, pueden ser absorbidas con mayor rapidez del agua que de los alimentos sólidos. Mientras que las vitaminas solubles en grasa, como la A, D y E, ingresan a la sangre más fácilmente si se ingieren con algo de grasa, no con agua.

Demasiada cafeína. Las bebidas energéticas, como Red Bull y Rockstar, pertenecen al grupo de bebidas de más rápido crecimiento en Estados Unidos. La mayor parte de su golpe energético proviene del azúcar y de la cafeína. De hecho, una porción de 12 onzas de Red Bull contiene 116 mg de cafeína, es decir, tres veces la cafeína en la misma porción de cola. Y luego están las bebidas que se han ido al extremo, como Spike Shooter, con 428 mg de cafeína en 12 onzas. Algunas bebidas energéticas también contienen taurina, un aminoácido que puede ayudar a reducir la fatiga muscular después de hacer ejercicio. Lamentablemente, las bebidas energéticas podrían elevar la presión arterial y el ritmo cardíaco en algunas personas.

Las bebidas para deportistas, como Gatorade y Powerade, se encuentran entre las peores bebidas para los dientes. El azúcar y el ácido que contienen corroen el esmalte dental más rápido que los refrescos con gas o los jugos de frutas, aunque los tres causan daño. Beba agua, sus dientes se lo agradecerán.

Demasiadas calorías. ¿Qué podría ser mejor para adelgazar que el agua simple y pura? Los vendedores quieren hacerle creer que productos como el agua Special K2O Protein, de Kellogg's, o Airforce Nutrisoda Slender pueden ayudar. Pero la mayoría son una mezcla de agua, saborizantes, vitaminas y edulcorantes artificiales. Algunos, como SoBe Life Water, en realidad contienen casi tantas calorías como la soda regular.

En lugar de pagar más por una botella de promesas vacías, muchos nutricionistas aconsejan mezclar una onza de su jugo de frutas favorito en un vaso de agua para darle sabor y consumir cereales integrales, productos lácteos bajos en grasa, frutas y verduras para obtener todos los nutrientes que usted necesita.

El secreto para prevenir los resfriados

Lavarse las manos con agua y jabón sigue siendo el mejor secreto para no contraer un resfriado. Usted puede combatir 200 tipos de virus con agua y jabón.

El resfriado común es causado por uno entre más de 200 virus diferentes, por lo general una forma del virus parainfluenza o del rinovirus. Estos gérmenes pasan de persona a persona cuando se dan la mano, tosen, estornudan o tocan una superficie infectada, como el pasamano de la escalera. Usted puede matar los gérmenes antes de que puedan enfermarle lavándose las manos con frecuencia, especialmente durante el invierno. Ésta es la mejor manera de hacerlo:

- Use jabón regular y agua corriente.

- Frótese las manos para hacer espuma, restregando todas las superficies. Hágalo durante 20 segundos, el tiempo suficiente para cantar "Feliz Cumpleaños" dos veces.

- Enjuáguese las manos bajo agua tibia corriente.

- Séquese las manos con toallas de papel o con un secador de aire.

Cereales integrales

Acabe con la presión arterial alta

Sustituya el insípido arroz blanco por el sabor a nuez del arroz integral y puede que usted nunca tenga que enfrentar los peligros de la presión arterial alta, de un ataque cardíaco o de un derrame cerebral. Mejor aún, se librará de los efectos secundarios de los medicamentos para la presión arterial alta.

Concéntrese en los cereales. No es un secreto que la dieta puede ayudar a las personas con presión arterial alta, pero los investigadores del Hospital Brigham and Women, de Boston, querían saber si los cereales integrales también podían ayudar a prevenirla. Para ello dieron seguimiento a más de 28,000 mujeres durante 10 años. Descubrieron que las mujeres que consumían por lo menos cuatro porciones de cereales integrales eran 23 por ciento menos propensas a tener la presión arterial alta que las mujeres que consumían muy poco o nada. Entre estos cereales integrales estaban el arroz integral, las palomitas de maíz, la avena cocida, los panes integrales, el salvado y los cereales integrales para desayuno.

¿Qué tienen los cereales integrales que los hace mejores que los demás cereales? Piense en la diferencia entre el arroz blanco y el arroz integral. El arroz blanco es un cereal refinado y algo insípido,

Supercereales integrales	
★ avena	★ *bulgur*
★ cebada	★ trigo sarraceno
★ quinua	★ trigo integral
★ mijo	★ arroz integral

debido a que se han eliminado las capas externas, nutritivas y cargadas de fibra del grano, dejando sólo la parte interna de almidón. Es por eso que generalmente se utiliza mantequilla, salsa de soya u otros alimentos para darle sabor. Sin embargo, el arroz integral es diferente. Se trata del grano entero cuyas capas externas no han sido eliminadas, por lo que tiene más fibra, más nutrientes y más sabor.

Combata las causas de la presión arterial alta. Los científicos creen que la fibra de los cereales integrales es la principal razón por la que estos alimentos pueden prevenir la presión arterial alta o hipertensión arterial. De hecho, la fibra puede atacar varias posibles causas de la hipertensión arterial, incluida la obesidad y la resistencia a la insulina.

■ La obesidad puede promover la presión arterial alta al obstruir la capacidad del cuerpo para controlar el sodio y al obstaculizar los sistemas que regulan el flujo sanguíneo. Aumentar el consumo de fibra le ayudará a sentirse lleno, por lo que comerá menos. El consumo de fibra también puede ayudar a absorber menos calorías de las grasas y de las proteínas ingeridas, de esta manera le es más fácil bajar de peso.

Siete consejos para obtener más fibra

Agregar más cereales integrales a su dieta es muy sencillo. Simplemente siga estos consejos:

- Disfrute de un tazón de avena o de cereal integral en el desayuno.

- Prepare sus sándwiches con pan cien por ciento integral.

- Sustituya el arroz blanco por arroz integral, cebada, mijo, trigo sarraceno, trigo *bulgur* o quinua.

- Para la repostería combine mitad y mitad de harina blanca y harina de trigo integral.

- Agregue a las sopas 1/2 taza de granos cocidos de trigo o de centeno, de arroz silvestre, de arroz integral o de cebada.

- Mezcle 3/4 de taza de avena cruda por cada libra de carne molida de res o de pavo cuando prepare albóndigas, hamburguesas o un pastel de carne.

- Elija palomitas de maíz a la hora del refrigerio o agregue un puñado de avena a su yogur.

- Algunos estudios sugieren que la resistencia a la insulina hace que el cuerpo retenga más sodio. De ser cierto, ese sodio adicional podría contribuir a la presión arterial alta. Otros estudios señalan que los cereales integrales pueden reducir la resistencia a la insulina al mejorar la capacidad del cuerpo para utilizarla. Eso le protegería de la presión arterial alta, así como de la diabetes.

Si le preocupa la presión arterial alta, añada más cereales integrales a su dieta. Asegúrese de hacerlo lentamente para que su cuerpo tenga tiempo de adaptarse, sin los efectos secundarios embarazosos.

Derrita la grasa de una vez por todas

La principal causa del vientre abultado no es la cerveza ni el postre. Es el pan blanco. La buena noticia es que usted puede reducir su cintura simplemente optando por una alternativa más sabrosa.

Según un estudio de la Universidad Tufts, de Boston, las personas que consumen más pan blanco aumentan el tamaño de su cintura tres veces más rápido que las personas que siguen una dieta saludable, rica en cereales integrales. Y una investigación de la Universidad Estatal de Pensilvania encontró que las personas que comían más cereales integrales perdían más grasa corporal alrededor de la cintura que las personas que comían cereales refinados. Así que un cambio tan sencillo como sustituir el pan blanco por el integral puede ayudarle a reducir la cintura. Y es mucho mejor aún, si además de aumentar su consumo de cereales integrales, usted reduce su consumo de grasas:

- Las personas que reducen su consumo de grasas y agregan fibra a su dieta adelgazan tres veces más que quienes simplemente disminuyen la grasa, según una revisión de distintas investigaciones.

- Muchas personas aumentan de peso cuando envejecen. Pero según un estudio de Harvard de ocho años de duración, los hombres que consumieron más cereales integrales aumentaron menos peso de manera apreciable (¡sin siquiera reducir su consumo de grasas!) que los hombres que apenas consumieron cereales integrales.

Coma esto	En vez de esto	Para obtener estos beneficios
la fibra en los cereales integrales; procure consumir 14 gramos de fibra por cada 1,000 calorías que ingiera	carbohidratos simples, como los cereales refinados y el pan blanco	La fibra le ayudará a sentirse lleno, por lo que usted no tendrá la tentación de picar entre comidas y le será más fácil bajar de peso. Comer abundante fibra reduce el riesgo de desarrollar diabetes. La fibra soluble puede reducir el azúcar en la sangre. Agregar cereales integrales a la dieta puede bajar la presión arterial y el colesterol.
grasas mono-insaturadas (MUFA, en inglés), como el aceite de oliva	transgrasas en la manteca o en algunos productos horneados; grasas saturadas, como la mantequilla y el aceite de coco	Las transgrasas hacen que el cuerpo acumule peso, sobre todo alrededor del abdomen. Las comidas con alto contenido de grasas saturadas pueden provocar un aumento de triglicéridos y de colesterol.
productos lácteos bajos en grasa	productos lácteos enteros (con toda la grasa)	Obtenga las proteínas y el calcio que usted necesita sin ingerir tanta grasa saturada. Los lácteos pueden favorecer la pérdida de peso, lo que podría prevenir la diabetes tipo 2 y las enfermedades cardíacas.
frutas	refrigerios y postres llenos de azúcar	Elija alimentos ricos en nutrientes en vez de alimentos con muchas calorías y pocos nutrientes para evitar subir de peso.
agua	refrescos con gas, gaseosas o sodas	Investigadores observaron que las personas que beben agua en lugar de sodas normales tienden a ingerir menos calorías diarias.
verduras	carnes rojas	Sustituya las carnes con alto contenido de grasa con verduras ricas en fibra y nutrientes, para así ingerir menos calorías y bajar de peso. Reduzca su riesgo de desarrollar cáncer de colon.

Los secretos para comer bien, que se muestran en la página anterior, pueden ayudarle a controlar su peso con más facilidad y a proteger su salud. Haga estas sencillas sustituciones en su dieta y usted podría evitar el cáncer, las enfermedades cardíacas, la diabetes y los problemas de peso. Cualquiera puede hacerlo.

Combata las afecciones cardíacas de tres maneras

Siglos atrás, la torre inclinada de Pisa tuvo escalones de mármol perfectamente nivelados. Pero cada persona que subió a la torre fue desgastando los escalones poco a poco. Tomó años para que el desgaste se empezara a notar. Hoy, si usted sube los escalones, encontrará profundos desniveles. Un ataque al corazón funciona de la misma manera. Al principio, el desgaste no es perceptible, pero con el tiempo puede causar problemas, como colesterol alto, presión arterial alta, un ataque cardíaco o un derrame cerebral. Con la ayuda de los cereales integrales usted puede protegerse de ese desgaste de tres maneras:

Reduzca el peligro del colesterol. Según un estudio publicado en la revista *American Journal of Clinical Nutrition*, las personas que consumen la mayor cantidad de cereales integrales tienen menos colesterol LDL y colesterol total que las que no lo hacen. La fibra de la avena y de otros cereales integrales actúa como una aspiradora, succionando todo el colesterol de los intestinos y eliminándolo del cuerpo antes de que usted pueda absorberlo en el torrente sanguíneo.

Controle su peso. Ese mismo estudio también observó que los amantes de los cereales integrales tienen índices de masa corporal (IMC) más bajos, cinturas más pequeñas y pesan menos. Ésa es una buena noticia porque el sobrepeso aumenta el riesgo de muerte prematura por enfermedades cardíacas. Es más, reducir el IMC puede disminuir las probabilidades de presión arterial alta.

Protéjase de los problemas arteriales. El endurecimiento de las arterias o ateroesclerosis, ocurre cuando se forma placa dentro de las paredes arteriales, haciéndolas más gruesas y más duras. Esto puede llevar al estrechamiento de las arterias y a la presión arterial alta, dos posibles causas de ataque cardíaco y derrame cerebral. Según un estudio de la Universidad Wake Forest, las personas que consumen más cereales integrales tienen menos placa en la arteria carótida común, un importante vaso sanguíneo del cuello. Los científicos creen que tal vez algunas arterias no se beneficien tanto como otras, por lo que es mejor adoptar tantos hábitos saludables para el corazón como le sea posible. Consumir cereales integrales es, sin duda, un estupendo punto de partida.

Lo mejor de todo, es posible obtener resultados consumiendo sólo unas cuantas porciones de cereales integrales al día. Otro estudio de la Universidad de Wake Forest encontró que los hombres que recibieron dos o tres porciones diarias de cereales integrales tenían un riesgo 21 por ciento menor de sufrir alguna enfermedad cardíaca en comparación con quienes rara vez comían cereales integrales. Tres porciones no es mucho: un tazón de avena en el desayuno, un sándwich con pan integral en el almuerzo y palomitas de maíz como refrigerio.

El secreto para derrotar a la diabetes

Comer más, no menos, podría ser la solución para mejorar la sensibilidad a la insulina y controlar la diabetes tipo 2, siempre y cuando usted consuma más cereales integrales. De hecho, usted podría reducir su riesgo de desarrollar diabetes tipo 2 en 20 ó 30 por ciento solamente comiendo por lo menos dos porciones de cereales integrales al día. Nunca es demasiado tarde para empezar. Los expertos dicen que aquellas personas que ahora no consumen lo suficiente serán las que más se beneficien al incrementar su ingesta.

En un estudio, las personas con sobrepeso y problemas de insulina pudieron mejorar su sensibilidad a la insulina después de consumir, durante sólo seis semanas, cereales integrales tales como trigo, copos de avena y arroz integral. En otras investigaciones se encontró que los cereales integrales reducían los niveles de azúcar en la sangre durante el ayuno y después de las comidas. El secreto radica en tres ingredientes especiales presentes en los cereales integrales:

Magnesio. El magnesio desempeña un papel importante en la manera como el cuerpo procesa el azúcar que obtiene de los alimentos. Los expertos también creen que este mineral ayuda a equilibrar el azúcar en la sangre y a controlar la acción de la insulina en el cuerpo. Incrementar su ingesta de magnesio en tan sólo 100 miligramos (mg) al día podría reducir el riesgo de desarrollar diabetes tipo 2 en 15 por ciento. Eso equivale a cuatro rebanadas de pan integral, una taza de frijoles, media taza de espinacas cocidas, un cuarto de taza de frutos secos o cuatro cucharadas de crema de cacahuate. Simplemente sustituya el pan blanco en sus sándwiches por pan integral, o acompañe la cena con una porción de espinacas en vez de papitas fritas.

Aspire a obtener 325 mg de magnesio diariamente, una meta que se puede alcanzar fácilmente, sin suplementos, con sólo comer cereales integrales, frijoles, frutos secos y verduras de hoja verde. Obtener más de 325 mg de magnesio no le brinda protección adicional.

Fibra. Una revisión de nueve estudios encontró que las personas que consumieron más fibra, alrededor de 28 gramos (g) al día, redujeron su riesgo de desarrollar diabetes tipo 2 en 14 por ciento en comparación con aquéllas que consumieron solamente alrededor de 16 g al día. Los científicos tienen dos teorías para explicar esto:

- La fibra soluble reduce la velocidad a la que se vacía el estómago, por lo que el torrente sanguíneo absorbe más lentamente el azúcar de los alimentos.

- La fibra insoluble no se digiere totalmente en el estómago. En vez de eso, se traslada al colon donde se fermenta, produciendo ácidos grasos de cadena corta. Estos compuestos ayudan a sensibilizar las células a la insulina.

Cromo. Este mineral esencial puede ser indispensable para ayudar a que la insulina trabaje eficazmente. Es un ingrediente de una sustancia llamada factor de tolerancia a la glucosa y, como es de suponer, una deficiencia severa de cromo conduce a la resistencia a la insulina y a la diabetes. Las personas que no tienen diabetes tal vez no vean un beneficio al aumentar sus niveles de cromo, pero sí parece ayudar a aquellas personas con diabetes tipo 2, al reducir los niveles de glucosa en ayunas y de una sustancia llamada A1c, que muestra el nivel promedio de azúcar en la sangre a lo largo de un período de tiempo.

Plan de 3 pasos contra la diabetes tipo 2

Detenga a la diabetes con estos tres pasos sencillos, sin medicamentos y sin pasar hambre. No es broma.

- Sustituya los carbohidratos refinados por cereales integrales con alto contenido de fibra. Las personas que consumen principalmente cereales refinados, como el arroz blanco o el pan blanco, se enfrentan a un riesgo mayor de diabetes, mientras que el consumo de cereales integrales puede reducir ese riesgo.

- Consuma más grasas saludables, como las grasas monoinsaturadas del aceite de oliva o las grasas poliinsaturadas del pescado. Reduzca el consumo de grasas saturadas, como las de la carne, y de transgrasas, como las de la margarina y los alimentos procesados.

- Muévase. El ejercicio puede ayudarle a bajar de peso, poner su corazón en forma y evitar el consumo de medicamentos adicionales.

Manera fácil de mantener el cáncer a raya

Usted puede reducir su riesgo de sufrir cáncer intestinal y de colon con sólo sustituir el arroz blanco por el integral, y los cereales refinados por los integrales. Investigadores preguntaron a casi 500,000 personas entre las edades de 50 y 71 años sobre sus hábitos de alimentación y sus problemas de salud. Las personas que consumían más cereales integrales tenían 21 por ciento menos probabilidades de desarrollar cáncer de colon.

- El arroz integral, la avena, el trigo integral, la cebada y otros cereales integrales son excelentes fuentes de minerales, vitaminas del complejo B, vitamina E y unos compuestos vegetales llamados fenoles, todos ellos nutrientes que combaten el cáncer.

- Los cereales integrales también ayudan a regular los niveles de azúcar y de insulina en la sangre, lo que protege contra el cáncer de colon y de mama.

- La fibra insoluble de los cereales puede disminuir su riesgo de desarrollar cáncer intestinal. Esta fibra se fermenta en el intestino, produciendo ácidos grasos de cadena corta los cuales, a su vez, detienen el crecimiento de tumores.

La clave aquí son los cereales integrales. Estos nutrientes destructores del cáncer generalmente se encuentran en la capa exterior del salvado. Al refinar los granos integrales para obtener el arroz blanco, la harina blanca o el pan blanco, se descarta la mayor parte de estos nutrientes. Por ejemplo, el proceso de refinamiento elimina hasta el 92 por ciento de la vitamina E de los granos.

Gracias a su capa de salvado, el arroz integral puede ofrecer protección contra el cáncer intestinal de una manera que el arroz blanco no puede. En un estudio realizado con ratones, el salvado de arroz disminuyó la incidencia de tumores intestinales cancerosos a la mitad, lo que llevó a los investigadores a concluir que el arroz integral puede ayudar a prevenir el cáncer en personas con pólipos intestinales.

Prefiera los cereales integrales y obtenga así una mayor protección contra los distintos tipos de cáncer del aparato digestivo.

Cinc

Supere la gripe y los resfriados con cinc

El cinc es un oligoelemento que produce energía, participa en la síntesis de ADN, ayuda al cuerpo a utilizar la vitamina A, combate los radicales libres, ayuda a curar las heridas y fortalece el sistema inmunitario.

Esto último hace que el cinc sea un arma útil contra los resfriados y la gripe. Aumentar la ingesta de cinc puede aumentar las defensas del cuerpo contra las infecciones, sobre todo en las personas mayores de 55 años. Un reciente

estudio realizado por la Universidad de Michigan encontró que los adultos mayores que tomaron suplementos de cinc tuvieron menos infecciones a lo largo de un año. También experimentaron niveles inferiores de inflamación y estrés oxidativo, dos procesos que afectan el sistema inmunitario. Incluso si contraían un resfriado, éste sólo duraba casi la mitad del tiempo y presentaba síntomas menos severos. Otro estudio realizado en hogares de ancianos concluyó que quienes tenían niveles bajos de cinc eran más propensos a contraer una neumonía. Les iba mejor a los ancianos con niveles normales de cinc.

Sin embargo, no se apresure a adquirir un arsenal de pastillas de cinc. Si bien algunos estudios han mostrado que ayudan a combatir los resfriados, la mayoría de estos estudios estuvieron mal diseñados. Otros estudios no han podido comprobar la eficacia de las pastillas de cinc. Tal vez no valga la pena correr el riesgo de tomar estas pastillas en vista de sus efectos secundarios, como náuseas y dolores estomacales, y de su sabor desagradable. Además, demasiado cinc puede afectar el funcionamiento del sistema inmunitario y causar fatiga crónica.

Un estudio bien diseñado demostró que el gel nasal de cinc puede ayudar a reducir la duración y la severidad de los resfriados, siempre y cuando lo use dentro de los dos primeros días a partir de la primera señal de la enfermedad. Sin embargo, estos productos vienen con sus propios riesgos, entre ellos, la posible pérdida del sentido del olfato.

Prevenga el envejecimiento de los ojos

El cinc, un poderoso mineral antioxidante, puede usarse para tratar la degeneración macular asociada con la edad (DMAE), la principal causa de pérdida de visión en las personas mayores de 55 años de edad, pero también puede contribuir a esta afección.

La degeneración macular afecta la mácula, la parte de la retina que controla la visión central. La visión gradualmente se vuelve borrosa o un punto ciego aparece en el centro del campo visual. Es posible que identificar palabras impresas y ciertos detalles se vuelva difícil, que las líneas rectas se vean onduladas y que las sombras aparezcan distorsionadas.

El aumento del riesgo de desarrollar DMAE ha sido vinculado con niveles bajos de cinc en la dieta. En un estudio realizado en los Países Bajos, el riesgo de DMAE era 35 por ciento menor en las personas cuyo consumo de cinc, betacaroteno y vitaminas C y E estaba por encima de lo normal. Otros estudios demuestran que los suplementos de cinc podrían ser beneficiosos.

El Estudio de Enfermedades Oculares Relacionadas con la Edad encontró que altas dosis de cinc, junto con otros antioxidantes como el betacaroteno, el cobre y las vitaminas C y E, ayudaron a las personas con DMAE intermedia o avanzada. Este tratamiento retarda el avance de la DMAE en 25 por ciento, pero no la previene.

No todas son buenas noticias. Un estudio británico reciente concluyó que el cinc puede desempeñar un papel en el desarrollo y el avance de la DMAE. Una señal de la DMAE es la acumulación de pequeños depósitos, llamados drusas, en el ojo. Los investigadores británicos descubrieron niveles sorprendentemente altos de cinc en esos depósitos, lo que indicaría que demasiado cinc puede ser la causa. Lo más seguro es obtener el cinc a través de la alimentación y no de altas dosis de suplementos. No tome suplementos de cinc sin antes consultar con su médico.

Un mineral clave para amortiguar las articulaciones

La nutrición es un factor importante en la salud de las articulaciones. Obtener suficiente cinc de los alimentos puede ayudar a protegerlo de la artritis.

La osteoartritis, la forma más común de artritis, ocurre cuando el cartílago que amortigua las articulaciones se desgasta gradualmente y los huesos se empiezan a rozar. Con la artritis reumatoide, el sistema inmunitario se descontrola y ataca las articulaciones, dañando el cartílago y los huesos.

Las personas con osteoporosis suelen tener niveles bajos de cinc. Los hombres deben procurar obtener 11 miligramos (mg) de cinc cada día y las mujeres 8 mg. Los vegetarianos podrían necesitar 50 por ciento más cinc que los no vegetarianos. Eso se debe a que es más difícil para el cuerpo absorber el cinc de las fuentes de origen vegetal.

El cinc contribuye a la salud ósea, al fortalecer las defensas del cuerpo contra la artritis e, incluso, contra la osteoporosis. Debido a sus propiedades antiinflamatorias, el cinc también puede combatir la artritis reumatoide. Cuando se combina con el cobre, el cinc puede ser aún más eficaz contra esta enfermedad.

Cinc en la medida justa

Usted necesita cinc, pero demasiado de algo bueno no siempre es mejor. Según un estudio reciente, las dosis elevadas de suplementos de cinc pueden causar problemas urinarios en los adultos mayores. Investigadores analizaron el Estudio de Enfermedades Oculares Relacionadas con la Edad, en el que 3,640 personas entre 55 y 80 años de edad recibieron ya sea cinc, antioxidantes, cinc más antioxidantes o un placebo. Las personas que recibieron cinc fueron más propensas a ser hospitalizadas por complicaciones urinarias, como infecciones del tracto urinario y cálculos renales. Demasiado cinc también puede resultar en deficiencia de cobre.

La cantidad dietética recomendada (RDA, en inglés) de cinc es de 8 miligramos (mg) para las mujeres y de 11 mg para los hombres. El nivel superior de ingesta tolerable de cinc es de 40 mg diarios. Los participantes del estudio recibieron 80 mg al día.

Secretos culinarios: más nutrición por menos dinero

Reduzca los gastos en el supermercado

Los estadounidenses desaprovechan el 27 por ciento de los alimentos que están a su disposición en todas las etapas de la cadena de producción: el cultivo, la cosecha, la preparación y el almacenamiento. Con estos nuevos productos diseñados para que los alimentos no se echen a perder tan rápido, usted puede aprovechar al máximo todo lo que compra:

■ Bolsas ecológicas. Varias marcas contienen zeolita, un mineral natural que absorbe el gas etileno, el cual fomenta la maduración más rápida de las frutas y las verduras. Diez bolsas ecológicas cuestan aproximadamente $5 y son reutilizables. Estas bolsas parecen ser mejores que las bolsas de plástico comunes para guardar ciertas frutas, como las bananas o las fresas.

■ Sistemas de envasado al vacío. Este método le permite conservar los alimentos en bolsas o recipientes sellados herméticamente, sin aire atrapado en el interior que acelere su deterioro. Se puede emplear para guardar carne en porciones pequeñas, verduras frescas o restos de una comida. Los sistemas pueden conseguirse a partir de $50 y se estima que el envasado al vacío hace que los alimentos duren cinco veces más.

■ Contador digital DaysAgo. Este dispositivo cuenta los días que los alimentos permanecen en el refrigerador.

Sugerencia para el hogar

Cómo ablandar el azúcar

No tire la bolsa abierta de azúcar moreno, aún si se ha endurecido en terrones duros como rocas. Coloque una rodaja de manzana en la bolsa durante la noche. Ese poco de humedad hará que el azúcar se vuelva suave, suelto y fácil de usar.

Técnicas de cocina para conservar los nutrientes

Las verduras crudas no siempre son la opción más saludable. Hay verduras que liberan sus nutrientes cuando se cocinan.

Carotenoides. Las zanahorias, los calabacines y el brócoli deben cocinarse para aprovechar el betacaroteno que contienen. Ésa es la conclusión de los investigadores tras hervir, saltear y cocer al vapor estas verduras. Un tiempo de cocción más prolongado ablanda las verduras, permitiendo que liberen estos importantes nutrientes.

Polifenoles. Estos coloridos fitonutrientes que se encuentran en las papas rojas y la col morada se filtran fácilmente en el agua de cocción. Coma estas verduras crudas o saltéelas rápidamente.

Vitamina C. Esta delicada vitamina soluble en agua se descompone fácilmente a temperaturas altas, así que consuma los pimientos y el brócoli en su estado crudo para absorber este nutriente. Un estudio encontró que el brócoli perdía el 87 por ciento de la vitamina C cuando se freía, mientras que las zanahorias perdían el 38 por ciento cuando se cocían al vapor y el 100 por ciento cuando se freían.

Licopeno. Muchas personas consumen tomates por el licopeno, que es un carotenoide de color rojo brillante. El tomate es en realidad una mejor fuente de este nutriente después de procesarse. Como sucede con las vitaminas solubles en grasa —las vitaminas A, D, E y K— la cocción descompone las gruesas paredes de las células de las plantas para liberar sus nutrientes. Disfrute la salsa de tomate y el *ketchup*.

Potasio. Usted puede cocinar las papas más rápido si las ralla o las corta en cubos antes de hervirlas, pero al hacerlo también pierde parte del potasio de este sabroso tubérculo.

Quercetina. Cocinar las cebollas en el microondas o en una sartén hará que conserven una mayor cantidad de quercetina, un flavonoide importante. Sin embargo, si las hierve el 30 por ciento de la quercetina de la cebolla acabará en el agua de cocción.

Especias. La canela, el clavo de olor, el hinojo, el romero y otras hierbas y especias le ofrecen una gran cantidad de antioxidantes. Los investigadores encontraron que su poder antioxidante aumentaba si se guisaban o cocían a fuego lento y disminuía si se asaban o sofreían.

Ajo. El ajo crudo es una gran fuente de alicina, pero si usted lo cocina entero perderá ese fitonutriente. Para conservar la alicina, machaque o triture el ajo antes de cocinarlo.

Alimentos más frescos, por más tiempo

Almacene adecuadamente los distintos tipos de alimentos y prolongue su frescura.

Alimento	Cómo almacenarlo	Lo que usted necesita saber
Frutas		
manzanas	refrigerar	las temperaturas frías no alteran su sabor, como ocurre con otras frutas
fresas	quitar el cabito y las hojas, cortar en mitades, congelar en bolsas selladas	agregue jarabe de azúcar a la bolsa para conservar el color rojo brillante de las bayas
bananas	comprarlas verdes y dejarlas que maduren sobre el mostrador	las temperaturas frías del refrigerador harán que se pongan negras
naranjas	refrigerar o mantener a temperatura ambiente con los mismos resultados	durarán alrededor de dos semanas con ambos métodos, pero se cubrirán de moho si las guarda en plástico
melocotones	almacenar en una bolsa de papel sobre el contador junto con las bananas	el gas etileno liberado por las bananas en maduración ablanda los melocotones
Verduras		
brócoli	refrigerar hasta por siete días	pierde sólo pequeñas cantidades de glucosinolatos, compuestos beneficiosos
mazorcas de maíz o elote	quitar las hojas, retirar las barbas y los tallos, escaldar las mazorcas durante cinco minutos, enfriar, secar y congelar	cómprelas frescas en temporada cuando el precio está bajo, puede guardarlas hasta el invierno o la primavera, duran cerca de un año

Alimento	Cómo almacenarlo	Lo que usted necesita saber
Verduras *(continuado)*		
cebollas	almacenar en un lugar fresco y oscuro	manténgalas separadas de las papas, ya que su humedad puede hacer que las cebollas se pudran
espinacas	comprarlas congeladas si piensa cocinarlas	la espinaca fresca pierde sus nutrientes rápidamente, congelarla conserva los nutrientes
tomates	madurar a temperatura ambiente, consumir dentro de los tres días después de que maduren	la refrigeración hace que pierdan sabor y textura
Productos lácteos		
queso	refrigerar para conservar la textura	cómprelo a granel a precios más bajos, ralle los quesos duros y congele entre seis y ocho meses
leche	refrigerar hasta por una semana pasada la fecha límite de venta (*"sell by date"*, en inglés)	cómprela a granel a precios más bajos, sírvase un vaso, luego selle y congele; descongelar en el fregadero lleno de agua
yogur	refrigerar hasta por dos semanas pasada la fecha límite de venta (*"sell by date"*, en inglés)	puede "cortarse" si se congela
huevos	refrigerar entre cuatro y cinco semanas	los huevos frescos duran más que los productos de huevo pasteurizado y los sustitutos de huevo
Otros		
avena y arroz integral sin cocer	congelar si no las va a consumir dentro de una semana	la exposición al aire o al calor puede hacer que los granos integrales se vuelvan rancios
albahaca y otras hierbas	quitar los tallos, enjuagar, secar y picar las hojas; congelar en bolsas herméticamente cerradas durante seis meses	cómprelas frescas, a granel y en temporada
aceite vegetal	guardar en un lugar fresco y oscuro	dura entre uno y tres meses después de abrir, no compre demasiado

Los 10 alimentos más poderosos del supermercado

Coloque estos 10 superalimentos en su carrito de compras y tendrá todos los ingredientes que usted necesita para proteger su corazón, reducir su riesgo de desarrollar cáncer, mantener la agudeza visual y mucho más.

Alimento	Beneficios para la salud	Cómo funciona
manzana	ayuda a la digestión	la fibra soluble e insoluble mantiene la regularidad digestiva
	previene las enfermedades cardíacas	los flavonoides actúan como anti-oxidantes para bajar el colesterol LDL
aguacate	previene la trombosis venosa profunda	la vitamina E actúa como un anticoagulante para prevenir coágulos
	combate la presión arterial alta	el potasio equilibra el sodio en la dieta para bajar la presión alta
brócoli	previene el cáncer	los indoles y los isotiocianatos activan las enzimas que eliminan carcinógenos
cereza	combate la artritis	las antocianinas reducen la inflamación dolorosa
ajo	reduce el colesterol alto	el efecto antioxidante del ajo baja el colesterol LDL
	combate la presión arterial alta	la alicina actúa como un antioxidante para dilatar los vasos sanguíneos
uva	aleja la enfermedad del Alzheimer	los antioxidantes de los polifenoles protegen el cerebro
naranja	protege contra la artritis	la vitamina C promueve la acumulación de colágeno, necesario para el cartílago en las articulaciones
espinaca	previene los accidentes cardiovasculares	el folato baja el nivel de homocisteína y reduce el riesgo de un derrame
	protege contra la osteoporosis	el manganeso ayuda a mantener la densidad y fortaleza de los huesos

Alimento	Beneficios para la salud	Cómo funciona
batata dulce	mantiene la vista aguda	el betacaroteno, la vitamina C, la vitamina E y el cinc actúan como antioxidantes para prevenir la degeneración macular asociada con la edad
	ayuda a evitar la osteoporosis	el potasio ayuda a los huesos a conservar el calcio y a mantenerse fuertes
tomate	reduce el riesgo de cáncer	el licopeno, más otros nutrientes, bloquean el daño a las células

El futuro de la seguridad alimentaria

Casi cada semana las noticias nos informan de personas que se enfermaron por alimentos contaminados. Los expertos en seguridad alimentaria están trabajando en proyectos como los siguientes para minimizar este riesgo:

- Envoltorios comestibles para alimentos. Estos envoltorios en aerosol estarían hechos de puré de frutas o verduras, más un aceite de hierbas. Están diseñados para ayudar a conservar el sabor de las frutas y verduras por más tiempo, y a la vez eliminar las bacterias peligrosas, incluida la *E. coli*. Los expertos aún están desarrollando estos envoltorios, que podrían dar a las frutas y verduras el sabor del aceite utilizado, como el de canela o de orégano.

- Irradiación. La Administración de Alimentos y Fármacos (FDA, en inglés) aprobó recientemente el uso de radiación, por parte de los productores de alimentos, para matar las bacterias peligrosas, como la *E. coli* y la *Salmonella*. A algunos expertos les preocupa que la irradiación pueda, además, acabar con los nutrientes y el sabor de las frutas y verduras, y, a la vez, generar peligrosas sustancias químicas. Sin embargo, la FDA sostiene que es segura.

Glosario

	Sinónimos	En inglés
abadejo	—	*pollock*
acedera	—	*sorrel*
aceite de canola	aceite de colza	*canola oil*
aceite de linaza	aceite de semilla de lino	*flaxseed oil*
aguacate	palta	*avocado*
albaricoque	chabacano, damasco	*apricot*
áloe vera	sábila	*aloe vera*
arándano rojo	arándano agrio	*cranberry*
arándano azul	mora azul	*blueberry*
arrurruz	—	*arrowroot*
bagel	rosca de pan	*bagel*
banana	banano, cambur, guineo, plátano	*banana*
batata dulce	boniato, camote	*sweet potato*
berza	—	*collard greens*
bicarbonato de sodio	bicarbonato de soda, bicarbonato sódico	*baking soda*
bok choy	col china	*bok choy*
caballa	macarela, sarda, verdel	*mackerel*
cacahuate	maní	*peanut*
calabacín	calabacita, zapallo italiano	*zucchini*
calabaza	calabaza común, zapallo	*pumpkin*
calabaza de invierno	calabaza de corteza dura, como la calabaza común *(pumpkin)*, la calabaza bellota *(acorn squash)* o la calabaza de cidra *(butternut squash)*	*winter squash*
calabaza de verano	calabaza de cáscara fina, como el calabacín	*summer squash*
capuchina	mastuerzo	*nasturtium*
carne molida	carne picada	*ground meat*
cebada	—	*barley*
cebollino	cebolleta	*chives*
cereales integrales	granos integrales	*whole grains*
chícharos	alverjas, arvejas, guisantes verdes	*green peas*
cereza agria	cereza ácida	*tart cherry*

	Sinónimos	En inglés
chícharos partidos	guisantes partidos	*split peas*
chile	ají, guindilla, pimiento picante	*hot pepper*
ciruela pasa	guindón	*dried plum, prune*
col rizada	—	*kale*
col roja	col lombarda, col morada, repollo rojo	*red cabbage*
colirrábano	*Kohlrabi*	*Kohlrabi*
coquito del Brasil	castaña de Pará	*Brazil nut*
corazoncillo	hierba de San Juan, hipérico, hipericón	*St. John's wort*
crema de cacahuate	crema de maní, mantequilla de cacahuate	*peanut butter*
cúrcuma	azafrán de las Indias, palillo	*turmeric*
ensalada de repollo	ensalada de col	*cole slaw*
frijoles	alubias, caraotas, frejoles, habichuelas, judías, porotos	*beans*
frutas secas o deshidratadas	las pasas de uva (*raisins*, en inglés), las ciruelas pasas (*prunes*), los higos secos (*dried figs*) son frutas secas	*dried fruits*
frutos secos	la nuez (*walnut*, en inglés) es un tipo de fruto seco, como lo es la almendra (*almond*) y la avellana (*hazelnut*)	*nuts*
goji	cambronera, licio chino	*goji, wolfberry*
habas blancas	habas de Lima, pallares	*lima beans*
habichuelas verdes	ejotes, judías verdes, vainitas	*green beans*
harina de maíz	—	*cornmeal*
harina multiuso	harina común, harina de uso general	*all-purpose flour*
harina sin blanquear	—	*unbleached flour*
hipogloso	fletán	*halibut*
hojas de nabo	grelos	*turnip greens*
lavanda	espliego	*lavender*
lejía	blanqueador, cloro, lavandina	*bleach*
lenguado	—	*sole*
light	bajo en calorías, dietético	*light, lite*
limón	limón amarillo	*lemon*
limón verde	lima, limón criollo	*lime*
lubina	róbalo	*bass*
maicena	almidón de maíz, fécula de maíz, harina fina de maíz	*cornstarch*
maíz	choclo, elote	*corn*

	Sinónimos	En inglés
manzanilla	camomila	*chamomile*
maracuyá	chinola, parcha, parchita, pasionaria	*passion fruit*
matricaria	—	*feverfew*
melocotón	durazno	*peach*
menta	—	*peppermint*
miel de trigo sarraceno	miel de alforfón	*buckwheat honey*
mijo	—	*millet*
naranja roja	naranja de pulpa roja, naranja sanguina	*blood orange*
nuez de la India	anacardo, castaña de cajú, marañón	*cashew*
ñame	—	*yam*
orujo de oliva, aceite de	—	*pomace oil*
palomitas (de maíz)	rositas de maíz, cotufas	*popcorn*
pan de maíz	pan de elote	*cornbread*
pan tipo Pumpernickel	pan integral de centeno	*Pumpernickel bread*
papaya	fruta bomba, lechosa	*papaya*
pez azul	anjova, chova, dorado, pomátomo	*bluefish*
pimiento	pimentón, pimiento morrón	*bell pepper*
piña	ananá	*pineapple*
plátano verde	plátano macho	*plantain*
platija	—	*flounder*
poro	porro, puerro	*leek*
repollitos de Bruselas	coles de Bruselas	*Brussels sprouts*
repollo	col	*cabbage*
romero	—	*rosemary*
rutabaga	colinabo, nabicol, nabo suizo	*rutabaga*
salvia	—	*sage*
sauce, corteza de	—	*willow bark*
semilla de lino	linaza	*flaxseed*
semilla de sésamo	semilla de ajonjolí	*sesame seed*
tofu cremoso	tofu blando, tofu 'sedoso'	*silken tofu*
toronja	pamplemusa, pomelo	*grapefruit*
totopos	tortillas de maíz cortadas en triángulos	*corn chips*
trigo sarraceno	alforfón, alforjón, trigo negro	*buckwheat*
tupinambo	alcachofa o papa de Jerusalén, pataca	*Jerusalem artichoke*

Índice de términos

Frutas y verduras
    intoxicación por alimentos y 19
    lavar 19
    locales 182
    nivel de antioxidantes 26
Frutos secos 198-203
Fumar, y betacaroteno 41

G

Gastos en supermercado, reducir 266, 354
Genisteína 292
Gingivitis. *Vea* Enfermedad de las
    encías
Glucosa 161, 171. *Vea también* Azúcar
    en la sangre
Gluten 209
Goji, baya de 157-160
Goma de mascar, canela 7
Gota. *Vea también* Artritis
    cerezas para 66
Granada 239-244
Grasa abdominal, y demencia 32
Grasas. *Vea* Ácidos grasos
    monoinsaturados (MUFA)
Gripe
    cinc para 349-350
    cítricos para 80-81
    té para 47

H

Helicobacter (H.) pylori
    arándano agrio para 99
    en el estómago 215, 260
    probióticos y 259-261
Heparina, y cúrcuma 113
Herperidina, en la naranja roja 50
Herpes labial, vitamina C para 110
Herpes zóster, capsaicina para 60
Hiedra venenosa, maicena para 98
Hierbas, para curar 280-282
Hiperglucemia 96
Hiperplasia prostática benigna (HPB)
    186, 223
Hipertensión. *Vea* Presión arterial alta
Hipoglucemia, maicena para 96
Hongos, canela para 80
Hormigas, remedios naturales para 80,
    234, 314
Horno, limpiar 22
Hueso. *Vea también* Osteoporosis
    banana para 26-27

    calcio para 121-122
    cebolla para 225-226
    formar 226
    licopeno para 303-304
    magnesio para 194
    omega-3 para 219-220
    soya para 294-296
    té para 42
    vitamina D para 317-318
    vitamina K para 109
Huevo 123-127
Huevo hipoalergénico 125

I

Impotencia, granadas para 243
Índice de masa corporal (IMC) 53
Índice Glucémico (GI) 31, 83, 201, 246
Indigestión
    chiles para 61
    menta para 232
Indol-3-carbinol 106
Infección
    ajo para 150
    arándanos agrios para 99
    cinc para 349-350
    miel para 171-172
    té para 47, 166
Infección de las vías urinarias
    ajo para 151
    jugo de arándano agrio para 99
Inflamación
    aceite de oliva para 212
    cebolla parar 221-222
    cerezas para 66
    curry en polvo para 113
    depresión y 134
    diabetes y 65
    encías y 81
    enfermedad de Parkinson y 14-15
    jengibre para 154-155
    semillas de lino para 142
    té verde para 166
    uvas para 271
    vitamina D para 320
Infusión
    de jengibre 154
    de menta 232
Insectos, aerosol casero contra 65
Insomnio
    cerezas para 67
    miel para 171

granadas para 241
manzanas para 8
menta para 232
pescado para 131-133
romero para 279
té verde para 164
uvas para 271
verduras de hoja verde para 180
Memoria, pérdida de la. *Vea también*
Alzheimer, enfermedad de; Demencia
soya y 299
Menopausia
semillas de lino para 143
soya para 298
Menta 232-234
para conducir 79-80
Mercurio, intoxicación por 130
Meriendas, barras con almidón
resistente para las 277
Miel 169-175
Migrañas
magnesio para 194
semillas de lino para 144
Mitocondria 63
Mordeduras de insectos, remedios
naturales para 18-19, 208
Mucílago 141
Músculos
calambres, magnesio para 194
debilidad. *Vea* Sarcopenia
espasmos 232
fortaleza, nutrientes para 38, 288-289,
318

N

Ñame "frito" al *curry* 116
Naranja 358
jugo, para los huesos 87
roja 49-52
Naringenina, en la naranja roja 50
Náuseas, jengibre para 153
Neti pot, para lavado nasal 18
Neuralgia. *Vea* Dolor de los nervios
Neuropatía
curcumina para 116
resveratrol para 274
Nueces 199
Nutrientes, cocinar 355

O

Obesidad. *Vea* Pérdida de peso
Obstrucción de tubería 312

Orégano, para intoxicación por
alimentos 102
Orujo de oliva, aceite de 213
Osteoartritis (OA). *Vea también* Artritis
aceite de oliva para 212
boro para 6
cinc para 351-352
proteínas para 268-269
selenio para 291
vinagre para 307
vitamina D para 318-319
vitamina K para 183
Osteoporosis
bananas para 26-27
canela para 79
chocolate y 75
ciruelas para 236-237
lácteos para 121-122
magnesio para 194
omega-3 para 219-220
té para 42
vitamina C para 86-87
vitamina D para 317-318
Oxalatos 75

P

Pájaros, alimentador para 87
Pan de maíz, semilla de lino 146
Papa 244-249, 283
Paradoja francesa 270
Parkinson, enfermedad de, aspirina
para 14
Pasta de dientes
con bicarbonato de sodio 21
con canela 77
para el olor a pescado 141
Pectina
para bajar el colesterol 5
para el cáncer 4
Pérdida de la audición
aspirina para 15
magnesio para 194
resveratrol para 273
vitamina E para 331
Pérdida de peso
aceite de pescado para 136
agua para 334-335
almidón resistente y 278
avena para 205
cafeína para 90
capsaicina para 64
cereal para desayuno y 52-53

Té *(continuado)*
   negro, beneficios del 42-49
   verde, beneficios del 160-168
Té, hojas de, para la ceniza 163
Terapia de sustitución de hormonas,
   alternativa para 143
Tinte para hilos 115
Tomate 301-305, 359
Tos, miel para la 169
Transgrasas 344
Trastorno bipolar, aceite de pescado para
   134
Trastornos autoinmunitarios, vitamina D
   para 321-322
Triglicéridos 219
   omega-3 para 128, 131
Trombosis venosa profunda 129, 327
Tubería obstruida 312

U
Úlcera
   arándanos agrios para 99
   aspirina para 15
   capsaicina para 62
   H. pylori y 259-260
Úlceras bucales, bicarbonato de sodio
   para 18
Ultravioleta (UV), rayos 74
Uvas rojas 270-276, 358

V
Vejiga
   cáncer de 104
   hiperactiva 335
   infección de 166
Venas varicosas, vitamina K para 183
Verduras de hoja verde 179-187
Verduras.
   Vea también Frutas y verduras
   crucíferas 104-112
Vinagre 306-314
   de la aspirina 12
   para desodorizar 22
Visión
   baya de *goji* para 157
   betacaroteno para 39-40
   granadas para 241
   luteína y zeaxantina para 187-189
   pescado para 134-135
   vitamina D para 320-321
Vista. *Vea* Visión

Vitamina A
   para el cáncer 35-36
   para la enfermedad de Alzheimer 37
   riesgo del suplemento 36
Vitamina B12
   en pescados y mariscos 132
   para los derrames cerebrales 129
Vitamina C
   cálculos renales 84
   en el arándano agrio 100
   en la naranja roja 51
   para el cáncer 85
   para el sistema inmunitario 228-229
   para la artritis 86
   para la diabetes 83-84
   para la osteoporosis 86-87
   para la piel 229
   para las cataratas 228
   para las enfermedades cardíacas 227
   para las úlceras bucales 110
   para los derrames cerebrales 227
   para los dientes y las encías 81
   para los huesos 109
Vitamina D 315-325
   para la diabetes 118
   para la osteoporosis 122
Vitamina E 326-331
   en el arándano agrio 100
Vitamina K
   en el repollo 109-110
   en la col rizada 179
   para la osteoartritis 183
   para las venas varicosas 183

W
Warfarina
   ajo y 148
   cúrcuma y 113
   jengibre y 155

Y
Yak, queso de 119
Yogur
   inulina en 178
   para bajar de peso 119-120
   probióticos en 254

Z
Zanahorias, variedades de 40
Zapatillas deportivas, refrescar 98
Zeaxantina, para la visión 187-189